ADRIENNE MESURAT

Julien Green
chez Fayard

Julien Green

ADRIENNE MESURAT

roman

Fayard

La première édition de ce livre a paru en 1927 aux
éditions Plon.

Le texte qu'on lira ici est celui de l'édition originale.
Il est précédé de la préface que l'auteur avait écrite
pour la réédition de 1973 chez le même éditeur.

*Nous qui sommes bornés en tout,
comment le sommes-nous si peu lorsqu'il
s'agit de souffrir ?*

Marivaux

PRÉFACE

On a parlé de psychanalyse à propos d'*Adrienne Mesurat*, alors allons-y, je vais essayer d'y voir clair.

Je ne peux pas dire, comme je l'ai déclaré jadis, que j'ignorais tout de la psychanalyse avant d'écrire mon roman. En 1920, l'hurluberlu neurasthénique que j'étais alors languissait de désir dans un des plus beaux décors du monde. Sombre et studieux, je vivais à l'Université de Virginie les heures les plus tristes de ma jeunesse. Qu'il en pût être autrement, je n'en avais pas la moindre idée et pourtant un vieux monsieur me le criait de son appartement viennois. Porteurs de son message, des garçons bouclés comme des héros grecs répétaient autour de moi les phrases mystérieuses où sonnaient les mots barbares de *complexes*, de *refoulement* et de *libido*. « Écoute, mais écoute donc ! suppliait Freud. Cher imbécile, cesse de souffrir, je vais tout t'expliquer... » Rien à faire, j'étais sourd.

Pourtant, à force de voir traîner dans tous les coins l'*Introduction à la psychanalyse* et sur les conseils de deux ou trois camarades exaltés, je finis par jeter les yeux sur le gros livre. Que pensais-je y trouver ? Sans doute des choses qu'on ne doit pas lire, ce que des manuels surannés appelaient noblement des indécences. Ma déception fut énorme. Je ne compre-

11

nais pas ce qui pouvait échauffer les étudiants dans ces pages d'une lecture aussi ingrate. Qu'est-ce que c'était que ces enfances compliquées et répugnantes où de sales bébés étalaient leurs convoitises ? Les *nurseries* devenaient des lieux d'orgie où triomphait le pot de chambre. Le tout aboutissait à je ne sais quelle passion incestueuse pour la mère et au désir d'assassiner le père. Grâce au Ciel, il n'y avait rien là-dedans qui pût s'appliquer à moi, et je me donnai un large *satisfecit*. Moi, j'étais pur avec les solides murailles de l'Eglise autour de ma précieuse personne pour me garder des souillures du monde, et je demeurais seul, fier et incompris.

Çà et là, toutefois, dans l'ouvrage de cet auteur suspect, je remarquai ce qu'il nommait des cas. Il s'agissait de confidences, ou mieux, de confessions dont l'évidente sincérité me troubla. La souffrance de l'homme parlait dans ces textes nus. Sans savoir exactement de quoi il retournait, j'étais sensible au ton, à la crudité des aveux, à la volonté de dire vrai — mais il n'y avait rien pour moi là-dedans, me disais-je, et je refermai le livre sur une impression de perplexité. Plutôt qu'une lecture, ce fut une brève plongée dans l'ombre que ma première exploration de l'univers freudien et comme je n'en retenais qu'un indéfinissable malaise, je l'oubliai. Que tout cela paraissait livresque et cérébral confronté à la vie, à ma vie surtout, histoire dont la clef demeurait introuvable...

Je n'étais pas comme les autres. Toutes mes difficultés pouvaient se résumer ainsi. Or, mon désir d'être comme les autres et de me réfugier parmi eux me venait quelquefois avec une sorte de violence. Enfant, j'avais connu la tristesse de ne jamais pouvoir faire partie du groupe et m'égayer des mêmes plaisanteries, mais j'étais d'une maladresse comique, je riais au hasard, de confiance. On voyait bien que je ne comprenais pas. Les règles des jeux les plus simples m'échappaient. Colin-maillard, la marelle et les barres me demeuraient étrangers et je restais seul, étonné de ce vide soudain qui se formait autour de moi.

Plus tard, dans les classes supérieures, ce fut à peu près la même chose et il n'en alla pas autrement quand je me vis, en 1917, habillé d'un uniforme kaki d'abord, puis bleu horizon, et pourtant l'uniforme me rassurait par cela même qu'il me permettait de me fondre dans un ensemble. Extérieurement tout au moins, je ressemblais à tout le monde, les différences ne se voyaient pas, or, je savais d'instinct que les différences portaient malheur. Elles étaient là cependant, en moi. On eût dit qu'elles veillaient sur moi, non comme des anges tutélaires, mais comme des Parques.

Revenu chez nous, rue Cortambert, en 1922, je crus perdre conscience de cette solitude. Autour de moi se reformait le groupe familial dont je connaissais le langage avec les particularités qui nous distinguaient des autres, de tous les autres du monde. Nous avions notre argot, nous pouvions sans difficulté comprendre des allusions qui seraient demeurées vides de sens pour une personne du dehors.

Dans ce milieu réconfortant, pourquoi fallait-il que me vînt le désir de m'en évader ? Était-il possible que là encore se retrouvât le vide ? « Là surtout », chuchotaient les Parques.

J'allais quelquefois regarder le cimetière. Nous

13

appelions ainsi un groupe de photographies qui couvraient tout un pan de mur à la salle à manger, rassemblant grands-parents, oncles, tantes, cousins même, tous morts. Ce monde à jamais disparu, je le considérais avec la morne attention de l'ennui. La part de néant dans toute vie humaine, j'en avais l'intuition devant ces visages muets, et c'était cependant parmi eux que je cherchais sans beaucoup y croire un lien avec la personne que j'étais, mais je n'en trouvais pas. Entre eux et moi, aucune ressemblance : j'échappais au groupe. Cette femme aux bandeaux noirs, aux grands yeux doux, je ne voyais en elle qu'une étrangère bien qu'elle me fût proche par le sang. Également ce vieux monsieur à la moustache blanche, l'air carré, vainqueur, mon richissime grand-père foudroyant du regard le freluquet sans le sou qui jugeait le mort. Et d'autres, d'autres... Tout cela, c'était l'assommante famille, la tribu, ossements dans une terre lointaine. Moi, j'étais vivant, agile, fier de mes mains qui savaient placer les mots dans un sens qui m'était propre, fier de mes yeux qui découvraient un monde nouveau dans le monde de tous les jours...

En 1926, ayant fini mon premier récit, je me demandai ce que j'allais mettre dans le suivant. De tous côtés, j'entendais dire qu'un second roman n'allait pas sans risques. Or, ce qui me souciait n'était pas le sort de mon second livre, mais bien la possibilité d'en produire un, bon ou mauvais. Je n'avais pas de sujet. Celui de *Mont-Cinère* m'avait été fourni par des souvenirs d'Amérique et de la grande maison qui avait brûlé en Virginie alors que je me trouvais là-bas...

A présent, mon imagination ne travaillait plus. Pour la stimuler un peu, je m'installai dans ma chambre, par une frileuse après-midi d'avril, avec une main de papier vert d'eau et des plumes choisies avec soin. Silence. Les bruits de la ville n'arrivaient pas jusqu'à cette cour où un petit palmier débile tentait de s'épanouir. Je le regardais sans indulgence. Il symbolisait à mes yeux la neurasthénie et le ratage. Mais quoi, il ne s'agissait pas de rêvasser, j'avais un roman à écrire : au moins deux cents pages à couvrir d'une écriture bien régulière. Malheureusement, je n'avais rien à dire. Je bâillai. Peut-être cela irait-il mieux au salon.

Là, certes, je ne serais pas seul. Mon père lisait *Le Temps* dans son grand fauteuil revêtu d'une housse à volants blancs et jaunes. C'était ma sœur Anne qui avait fait cette housse et je me souvins que les volants lui avaient donné du mal. A peine assis, j'avais des distractions, et puis on parlait autour de moi. Le romancier n'était pas vraiment pris au sérieux. Mary était d'avis qu'il fallait changer l'eau des vases de tulipes. Chez nous, il y avait toujours des fleurs un peu partout. Une pièce sans fleurs était morte, déclarait Anne. « Vous ne pourriez pas vous taire un instant pendant que je lis cet article ? » demandait mon père. « Et pendant que je cherche le début de mon roman », me disais-je. A ce moment, Lucy entrait, mystérieuse. Elle nous jetait un regard sombre et traversait la pièce comme un grenadier. « Perdue dans tes pensées, Lucy, à ce que je vois », faisait Mary d'une voix de conversation. Pas de réponse. Lucy ne se livrait jamais. Elle disparaissait comme elle était venue, puis rentrait pour aller s'asseoir devant le feu de bûches.

Fermant les yeux, j'essayai de me concentrer. Un sujet de roman... Comment s'y prenait-on pour en trouver un ? Aujourd'hui, à près d'un demi-siècle de distance, je me pose la même question d'une manière un peu différente. Comment l'écrivain de vingt-cinq ans pouvait-il échapper au roman qui le cernait de toutes parts dans ce salon clair et tranquille où il préparait ses orages ?

A vrai dire, je sentais confusément la présence de mes personnages, mais je ne voulais pas les reconnaître dans les visages familiers qui me voyaient en train d'écrire. Cela me paraissait une sorte de tricherie de prendre des modèles. Selon mes vues d'alors, il fallait réinventer la vie. Créer n'était pas autre chose. Tout devait sortir de ma tête. Défense de regarder autour de soi. La vie écrivait son roman, je n'avais pas le droit de me pencher par-dessus son épaule, de copier...

En réalité, plus je m'attardais au salon, plus mon livre s'épaississait dans les régions invisibles où se façonnent les œuvres. Une de mes rêveries de ce temps-là me montrait des romans composés d'un bout à l'autre et les mots placés dans l'ordre voulu, attendant qu'à force de patience quelqu'un découvrît le tout. On n'avait alors qu'à transcrire. Cette idée vaguement platonicienne me séduisait et bien qu'il ne me fût pas possible de la prendre tout à fait au sérieux, elle agissait sur moi. Faire un plan me semblait une erreur : on risquait de se tromper de livre ou de dénaturer le bon si par chance on mettait la main dessus. La seule méthode raisonnable était d'envoyer promener toutes les méthodes et de *trouver* le livre, phrase par phrase. Il n'y avait qu'à s'asseoir devant la page vide et, le moment venu — parfois très long à venir —, laisser aller sa plume. On partait d'une image, car une image était indispensable — et comme on pouvait s'y attendre, l'image se trouvait fournie par l'imagination mais correspondait à une réalité.

Ici commençaient les difficultés. Si l'image était fausse, elle pouvait mener assez loin sans qu'on s'en aperçût. On recommençait une fois, deux fois, souvent plus. Quelque chose enfin avertissait l'auteur qu'il s'engageait dans la bonne voie. C'était un moment d'ivresse que je comparais à celui de la pythie se mettant à prophétiser. Le don s'affirmait avec force, celui de voir et de faire voir. La nuit, je pensais à la page du lendemain avec une sorte de frénésie d'impatience, car cette page dont j'ignorais encore le contenu, je savais qu'elle serait là, qu'avec des lettres je la ferais venir à moi de la bibliothèque fée.

Ce que j'ignorais totalement, c'était que ces livres que je croyais inventer, c'est-à-dire découvrir, préexistaient en effet, non dans je ne sais quelles étendues idéales, mais en moi. Inutile de chercher au fond d'un miroir ou dans un cimetière de famille pour rencontrer *l'inconnu*. Il se trahissait à chaque page. En toute innocence, l'auteur démasquait le coupable, et le coupable était l'auteur.

Que sert d'entrer dans tout ce détail sinon parce qu'il aide à élucider la genèse d'une œuvre ? Mon problème ne rejoint-il pas celui de tout romancier qui se demande d'où viennent ses romans ? Au fond de ma mémoire, comme sous des couches géologiques d'oubli, ma lecture mal comprise de Freud agissait, mais n'affleurait pas.

D'instinct, je haïssais la psychanalyse, mais je ne pouvais empêcher qu'à Paris, en 1926, comme à l'Université six ans plus tôt, on en parlât beaucoup et qu'on en respirât l'air néfaste et stérilisant. Tout le monde avait des complexes et les personnages de roman suivaient docilement la mode. Pour ma part, je ne savais pas du tout ce que j'allais mettre dans mon récit, mais il y avait en moi l'inconnu qui barrait la porte à Œdipe. Cela non plus n'affleurait pas.

Après plusieurs faux départs, je renonçai à travailler au salon ou même dans ma chambre. Les grandes vacances me trouvèrent dans un village alsacien. Un village, c'est beaucoup dire. Avec un ami, j'étais allé d'abord à Orbey où nous passâmes un jour et ce fut là, dans une chambre d'hôtel, que j'écrivis la première page de mon roman. De temps à autre, le bruit strident d'une scierie venait découper le silence en tranches fines. A cela s'ajoutait l'horreur d'une tenture où se voyaient, à intervalles réguliers, des disques rouges qui faisaient irrésistiblement songer à des cous de guillotinés. Nous partîmes le lendemain pour un endroit perdu d'où l'on apercevait, si j'ai bon souvenir, le sommet du Linge qui fut le théâtre de violents combats en 1917.

On ne pouvait appeler village le lieu dit Hautes-Huttes. Il n'y avait qu'une seule maison, l'auberge, sur la route au-delà de laquelle de grands prés descendaient en pente douce au fond d'une vallée. Dans l'Europe entière on n'eût pas trouvé un endroit plus paisible. Travailler là était un délice. Mon camarade écrivait son roman et j'écrivais le mien dont la première page m'avait été donnée dans la chambre aux sinistres tentures.

A Hautes-Huttes, le silence était profond, presque troublant. J'étais heureux d'entendre le chant d'une cigale qui essayait à elle seule d'imiter la scierie d'Orbey. Parfois aussi montait d'un blé du voisinage

18

le chuchotement d'une pierre aiguisant la faux d'un moissonneur.

Chaque fois que je levais les yeux de ma page, j'admirais le paysage idéal qui semblait ne parler que de bonheur : sous un ciel d'un bleu éclatant, des collines, des bois, des pâturages en bordure de champs blonds et roux. Grand événement, une voiture ou deux passaient dans l'espace d'une heure. Je courais à la fenêtre jeter un regard curieux, puis revenais à mon roman et qu'y trouvais-je ?

Silence. J'étais rue Cortambert, comme il fallait s'y attendre. Cette rue quasi provinciale, je la transportais avec moi. J'avais beau être en Alsace, je respirais l'air de notre appartement et observais quelqu'un en train de regarder notre cimetière, les mains derrière le dos.

Quelqu'un... pas moi, bien sûr. Une jeune fille, héroïne de tout repos, me disais-je. L'inconnu arrangeait les choses à son idée, j'étais tranquille. L'héroïne avait-elle une mère ? De ce côté-là, pas d'histoires, décidait l'inconnu. L'héroïne avait perdu sa mère en bas âge. Par conséquent aucun de ces complexes idiots ne troublerait la limpidité de mon récit.

Je pouvais donc aller à l'aveuglette, sans trembler. A l'aveuglette, c'était bien cela. Cependant on appelait la jeune fille de la pièce voisine, on lui demandait de changer l'eau des fleurs. Comme chez nous... Qui s'en douterait parmi mes lecteurs ? Je continuai, intrépide. Tout était en place dans cette histoire qui dédaignait le goût du jour. Manquait encore le père. Adrienne avait bien le droit d'en avoir un. Il n'était pas loin. Je l'appelai le père Mesurat.

A partir de ce moment-là commença une longue partie de cache-cache avec l'oncle Freud. Étant dif-

19

ficile pour mon travail, je jugeai que ce commencement de chapitre n'était guère prometteur, manquait
d'éclat et même d'intérêt. Malgré quoi je persévérai,
intrigué justement par ce qu'il y avait de terne mais
aussi de vrai dans cette première page. Tant de choses pouvaient-elles se cacher dans le cœur d'une
jeune fille en proie à l'ennui ? Elle devait avoir un
secret...

Un an plus tard, quand le livre parut, quelqu'un
s'avisa qu'Adrienne n'était autre que moi. Ces mots
que j'entendis me firent l'effet d'un coup de tonnerre,
et comme pour aggraver cette révélation, mon père,
qui avait eu le temps de lire mon roman quelques
semaines avant sa mort, déclarait avec un sourire
un peu triste : « Évidemment, c'est moi le père Mesurat. » Je n'étais pas là quand il prononça ces paroles : il eût craint de me faire de la peine, mais mes
sœurs se récrièrent : « Comment, papa ! Parce que
tu lis *Le Temps* ? Pure coïncidence ! » Elles n'avaient
pas lu Freud. Mon père non plus n'avait pas lu Freud.
Son nom ne fut pas prononcé. Il n'eût plus manqué
que cela pour me consterner.

Je me persuadai sans peine que je n'étais pas du
tout Adrienne Mesurat. On avait simplement repris
pour me l'appliquer en changeant le nom le mot de
Flaubert sur Madame Bovary. Libre à vous, Flaubert,
de vous prendre pour Emma Bovary, moi, je me refu-
sai à ces travestissements bizarres.

Autant qu'il me souvienne, la critique laissa de côté
toute allusion à la psychanalyse dont j'avais soupé,
soupé plus abondamment que je ne le savais peut-
être. Quoi qu'il en soit, des surréalistes m'arrivèrent
comme dans un murmure les mots d'écriture automatique et là j'eus le sentiment qu'on tombait pres-

que juste. A vrai dire, je ne savais pas exactement ce qu'on entendait par écriture automatique, mais il n'est pas toujours nécessaire de bien comprendre pour deviner, et le terme d'automatique me parut convenir jusqu'à un certain point : je laissais aller ma main et les phrases se déroulaient comme d'elles-mêmes, non sans mal, du reste. Il fallait pour commencer à écrire me mettre dans un état d'immobilité parfaite, j'entends d'immobilité intérieure. Cette expression dit-elle ce que je veux dire ? Je n'en trouve pas d'autre.

Quelque chose alors se libérait. J'attendais l'espèce de déclic dont s'accompagnait toujours ce phénomène indescriptible, car enfin, que signifie un déclic ? C'était pourtant cela. Je savais qu'à une minute précise, celui que j'appelle aujourd'hui l'inconnu guiderait ma main, et lentement arrivaient les mots dont j'avais besoin. Plusieurs de mes romans, non tous, furent écrits de cette manière. *Adrienne Mesurat* et *Léviathan* d'un bout à l'autre, puis *Moïra* et certaines parties de *Chaque homme dans sa nuit*. J'écrivis *Épaves* tout seul, si je puis dire, et de même *Varouna*. *Minuit* et *Le Visionnaire* bénéficièrent tant soit peu de l'intervention que j'ai essayé de décrire bien qu'elle résiste à l'analyse. Dans *L'Autre*, la réalité des faits compliqua mon problème et je connus les affres de la transposition : presque rien ne me fut *donné*, l'inconnu n'ayant que faire là où la vérité autobiographique déferlait dans la fiction.

Je n'ai pas parlé du *Voyageur sur la terre* qui demeure à mes yeux le plus mystérieux de tous mes récits, parce que je l'ai écrit sans y comprendre grand-chose. Jusqu'au bout, en effet, j'ai cru à la réalité d'un des personnages qui ne pouvait être qu'ima-

21

ginaire et ce qu'il y avait d'inexprimé dans cette histoire m'échappait totalement. Le poète T. S. Eliot, qui m'en parla, fut le premier à jeter un peu de lumière sur cette nouvelle ténébreuse. En cela il vit plus clair que Gide à qui mon *Voyageur* avait plu pour des raisons simplement littéraires.

Les années passèrent et je ne songeais pas plus au *Voyageur* qu'à *Adrienne Mesurat* quand Marc Schlumberger rapporta à un de mes amis l'opinion de Stekel sur ce roman qu'il présentait à ses élèves comme un roman psychanalytique écrit par quelqu'un n'entendant rien à la psychanalyse. Cette formule me laissa d'abord indifférent. Ce qu'on me disait de la psychanalyse me faisait hausser les épaules. Inacceptable surtout me paraissait le fameux complexe d'Œdipe dont on nous rebattait les oreilles. Pour ma part, j'étais bien sûr qu'il n'y avait pas en moi de quoi me confectionner un embarras psychologique de ce genre. A l'égard de mon père, en effet, tout me semblait on ne peut plus ordinaire dans nos relations depuis mon enfance jusqu'à sa mort. Si je trouvais jadis un peu difficile de m'entretenir avec lui, c'est qu'il avait à mes yeux moins l'aspect d'un père que d'un grand-père. La différence d'âge faisait cela : quarante-sept ans. Parfois, je l'avoue, ses lenteurs, ses lourds silences, sa mélancolie et ses soupirs m'impatientaient un peu, mais sa bonté m'était sensible et j'éprouvais encore, à dix-huit ou vingt ans comme dans mon enfance, un sentiment de sécurité à le voir parmi nous. L'image d'un grand chêne se présentait à mon esprit. Nous vivions à l'ombre de cet arbre qui nous protégeait. La vérité m'oblige à dire que sa mort me causa moins de chagrin que de tristesse, mais d'une tristesse qui dura longtemps.

Ce qui me frappe quand je pense à lui, c'est que jamais il ne manifesta la moindre opposition à mes projets d'avenir, non plus qu'au mode de vie que j'avais adopté à mon retour d'Amérique. Aucune question sur mes allées et venues dans Paris, même si je rentrais tard ou même, comme cela m'arriva une fois ou deux, si je découchais. J'étais libre. Tout au plus me recommandait-il d'être prudent. *Careful.* « Sois prudent si tu ne peux pas être sage. » Tel est le conseil qu'on donne aux garçons en Amérique. Avec tout cela je voyais le rôle d'Œdipe réduit à zéro, car si j'étais Adrienne Mesurat, je n'avais pas comme elle des raisons solides de pousser mon père dans l'escalier. Sa confiance en moi était apparemment sans limites. Il ignorait que, pareil en cela à tant de garçons de mon âge, la recherche du plaisir me lançait chaque nuit dans les rues.

Que l'autobiographie se soit faufilée dans *Adrienne Mesurat,* je pouvais m'y attendre. Le voyage à Dreux et Montfort-l'Amaury est vrai jusque dans ses détails. En 1925, dans une heure de détresse morale comme je devais en connaître tant, je résolus de fuir Paris et d'aller n'importe où. A la gare Montparnasse, le nom de Montfort-l'Amaury sur une affiche me retint. Ce fut là et à Dreux que je promenai mon angoisse pendant quarante-huit heures. En décrivant les affres de mon héroïne, je n'avais qu'à me ressouvenir des miennes. Si le motif en était autre, l'intensité ne différait pas, et je me persuadai que Marivaux n'exagérait en rien quand il affirmait que bornés en tout, nous le sommes peu quand il s'agit de souffrir.

Bien d'autres circonstances me servirent que j'empruntai sans le savoir à mon expérience personnelle. L'escalier dans lequel Adrienne passe la nuit après la mort de son père et qui se transforme en lieu d'horreur, comment n'y retrouverais-je pas l'escalier de notre villa, en 1908, où je frissonnai d'inquiétude, assis sur une marche et n'ayant pour compagnie qu'une bougie à la flamme vacillante et un recueil des fables de La Fontaine ? Les terreurs de l'enfance ont une qualité indescriptible. Ce qu'un petit garçon de huit ans peut voir dans des masses d'ombre qui se meuvent au gré du plus léger courant d'air, seul un romancier l'imagine — mais il n'imagine pas : il se souvient, il a de nouveau huit ans.

Je n'en finirais pas si je rapportais par le menu toutes les choses que la vie m'a fournies alors que j'écrivais. Mon erreur était sans doute de croire que j'inventais, mais si je n'avais cru que j'inventais tout, peut-être n'aurais-je rien écrit. Dans *Adrienne Mesurat*, je reconnais bien la jeune obsédée qui passe les bras à travers une vitre dans un élan vers l'inaccessible. L'auteur, lui, se contentait d'écarter le rideau et d'appuyer tristement contre la surface de verre un front de martyr. D'autres images me reviennent, nombreuses et parfaitement lisibles. Un jeune homme ne peut guère prendre la plume sans se raconter. Qui pense-t-il tromper en s'attachant un masque au visage ? Les yeux disent la vérité, mais il n'en sait rien, il ne voit pas son regard. L'âge au moins lui apprendra le sens de ce déguisement. Mais non. La piperie continue sur le plan de la fiction où tout est permis en une sorte de jeu supérieur.

Je n'ai jamais été vraiment le lecteur de mon œuvre. Imprimé, le livre demeure pour moi fermé, gardant le secret de ses imperfections, mais comment ne pas découvrir une manière de consanguinité entre Adrienne et les violents solitaires de mes autres récits ? Si la jeune Française étouffe entre les murs invisibles de sa prison morale, Karin la Danoise se promène comme dans une geôle au sein d'une ville qui feint de ne pas la voir. N'exceptons pas de ce groupe le Joseph de *Moïra* enfermé dans sa vertu sans faille d'où il ne pourra s'évader que par le crime. Tous devenus comme dans le vers de Milton le donjon d'eux-mêmes, non par goût du malheur, mais par l'effet d'un déterminisme inexorable. On a parlé à ce propos du *fatum* des Anciens. Il se peut qu'un rapport existe entre cette façon rigoureuse d'envisager le sort des hommes et la mentalité fataliste d'avant notre ère. Le christianisme est venu fausser la terrible mécanique du destin, mais les traces de cette libération n'apparaissent que tard dans mon œuvre romanesque. Comment cela se fait-il ? La psychanalyse est là, comme toujours, fidèle au poste et pleine de réponses. Je ne les ai pas retenues, parce qu'à mes yeux tout au moins elles ne dissipent pas le mystère. Derrière les explications de la psychanalyse, il y a, me semble-t-il, un éternel « pourquoi ? ».

Si un romancier a travaillé dans la nuit de la création littéraire, c'est bien celui qui écrit ces lignes. Cependant je ne suis pas le seul et cela même justifierait mes tentatives d'éclaircissement. La liste serait longue des écrivains grands et petits qui en racontant leurs histoires ont simplement raconté leur histoire, l'histoire de celui qu'ils ne connaissent pas, qui a tenu la plume et guidé la main.

Qu'est-ce que tout cela veut dire ? Y a-t-il vraiment en nous, écrivains, quelqu'un qui se cache et cherche néanmoins à s'exprimer dans nos livres par ce langage figuré du roman ? D'où vient cet hôte mystérieux ? De notre enfance ? Est-ce donc l'enfant qui parle et qui agit, grisé par l'immense liberté de la fiction ? Dickens ne se dégage-t-il jamais de ses pots de cirage sur lesquels sa main tremblante de fureur colle des étiquettes ? Dostoïevski sortira-t-il du cauchemar où il voit son père châtré et assassiné par les moujiks ? On peut se demander si Stendhal luimême échappe tout à fait au charme de l'oncle Gagnon. Or, la revanche de Dickens sur la société est à peu près totale : il la refait du haut en bas et tantôt il la secoue d'un éclat de rire, tantôt il marche sur elle, un couteau à la main, car il y a chez lui un garçonnet des plus inquiétants, une « terreur ». L'âme de Dostoïevski est universelle, il est le porc Karamazov, mais aussi, courant d'un pôle de l'enfance à l'autre, il est Aliocha, il est tous les luxurieux, tous les assassins, tous les *startsi*, toutes les victimes et tous les saints de sa création. Quant au tendre et violent Stendhal, nous le chercherons sous les traits de ces beaux jeunes hommes, tous plus près de l'irrésistible Gagnon que du quinquagénaire à favoris qui n'accepte pas son physique. Dès qu'il écrit, tout lui échoit, il souffre et fait souffrir comme un millionnaire dépense une fortune. Et faut-il à Balzac des centaines de personnages pour s'accomplir ? A Flaubert toute une province doublée d'une Carthage et de déserts pleins d'anachorètes en proie aux hallucinations ? Un cochon et une licorne ? Mais l'enfant a de ces exigences. L'imagination a pris le pouvoir.

PREMIÈRE PARTIE

I

Debout, les mains derrière le dos, Adrienne regardait le *cimetière*.

Chez les Mesurat on appelait ainsi un groupe de douze portraits accrochés dans la salle à manger, au-dessus d'une desserte, les uns près des autres, de façon à couvrir toute une paroi. On y comptait sept Mesurat, trois Serre et deux Lécuyer, membres de familles alliées aux Mesurat, tous morts. A l'exception d'une peinture dont nous reparlerons, c'étaient de ces photographies comme on en faisait il y a vingt-cinq ans, crues et fidèles, où le visage apparaissait sur un fond blanc sans qu'une ombre indulgente en adoucît les défauts, où la vérité seule parlait son dur langage.

Il était facile de distinguer les Mesurat des Serre et des Lécuyer. Le front bas, les traits forts, avec quelque chose de résolu dans le visage, on avait coutume de dire qu'ils ressemblaient à des chefs. Hommes et femmes, ils plantaient devant eux le regard presque agressif des bonnes consciences. « Et vous, semblaient-ils dire, savez-vous ce que c'est qu'un cœur tranquille dont les battements ne se précipitent jamais, un cœur qui ne connaît ni la peur ni l'inquiétude mais qui mesure sa joie, et reçoit sa douleur dans le calme, parce qu'il ne se reproche rien ? »

Il y en avait de jeunes et de vieux. Cette fille à la tête prise dans un voile avait dû mourir avant la trentaine, religieuse dans un ordre actif. Elle avait les joues plates et le menton durement façonné comme ce vieillard en habit, et cette femme était sa mère, sans doute, avec sa bouche avare et ses yeux attentifs qui paraissaient compter.

Tout au contraire des Mesurat, qu'il était impossible de confondre avec une famille étrangère, les Serre et les Lécuyer ne différaient point les uns des autres, et ils se ressemblaient entre eux, quoiqu'ils ne fussent pas sortis de la même souche.

On imaginait qu'ils avaient dû naître, grandir et disparaître, à peu près comme des plantes, résignés à vivre, également résignés à mourir, et rien ne transparaissait dans leurs yeux, sinon cette âme distraite, changeante et débonnaire que l'on voit quelquefois à la foule. C'était une opinion courante que leurs richesses seules expliquaient leur alliance avec les Mesurat et les mêmes personnes qui comparaient ces derniers à des chefs disaient encore qu'ils s'étaient abattus sur les Lécuyer et les Serre comme des faucons sur des agneaux.

Cependant, forts et faibles, Mesurat, Serre et Lécuyer, tous s'effaçaient devant la vieille Antoinette Mesurat qui dominait en reine jusqu'aux membres les plus hautains de sa rude famille et son portrait, peint d'une main consciencieuse, retenait toute l'attention. Elle pouvait avoir cinquante ans, mais elle était de ces femmes pour qui l'âge n'a guère d'importance et qui acquièrent vite, comme si la nature satisfaite de son œuvre décidait de ne plus en rien modifier, la physionomie qu'elles auront toujours. Les cheveux grisonnants étaient tirés en arrière et laissaient voir la forme d'un crâne court où les idées devaient trouver peu de place, mais où les premières venues devaient difficilement le céder à d'autres, et, devant le front massif que ne sillonnait aucune ride, l'image d'un mur se présentait aussitôt à l'esprit. Les yeux noirs n'avaient pas cette expression un peu niaise des Serre et des Lécuyer qui semblaient fixer un point dans un lointain espace; c'étaient les yeux grands ouverts et fortement dessinés d'une personne rassise qui regarde de près et mesure l'obstacle sans battre des paupières. Elle était vêtue d'un corsage de soie noire qui moulait un buste épais et de fortes épaules, et dont le peintre s'était complu à reproduire l'espèce de chatoiement, mais le futile jeu de l'artiste n'adoucissait en aucune façon ce qu'il y avait d'énergique et de batailleur dans cette carrure aux lignes puissantes.

Adrienne demeura quelques minutes immobile devant ces portraits qu'elle examinait les uns après les autres en penchant la tête un peu de côté. Elle soupira.

— Tu es là, Adrienne ? fit une voix de femme qui venait de la pièce voisine. Qu'est-ce que tu as ?

Adrienne passa un chiffon qu'elle tenait à la main sur le marbre de la desserte par un geste machinal.

— Rien, fit-elle. Les verres des photographies sont si sales. C'est à peine si l'on peut voir ce qu'il y a dessous.

— Il faut les laver avec un peu d'alcool et les frotter avec un chiffon sec, reprit la voix au bout d'un instant.

Il y eut un silence.

— Elles seront toujours aussi laides, dit Adrienne comme si elle se parlait à elle-même.

31

Assise sur une des chaises de velours rangées contre le mur, elle se mit à regarder les deux taches rectangulaires que faisait le soleil sur le tapis devant les fenêtres.

Elle baissait la tête sous l'ennui comme d'autres sous la fatigue, mais ses épaules restaient droites et sa taille ne se courbait pas. A la voir ainsi, les cheveux enveloppés d'un torchon, un tablier bleu par-dessus sa jupe, on l'eût prise d'abord pour une servante, mais elle avait un regard dominateur qui corrigeait tout de suite cette impression. C'était une vraie Mesurat, et malgré son extrême jeunesse (elle n'avait pas plus de dix-huit ans) son visage annonçait déjà cette sorte de passion de l'autorité dont on voyait l'épanouissement dans les traits d'Antoinette Mesurat, sa grand-mère. Il y avait entre les deux femmes, du reste, une ressemblance si singulière qu'on ne pouvait s'empêcher d'en rire. Toutefois les yeux de la plus jeune étaient clairs, et la bouche pleine et rebordée trahissait une santé qu'on eût cherchée en vain dans le blanc visage de l'aïeule. Les joues encore arrondies d'Adrienne gardaient une fraîcheur enfantine et donnaient un air d'innocence à cette figure où la fermeté d'âme avait cependant tant de part. Il fallait la regarder quelque temps pour s'apercevoir qu'elle était belle.

Elle se leva et s'en fut secouer son chiffon par la fenêtre ; puis elle s'accouda sur la barre d'appui et jeta un coup d'œil jusqu'au bout de la rue. Personne ne sortait par ce temps de grande chaleur, et c'était à peine si d'heure en heure quelqu'un passait, poursuivant l'ombre avare au ras des murs. Elle considéra un instant les tilleuls rabougris qu'on voyait dans le jardin d'en face, et son regard se porta presque aussitôt vers la villa Louise, une maison qui formait le coin de la rue. Les volets en étaient fermés. C'était une construction en pierres meulières divisées par de minces filets de brique, assez prétentieuse de forme, avec une petite tourelle placée en échauguette et un toit de tuiles multicolores. Une autre maison toute blanche, avec un toit d'ardoises, lui faisait face, et la jeune femme en s'inclinant un peu vit que les volets en étaient également fermés. Un pas retentit sur le trottoir. Par un mouvement instinctif Adrienne arracha le torchon qui lui couvrait les cheveux et se pencha ; elle reconnut une voisine qui marchait la tête baissée, un filet au bras, et elle se retira vivement en arrière comme si elle eût craint d'être vue, demeura sans bouger, appuyée contre le chambranle de la fenêtre, jusqu'à ce que les pas se fussent éloignés.

La voix l'appela de nouveau. Adrienne remit le torchon sur ses cheveux et en noua les bouts derrière la nuque ; puis elle se rendit au salon.

Elle promena les yeux autour d'elle pour voir si tout était en ordre. Les fauteuils et les chaises rangés en cercle au milieu de la pièce prêtaient un air de solennité à cette partie de la maison. Entre les toiles médiocres qui couvraient les murs, paysages noircis, portraits soigneusement protégés par un verre, se montrait une tenture grenat semée de chardons violets. Les meubles en bois sombre imitaient la ligne contournée du style Régence tout en obéissant au goût du confortable qui marqua le Second Empire ; les dossiers larges, les pieds forts, la peluche drue, ils invitaient au repos et donnaient confiance.

Un long canapé avait été placé aussi près de la fenêtre que possible, de telle façon qu'il était impossible de voir la personne qui s'y était étendue, mais cette personne avait replié ses jambes et l'on apercevait une main petite et maigre qu'elle avait posée sur ses genoux. C'était elle qui, tout à l'heure, avait parlé à Adrienne.

— Tu devrais changer l'eau des fleurs, dit-elle dès qu'elle entendit le pas de la jeune fille.

— Oui, plus tard. Désirée n'est pas là ?

— Partie faire son marché.

Adrienne se dirigea vers la cheminée dont elle examina les grands chandeliers de bronze en fronçant les sourcils.

— Dis donc, fit-elle au bout d'un instant, tu ne sais pas quand arrivent les nouveaux locataires de la villa Louise ?

— Les nouveaux locataires de la villa Louise ? En juin ou au commencement de juillet, je suppose. Ils n'ont pas écrit pour me le dire. En tout cas ils feront bien d'émonder leurs tilleuls et de repeindre leurs volets.

Il y eut un court silence et la voix reprit :

— D'abord, ce ne sont pas les locataires, cette année ; c'est la locataire. Une Mme Legras, seule, paraît-il.

Adrienne tourna la tête vers la fenêtre.

— Oui, dit-elle, je sais. Papa nous l'a assez dit.

Elle avait pris un vase rempli de géraniums et se dirigea vers la porte.

— Où vas-tu ? demanda la voix.

— Changer l'eau des fleurs.

La porte s'ouvrit et se referma. Un profond silence régna dans le salon, ce silence qui semble accompagner la chaleur des jours d'été aussi naturellement que la lumière. Sur les lattes du parquet frotté à outrance, un rayon de soleil jetait un trait de métal,

entre deux tapis de reps cramoisi. Des mouches voletaient sans bruit devant la fenêtre. On entendit le son
d'une eau qui montait dans un vase. Au bout d'une
minute la porte s'ouvrit de nouveau.

— Tu ne te rappelles pas quand ils sont arrivés
l'année dernière ? demanda Adrienne qui entrait.

— Qui ? Les locataires d'en face, toujours ?

— Naturellement.

La réponse vint après un instant.

— Fin mai.

Adrienne tenait le vase dans son tablier pour en
essuyer les gouttes. Elle le posa au centre d'un guéridon et se rapprocha un peu du canapé.

— Comment te sens-tu aujourd'hui ? demanda-t-
elle en regardant par la fenêtre.

— Mais, bien, Adrienne, fit la voix avec un ton de
surprise. Comme à l'ordinaire.

— Ah ! dit Adrienne.

Son visage prit un air pensif et gêné à la fois. Elle
mit les mains sur les hanches et renversa la tête en
arrière, les yeux fixés sur la villa Louise.

— En face, tu aurais plus de soleil, dit-elle brièvement.

— Nous avons le soleil ici toute la matinée.

— Là, tu l'aurais le matin et l'après-midi...

Elle se tut un instant puis elle expliqua, avec une
légère impatience :

— ... puisque la maison est exposée à l'ouest et au
midi. Ainsi, en ce moment, si cette Mme Legras était
là, elle aurait le soleil dans la rue du Président-
Carnot.

Elle avait dit ces mots avec un mélange de tristesse
et d'indignation qu'elle eut peine à dominer et, bien
que personne ne pût la voir, elle eut un geste de la
main pour indiquer la rue dont elle parlait.

Quelques secondes passèrent dans le silence.

— Oui, c'est vrai, dit enfin la voix. Elle n'en profite pas... Veux-tu m'aider à me lever, Adrienne ? Si tu voulais tirer le canapé vers toi...

Sans répondre, Adrienne mit une main sur le dossier du canapé, qu'elle fit mouvoir vers elle assez facilement, car elle était vigoureuse. Alors, la personne qui était étendue devant la fenêtre se leva et fit quelques pas dans la pièce en s'appuyant aux meubles. C'était une femme d'un âge incertain, parce que la maladie semblait l'avoir prématurément vieillie, et l'on eût hésité à lui donner trente-cinq ans. Son grand corps voûté comme celui d'un vieillard ne paraissait pas en état de se soutenir et elle marchait en étendant vers elle sa main droite d'une manière qui faisait songer à une aveugle. La crainte de tomber accusait l'expression naturellement timide du visage, et ses sourcils, sans cesse rapprochés par l'inquiétude et la souffrance, avaient fini par creuser des rides parallèles dans le front. Elle avait un nez fort qui donnait un faux air de hardiesse à ses traits, et des joues hâves toutes sillonnées de petites lignes.

Adrienne recula un peu pour la laisser passer, mais elle s'assit dans un fauteuil et soupira en jetant les yeux autour d'elle, les lèvres entrouvertes. Les mains sur les hanches, la jeune fille la considéra un instant sans mot dire, avec ce regard qui ne paraissait jamais s'adoucir.

— Eh bien, demanda-t-elle enfin d'un ton brusque, tu es fatiguée, Germaine ?

La malade releva la tête.

— Mais non, dit-elle. Est-ce que tu me trouves mauvaise mine ?

Un effroi subit agrandit ses yeux.

— Réponds donc, fit-elle, voyant qu'Adrienne n'ouvrait pas la bouche.

Adrienne haussa les épaules.

— Je ne t'ai pas dit que tu avais mauvaise mine, dit-elle d'une voix rapide.

— J'ai dormi cinq heures, reprit Germaine avec la volubilité d'une personne qui plaide sa cause. Je me sens bien, je vais comme hier et les autres jours.

Mais Adrienne regardait par la fenêtre et ne l'écoutait pas.

II

La maison qu'habitaient les Mesurat portait le nom de villa des Charmes parce que, en effet, deux arbres de cette espèce poussaient dans le petit jardin étroit qui s'étendait jusqu'à la rue. M. Mesurat l'avait achetée au moment où, prenant sa retraite, il avait décidé d'aller vivre à la campagne. Elle lui plaisait autant que s'il en eût dessiné le plan, mais dans le pays on disait volontiers qu'elle usurpait la place d'une belle maison et que, dans une rue aussi importante que la rue Thiers, elle paraissait minable. A vrai dire, elle était assez mal faite. Sans doute avait-on demandé à l'architecte d'y ménager le plus grand nombre de pièces possible et il en résultait, défaut énorme, qu'il n'y avait pas d'espace entre les fenêtres de la façade, et qu'elles se touchaient presque, quatre au deuxième étage, six au premier, et quatre au rez-de-chaussée, deux à deux, de chaque côté de la porte. Mais pouvait-on se plaindre que le mur n'occupât point plus de place ? La matière en était si laide ! On avait employé pour sa construction cette pierre rocailleuse toute hérissée de petites arêtes, et dont la couleur fait songer à une certaine espèce de nougat brun. N'a-t-on pas vu bien des fois ce genre de maison dans la banlieue parisienne ? Avec son perron à encorbellement et sa marquise en forme de coquille elle semble avoir été l'idéal de toute une classe de la société française, tant on a mis d'empressement à en reproduire l'invariable modèle.

Quoi qu'il en soit, M. Mesurat n'était pas aveugle sur les imperfections de sa villa, et il la jugeait avec la sévérité qu'on a quelquefois pour les personnes qu'on aime. C'était peut-être afin de ne pas en rougir. Lorsqu'il en parlait à des voisins, on eût dit qu'il s'agissait d'une parente pauvre mais honorable. Il aurait bien voulu qu'on l'admirât comme il l'admirait lui-même, et parfois, vers la fin de l'après-midi, lorsqu'il avait achevé la lecture de son journal et qu'il n'avait plus rien à faire jusqu'à l'heure du dîner, il lui venait des regrets de n'avoir pas d'amis qu'il pût inviter à entrer un moment chez lui, rien que pour leur faire apprécier les avantages de sa villa, la grandeur des pièces, la vue splendide sur le jardin de la villa Louise... Qui aurait cru, de l'extérieur, que la villa était aussi bien bâtie, aussi parfaite ? Dirait-on après cela qu'un Mesurat s'était trompé ?

Mais, jovial et tyrannique chez lui, il était d'une timidité d'enfant dès qu'il avait franchi le seuil de la villa des Charmes, et le chef de gare de La Tour-l'Évêque était jusqu'à présent la seule personne avec laquelle il se fût tant soit peu lié, par suite de mille petites circonstances dont la moins importante n'était pas l'achat biquotidien de son journal à la petite librairie de la gare. Sans doute, il était déjà venu du monde à la villa des Charmes, mais depuis quelque temps, et pour des raisons que l'on comprendra tout à l'heure, ces visites avaient cessé.

La vanité du propriétaire qu'on remarquait chez Antoine Mesurat paraissait risible à ses filles qui, elles, trouvaient beaucoup à redire à la villa des Charmes, mais, en vertu d'un état d'esprit assez fréquent à partir d'un certain âge, il ne s'apercevait de rien qui pût le blesser ou le faire changer dans sa conduite.

Ce vieillard était la sérénité même. Trapu et fort, avec un coffre qu'il frappait volontiers de ses poings comme pour en faire admirer la charpente, il avait le visage tranquille et volontaire de ceux qui ne permettent pas à la vie de les troubler et qui tiennent à leur bonne humeur comme un avare à son trésor. Aucune émotion ne se lisait jamais dans ses yeux et l'on était frappé par le vide de ces prunelles d'un bleu si vif qu'elles semblaient répandre une sorte de lumière sur les pommettes rouges, les tempes et le front. Une barbe jaunâtre et blanche à l'extrémité cachait son menton et tombait presque sur sa cravate. Lorsqu'on le regardait, il avait une façon comique de plisser son nez charnu et de cligner de l'œil, mais c'était là un tic, et il n'entrait dans cette grimace aucune intention d'ironie. D'ordinaire, il parlait beaucoup et souriait volontiers.

Assurément, il était heureux : sa vie était des plus simples, mais elle était faite d'habitudes qu'il avait prises les unes après les autres, comme on choisit des fleurs, des cailloux rares au cours d'une longue promenade, et il les chérissait de tout son cœur. Le tour quotidien à travers la ville, l'arrivée des journaux du soir, l'heure des repas, autant de moments agréables pour cet homme qui semblait ne jamais devoir quitter ce monde, tant il mettait de joie et d'énergie à y tenir sa place.

Ancien professeur d'écriture dans un collège de Paris, il comptait soixante ans en 1908, c'est-à-dire au moment où commence ce récit. Quinze ans plus tôt, il avait perdu sa femme, une Lécuyer, sans relief, dont il parlait peu et qu'il ne regrettait pas. Depuis, il avait gagné dans une loterie une somme assez ronde qui lui avait permis de prendre sa retraite quelques années plus tôt qu'il n'eût fait autrement, et de vivre tout à fait à son aise, d'autant plus que ses goûts étaient simples. A la villa des Charmes, tout était arrangé au mieux. Il y avait trois chambres à coucher et précisément il se trouvait qu'ils étaient trois : lui, Germaine et Adrienne, ses filles. Parfait, comme il disait en passant le revers de son pouce sur sa barbe, la bouche ouverte.

Ce soir-là, Germaine ne parut pas à table. M. Mesurat fronça le sourcil; il n'aimait pas ce qui sortait de l'ordinaire.

— Elle ne dîne pas ? demanda-t-il en s'asseyant.

Adrienne était debout et abaissait, jusqu'à lui faire toucher le bouquet de fleurs qui ornait la table, une énorme suspension à coupole de verre opaque. La pesante machine descendait au moyen d'un poids attaché à des chaînes.

— Germaine ne dîne pas ? demanda à nouveau M. Mesurat.

Adrienne murmura une réponse qui se perdit dans un bruit de ferraille. Elle s'assit enfin et déplia sa serviette.

— Eh bien ? fit le vieillard avec impatience. Tu n'as pas entendu ?

La jeune femme le regarda dans les yeux.

— J'ai répondu, dit-elle sèchement. Germaine n'est pas bien.

— Alors, elle ne dîne pas ?

— Mais non.

Il secoua la tête, puis émietta un morceau de pain

dans sa soupe sans poser d'autres questions. Adrienne mangeait en silence.

Lorsqu'il eut fini son assiettée, il essuya sa bouche et se lissa la barbe.

— J'ai fait mon tour en ville cet après-midi, dit-il en étendant la main vers le carafon de vin. On construit beaucoup par là, derrière le presbytère.

— Ah !

— Oui, la maison, la grande, tu sais...

Elle fit un signe de tête.

— On en est au troisième étage. Avant juillet, ils planteront le drapeau.

Il emplit son verre, puis se mit à tambouriner sur la nappe de ses cinq doigts qu'il écartait avec un geste de pianiste.

— Sais-tu quand les locataires d'en face doivent venir ? demanda Adrienne au bout d'un moment.

— Tiens, non. Pourquoi veux-tu savoir ?

Il s'arrêta de tambouriner et la regarda.

— Pour rien.

M. Mesurat pencha la tête de côté et ferma un peu les yeux.

— Ceux de l'année dernière...

— Ah ! fit Adrienne malgré elle.

— Il me semble bien que c'était en juin. Tu veux voir Mme Legras ?

— Moi ? Non, par exemple. On est plus tranquille sans elle, répondit-elle d'une voix rapide.

Elle poussa son assiette devant elle et croisa les bras sur la table.

— Tu as fini ? demanda son père.

— Oui.

Il sonna et se mit à tambouriner d'un air satisfait. Pendant le reste du repas, il entretint sa fille des changements qu'il avait observés à La Tour-l'Évêque depuis son arrivée, mais elle n'écoutait pas. Elle passait quelquefois la main sur ses cheveux comme pour s'assurer qu'ils étaient en ordre et, quoique de temps en temps elle hochât la tête dans la direction de son père, son regard était absent et il était visible qu'elle poursuivait le cours d'une pensée tout à fait étrangère aux longues explications de M. Mesurat. La lumière de la lampe tombait sur elle et donnait à son visage une blancheur qui en accentuait le caractère un peu impassible. Une ombre renforçait la ligne droite des sourcils et le contour un peu dur de la lèvre inférieure, comme un dessinateur qui repasse certains traits dont il veut faire apprécier la force.

Sitôt le dîner fini, elle laissa son père qui s'était installé au salon et sortit. L'air était doux. Elle s'était enveloppé la tête dans une écharpe et suivit la rue Thiers, dépassant la villa Louise, puis s'arrêta à la rue du Président-Carnot qui montait toute droite et rejoignait la route nationale. Un instant, elle tendit l'oreille pour écouter un bruit de voix qui venait d'un jardin assez proche, mais il faisait sombre et elle ne craignait pas qu'on pût la voir. Elle s'appuya au mur et releva les yeux. Devant elle, à quelques mètres, elle pouvait voir, au coin de la rue, un grand pavillon carré, dont le toit se perdait dans l'obscurité, mais dont les murs crépis à la chaux semblaient projeter autour d'eux une sorte de lueur. Deux taches noires, l'une au-dessus de l'autre, indiquaient les fenêtres aux volets fermés.

Des minutes passèrent. Quelqu'un venait de la route nationale et descendait la rue à pas lents de promeneur. Elle quitta son poste à regret et, contournant la villa Louise, elle remonta la rue Thiers

43

jusqu'à une autre rue qui la traversait, ne se décidant pas à rentrer. Là elle attendit. Au-dessus d'elle des grappes de glycines sur la crête d'un mur répandaient cette odeur lourde de fleurs qu'une journée trop chaude a fatiguées. Elle considéra un moment les deux fenêtres éclairées de la villa des Charmes, au rez-de-chaussée le salon, au deuxième la chambre de sa sœur; et, tout en écoutant les pas qui descendaient lentement la rue du Président-Carnot, pour tromper l'ennui d'une longue attente elle s'efforça d'imaginer Antoine Mesurat dans son fauteuil, les jambes étendues, sommeillant, le journal aux mains; puis Germaine, assise dans son lit contre une pile d'oreillers, la face empourprée par la fièvre qui la prenait chaque soir, les yeux sur un livre qu'elle tenait devant elle, mais le regard inattentif.

Les pas devinrent plus sonores, traversèrent la rue Thiers et continuèrent à descendre la rue du Président-Carnot. Adrienne tressaillit de plaisir et se mit à courir sur la pointe des pieds, refaisant le chemin qu'elle avait fait en sens inverse. A la grille de la villa Louise elle s'arrêta, essoufflée, la main agrippant un barreau. Quelque chose comme du bonheur se lisait dans ses traits. L'émotion faisait luire ses yeux et ses lèvres entrouvertes laissaient échapper un souffle dont elle paraissait écouter le son. Lorsque les pas se furent éloignés, elle poursuivit son chemin et revint à l'endroit qu'elle avait dû quitter tout à l'heure.

De nouveau, elle s'appuya contre la villa Louise. Maintenant elle pouvait distinguer la silhouette entière du pavillon en face d'elle et jusqu'aux parements de pierres sombres qui mordaient sur le blanc des murailles. Parfois un rayon perçait les nuages

qui s'étendaient à travers le ciel et glissait un instant sur les ardoises du toit ; la jeune femme tendait
alors son regard pour suivre le jeu de ce miroitement
fugitif. Brusquement, l'astre se leva : tout un côté de
la rue sembla surgir et se dresser dans l'éclat de cette
lumière morte. Cela fut si subit qu'Adrienne eut un
mouvement de surprise. Elle s'avança jusqu'au
milieu de la rue. Le toit d'ardoises brillait comme
une eau frappée d'une clarté violente. La tête d'un
arbre tremblait, toute noire, entre les hautes cheminées de briques. Tout au loin, au fond d'un parc, deux
chiens aboyaient ensemble.

Elle écoutait, regardait, paraissait attendre quelque chose. Enfin, comme la rue s'assombrissait
encore une fois, elle aspira l'air frais à plusieurs
reprises et, après avoir jeté un dernier regard sur
la maison qui semblait se reculer dans la nuit, elle
baissa la tête et rentra chez elle.

Comme elle passait par le salon pour y prendre un
livre, le bruit de ses pas réveilla son père qui dormait dans son fauteuil. Il brandit un poing vers le
plafond et bâilla.

— Tu es sortie ? demanda-t-il.

Elle le fixa dans les yeux.

— Non, dit-elle, tu as dormi.

— C'est vrai. Quelle heure peut-il être ?

— Je ne sais pas.

Elle prit un livre sur le secrétaire et se retira.

Arrivée sur le seuil de sa porte, elle s'attarda un
peu dans le couloir, contre son habitude, et prêta
l'oreille aux bruits de la maison. En bas, le vieux
Mesurat s'assurait que la porte et les volets étaient
bien fermés. Son pas pesant allait d'une pièce à
l'autre et faisait frémir les lattes. Il toussa. Bientôt

elle entendit son souffle vigoureux qui éteignait les deux lampes du salon, et presque aussitôt il se mit à fredonner une marche d'opéra. Elle sut qu'il allait monter, entra dans sa chambre dont elle referma doucement la porte, et demeura un instant dans l'obscurité. Au même instant, Mesurat commença l'ascension de l'escalier. Sa main appuyait si fortement sur la rampe de bois qu'elle en faisait trembler les barreaux avec un bruit qu'Adrienne connaissait bien. En passant devant la porte de sa fille, il frappa le vantail du poing et cria : « Bonsoir ! »

Elle sursauta, mais ne répondit pas. Cette voix dont elle attendait le son lui parut aussi désagréable qu'un choc. Elle fit : « Ah ! » dans un soupir d'impatience et alluma sa lampe. Les pas s'éloignèrent, montant jusqu'au dernier étage où M. Mesurat avait sa chambre.

III

Maintenant, plus rien ne s'entendait dans toute la maison. Pas un bruit n'arrivait de la rue. Adrienne n'aimait pas cette heure. Elle aurait voulu entendre une porte se fermer, quelqu'un dire une parole, ct elle espérait toujours que son père redescendrait au salon pour y chercher son journal, sa pipe qu'il y aurait oubliés. Elle guettait même, comme une chose maintenant désirable, le bruit lugubre que faisait sa sœur en toussant, ce bruit qu'elle détestait le jour, mais elle savait que la nuit venue Germaine se cachait la tête dans ses couvertures pour tousser.

Elle se déshabilla lentement, attentive elle-même à ne pas faire de bruit, tant la force du silence est tyrannique, et se coucha sans éteindre la lampe qu'elle avait posée sur une table, à son chevet, car elle savait que le sommeil ne viendrait pas avant des heures et elle ne voulait pas rester dans l'obscurité sans pouvoir dormir. L'air était lourd, la lampe chauffait ; elle en baissa un peu la mèche. Un instant elle feuilleta le livre à couverture jaune qu'elle avait pris, mais devant ces centaines de pages l'ennui s'empara d'elle. Elle glissa le livre sous son oreiller et, dans une attitude qui lui était familière, elle replia son bras sous sa tête et demeura immobile.

Il lui sembla que dans le silence elle entendait un

petit bruit continu, comme la voix d'un minuscule insecte, mais ce son n'était que dans ses oreilles. Son regard se promenait devant elle, s'efforçant de découvrir aux choses qu'elle voyait si souvent un aspect nouveau, un détail qui lui eût échappé. Elle haïssait sa chambre, la nuit surtout, pendant ces heures vides qui précédaient son sommeil. Ce papier à fleurs que son père avait choisi et dont il était si fier, cette armoire de grand magasin qu'on lui avait donnée pour ses seize ans, ce lit de métal, que de souvenirs tout cela représentait, que d'insupportables années, que de nuits inquiètes semblables à celle-ci !

Jamais elle ne songeait à son enfance et à sa jeunesse sans une espèce de lassitude, tant ces époques de sa vie lui paraissaient arides. Quand avait-elle été heureuse ? Où étaient ces moments de bonheur dont l'enfance est supposée être faite, où étaient ses vacances ? Elevée par un père qui ne vivait que pour ses aises et une sœur qui ne pensait qu'à sa maladie, elle s'était endurcie assez rapidement. Devant les sourcils froncés de Germaine, elle avait appris à ne pas rire souvent et à parler peu, et elle grandit dans l'appréhension de déplaire au vieux Mesurat qui, lui, ne tolérait ni les larmes ni la bouderie. A cette école, sa volonté se façonna vite, et ce qu'il y avait en elle de morose et de hautain, de Mesurat en un mot, l'emporta sur le reste, le côté Lécuyer. Une sévérité précoce amincit sa bouche, abaissa la ligne droite des sourcils, donna au visage cet air à la fois tendu et fermé qui semblait la caractéristique de sa famille.

A seize ans elle paraissait avoir acquis la physionomie morale et physique qu'elle devait garder toujours. Sans amies, sans désir apparent de se lier avec personne, elle allait au cours Sainte-Cécile où l'envoyait sa sœur, répondait aux maîtresses qui l'interrogeaient sur ses leçons, et revenait chez elle pour se promener au jardin, seule, ou s'enfermer dans sa chambre. Rien n'avait de prise sur elle ; elle ne craignait rien et rien ne l'attirait. L'ennui et une sorte de résignation mécontente se lisaient seuls sur ses traits.

Des années s'écoulèrent ainsi dans une monotonie profonde. A la villa des Charmes, les heures suivaient le rythme que lui imprimaient Germaine et M. Mesurat et la vie n'était plus qu'une série d'habitudes, de gestes accomplis à des moments fixes. Un changement quelconque eût pris un aspect anarchique. Une distraction était impossible, et, comme si elle obéissait à un ordre tacite, Adrienne en vint peu à peu à disposer de son temps suivant un mode précis et d'une façon aussi rigoureuse que dans un couvent. Elle aussi connut le besoin d'accomplir sa tâche à un instant donné, mais, par une contradiction singulière, cela lui déplaisait, et elle ressemblait à une religieuse qui n'a plus la foi, mais qui conserve pour la règle une espèce d'attachement irrité, parce que c'est la règle qu'elle s'est choisie.

Adrienne atteignit sa dix-huitième année sans qu'aucun événement, bon ou mauvais, modifiât le cours de sa vie. Souvent, son père la faisait descendre lorsqu'un visiteur était là ; il la retenait auprès de lui quelques minutes, la couvrant d'un regard heureux, car il en était fier et la trouvait belle, puis, quand il jugeait le visiteur suffisamment édifié sur la bonne apparence de sa fille, il congédiait Adrienne comme si elle eût été une enfant. C'est un fait souvent observé que le monde, l'humanité tout entière cesse de se développer et de changer aux yeux des vieillards. Tout s'arrête et se fixe à une certaine époque de leur vie et Adrienne qui avait quinze ans au moment où M. Mesurat en comptait cinquante-sept ne dépassa jamais cet âge dans l'esprit de son père.

Il semblerait assez étonnant que la question du mariage d'Adrienne ne fût jamais agitée, mais, outre que Germaine n'y songeait pas et que M. Mesurat n'en voulait rien savoir, la jeune fille elle-même ne semblait pas s'y intéresser. Est-ce que la vie ne s'écoulait pas très bien sans cela ? Quel besoin de la compliquer ?

Des partis s'étaient présentés, il est vrai, car les Mesurat n'étaient pas sans fortune, mais ces hommes qui portaient la marque de la petite ville sur leurs personnes, fils de notaires ou de commerçants, avaient paru impossibles et leurs demandes étranges comme des demandes de fous. Adrienne ne parvenait pas à imaginer ce qu'aurait pu être la vie dans la compagnie de l'un d'entre eux, cela la faisait rire ; M. Mesurat repoussait avec force l'idée de laisser partir sa fille qu'il avait vue près de lui depuis si longtemps et riait aussi comme si on lui eût proposé quelque énormité que l'on ne pouvait même pas prendre au sérieux. Quant à Germaine, elle ne disait rien. Depuis ce moment, devant l'attitude presque hostile de M. Mesurat, les visites s'espacèrent peu à peu, puis cessèrent tout à fait.

Cependant, sous les dehors d'une existence uniforme, Adrienne cachait une inquiétude dont on l'eût difficilement soupçonnée ; on l'avait rendue sournoise, en effet, et elle présentait aux regards de son père et de sa sœur un visage où ils eussent été incapables de lire la moindre émotion, en admettant qu'ils s'en fussent donné la peine. Le soir, dans la

solitude de sa chambre, le jour dans ses promenades, elle menait des pensées qu'elle n'eût avouées à
personne et dont elle-même éprouvait une sorte de
gêne. Mais que de précautions ne faut-il pas pour
pénétrer dans l'orgueilleuse timidité de ces âmes qui
se replient sur elles-mêmes et repoussent le monde,
et de quels mots Adrienne se serait-elle servie pour
parler de ses sentiments ? Il est probable que ce
terme de *sentiment* lui eût semblé bizarre, et son souvenir ne lui présentait que des images où ne se
mêlaient ni tristesse ni joie, mais dont la force était
si grande qu'elles l'empêchaient de penser à autre
chose.

Elle se voyait d'abord quinze jours plus tôt. Elle
était sur une route aux environs de la ville, en robe
de percale bleue, les bras chargés de fleurs des
champs. L'air était immobile. Dans le ciel une
alouette poussait un cri strident qui semblait la voix
même de la chaleur et du soleil. L'ombre se réduisait à une raie noire au pied des arbres. Adrienne
sentait des gouttes tièdes couler lentement sur ses
bras et ses tempes. Tout à coup, elle aperçut une
voiture qui venait de la ville et s'avançait dans sa
direction. C'était une de ces voitures de louage, toujours défraîchies, avec des ressorts qui grincent et
des banquettes poussiéreuses. Le cocher était en
veste d'alpaga, et portait un mouchoir sous son chapeau de paille. Et, sans qu'elle sût pourquoi, le spectacle de cette voiture qui se dirigeait vers elle lui
parut intéressant, et elle s'arrêta dans l'herbe, un
peu en arrière de la route, pour bien voir. Bientôt elle
distingua la personne qui se trouvait dans la voiture
et reconnut le docteur Maurecourt qui s'était établi
à La Tour-l'Évêque depuis quelques mois. Jamais

M. Mesurat n'avait songé à l'inviter à passer un moment chez lui, bien qu'ils fussent voisins et que le vieillard éprouvât une assez vive curiosité à l'endroit du docteur. Mais la timidité d'Antoine Mesurat empêchait qu'il fît des avances, et puis il savait bien que le docteur n'acceptait aucune invitation, sous le prétexte invariable qu'il était pressé. Pressé ? De quoi faire ? La ville n'était pas bien grande et la clientèle par conséquent peu nombreuse, mais il était vrai pourtant que le docteur ne rendait pas de visites qui ne fussent professionnelles, et on ne le voyait jamais flâner dans le jardin public, ni s'attarder aux grilles des villas, comme on fait en promenade, pour parler à ses voisins. Au contraire, il marchait vite, et la tête baissée.

La voiture passa tout près d'Adrienne. Peut-être le docteur eut-il conscience du regard aigu que lui lançait la jeune fille. En tout cas, il releva les yeux du livre qu'il était en train de lire et tourna la tête vers l'endroit où se tenait Adrienne. Il était petit, jeune encore, mais son teint était mauvais et le vieillissait. Dans ce visage un peu blafard, Adrienne remarqua les yeux sombres, qui s'arrêtèrent sur elle avec une expression de curiosité. Il eut l'air d'hésiter, puis toucha son chapeau d'un geste furtif. Cela dura l'espace d'une seconde et déjà la voiture était passée.

Ce souvenir avait laissé une impression très forte dans l'esprit d'Adrienne, un peu comme un rêve que l'on oublie difficilement à cause de son caractère singulier, et c'était en effet à une espèce de rêve éveillé que cette promenade lui faisait songer. Lorsqu'elle avait quitté la route pour se placer dans l'herbe, elle avait eu la certitude que cette minute était importante, et qu'elle y penserait beaucoup par la suite. Mais n'est-ce pas là le fait de toutes les personnes à qui la vie ne donne rien et qui mettent dans l'avenir immédiat un fol et superstitieux espoir ? Combien de fois n'avait-elle pas eu la même certitude ? Combien de détenus n'ont-ils pas frémi d'inquiétude joyeuse aux tours de clef quotidiens ?

Depuis, par un pli qu'Adrienne avait pris tout de suite, la route au bord de laquelle elle avait vu Maurecourt était devenue sa promenade régulière, et elle ne manquait jamais de se charger les bras d'un bouquet de marguerites et de reines-des-prés, comme la première fois, comptant sans doute, par un obscur calcul de son âme excédée d'ennui, que les mêmes circonstances ramèneraient les mêmes effets. Et, quoique le docteur ne reparût pas sur cette route, elle se buta de toute l'énergie qu'elle avait héritée de son père et refit cette promenade chaque jour pendant une semaine.

Ce Maurecourt qu'on voyait si peu et que personne ne pouvait se flatter de bien connaître n'habitait pas loin de la villa des Charmes. Quelque temps s'était passé, il est vrai, avant qu'Adrienne en sût rien ; elle était distraite, en effet, et n'écoutait presque jamais les petites nouvelles que son père lui débitait chaque soir, mais, à partir du jour où elle avait vu le docteur en voiture, elle devint plus curieuse et sans interroger elle écouta. Elle apprit ainsi, car M. Mesurat était de ceux pour qui une nouvelle garde encore de sa fraîcheur après des semaines de commentaires, que le docteur Maurecourt avait loué le pavillon qui faisait face à la villa Louise. D'abord elle n'en crut rien, comme on se refuse à croire à la réalité d'événements désastreux ou très favorables, et elle dut regarder son père pour se rendre compte qu'il disait la vérité. Le vieillard découpait sa viande en menus morceaux avec cette déférence des gens qui trouvent une dernière passion dans la nourriture, et il ne vit rien d'une inquiétude que sa fille dissimulait de son mieux.

— Papa, fit-elle d'une voix blanche, au bout d'un instant, quelle chance pour Germaine !

Germaine avait déjà fini de déjeuner et s'était étendue au salon. M. Mesurat fronça le sourcil.

— Qu'est-ce qu'elle a, Germaine ? Elle n'est pas malade.

— Non, dit Adrienne en se reprenant. Mais si elle tombait malade...

— Eh bien, sans doute, grommela M. Mesurat, un docteur tout près c'est commode pour nous tous.

— Oui.

Elle se sauva dans sa chambre, le plus tôt qu'elle put, pour s'y cacher, pour cacher ses yeux brillants et ses joues qu'elle sentait toutes chaudes d'émotion. Elle se pencha par la fenêtre et aperçut le toit du pavillon et le coin d'un volet. Ne la connaissait-elle pas, cette maison ? Ne l'avait-elle jamais remarquée ? Il lui sembla que ce petit bâtiment dont elle n'apercevait qu'un angle venait de surgir là, au coin de cette rue, comme le palais des contes arabes, et elle s'en rassasia la vue. Elle considéra la tête légère d'un jeune arbre qui tremblait entre les cheminées de briques roses, et le dessin régulier du parement de pierres sombres.

Tout à coup, une idée lui vint. Elle sortit de sa chambre et se tint un moment dans l'escalier, appuyée à la rampe. Un bruit de conversation arrivait du salon jusqu'à elle, et elle reconnut la voix de

Germaine qui posait des questions à son père. Elle monta sans bruit à la chambre de sa sœur, entra et se dirigea vers la fenêtre ouverte. Et là, encore une fois, elle se pencha, avidement. La rue s'étendait à ses yeux sur toute sa longueur ; il n'y avait rien pour gêner la vue, comme au premier étage, et elle pouvait plonger librement dans le jardin de la villa Louise, mais ce n'était pas ce qui l'intéressait. Elle examinait le pavillon blanc. Comme elle le vovait bien, depuis le faîte jusqu'au petit soupirail de la cave ! Les deux fenêtres en étaient ouvertes. Elle crut distinguer un tapis rouge et un pan de meuble, un secrétaire peut-être. Elle se retourna, le cœur battant, et s'assit sur le rebord de la fenêtre. D'un long regard chargé d'envie et de tristesse subite, elle embrassa cette pièce où elle se trouvait, mais qui ne lui appartenait pas.

A partir de ce jour, elle ne rêva plus que de la chambre de Germaine. C'est peu de dire qu'elle y pensait toute la journée, car il n'y a pas de termes moyens pour parler de certaines âmes que la solitude a marquées et elles passent sans transition d'une existence vide à une espèce de frénésie intérieure qui les bouleverse. Aussi le désir de posséder la chambre de sa sœur domina la jeune fille d'un seul coup et tout entière, et, par une absurdité de ce cœur qui s'était formé dans l'ennui et s'affolait subitement, elle fut obsédée de ce désir à tel point qu'elle en venait parfois à perdre de vue ce qui faisait qu'elle voulait cette chambre et qu'elle passait la journée sans songer à Maurecourt.

Elle allait maintenant la tête chargée de plans confus et divers dont elle ne disait rien, car sa prudence croissait avec ce qui devenait sa manie, mais il n'eût fallu qu'un peu d'observation pour comprendre que toutes ses paroles tendaient à une seule fin. Un projet compliqué s'était formé en elle ; il fallait à Germaine la chambre la plus ensoleillée, celle qu'elle occupait maintenant et d'où l'on voyait si bien le pavillon blanc. D'autre part, la villa Louise était mieux exposée que la villa des Charmes, puisqu'elle donnait sur deux rues. Pourquoi donc Germaine n'irait-elle pas loger à la villa Louise ? Ainsi sa chambre serait libre et Adrienne pourrait s'y installer. L'énormité de cette solution paraîtra mieux si l'on réfléchit qu'Adrienne, pas plus que son père ni sa sœur, n'avait aucune idée de ce que pouvait être cette nouvelle locataire, cette Mme Legras dont on savait tout juste qu'elle était mariée, mais qu'elle viendrait seule. Consentirait-elle à un arrangement aussi bizarre ? Néanmoins Adrienne ne cessait d'insinuer à sa sœur qu'elle serait mieux sur le côté gauche de la rue Thiers que sur le côté droit.

Puis, devant la résistance de Germaine qui ne comprenait pas, cette idée fit place à une autre dans l'esprit de la jeune fille. Pourquoi n'irait-elle pas elle-même vivre chez Mme Legras ? Si elle pouvait obtenir une chambre sur la rue du Président-Carnot, la vue qu'elle y aurait du pavillon blanc ne serait-elle pas incomparablement meilleure que de la chambre de Germaine ? Mais le projet d'aller vivre chez les autres, qui lui paraissait possible tant qu'il s'agissait de sa sœur, lui semblait tout différent, appliqué à elle-même. Elle était timide, en effet, et la perspective d'une négociation avec une personne qu'elle ne connaissait pas suffit à la faire réfléchir. Elle entrevit qu'elle se trompait. Alors une haine subite se leva en elle contre la future locataire de cette villa, de cette villa qui narguait sa convoitise et d'où elle n'arrivait pas à détacher les yeux. Tout son dépit se reporta sur Mme Legras, et par un mouvement puéril, elle souhaitait qu'il lui arrivât des ennuis, quelque chose qui la vengeât, que le mauvais temps gâtât ses vacances, par exemple.

Un matin qu'elle se penchait par la fenêtre de la salle à manger, elle vit un homme sur le trottoir d'en face. Malgré la chaleur, il était vêtu de noir de la tête aux pieds et portait une espèce de redingote assez mal coupée. Il marchait vite. Elle le suivit un instant d'un œil distrait. Il traversa la rue du Président-Carnot et continua tout droit, le long du mur du pavillon. Puis elle le vit s'arrêter à une porte qu'il ouvrit. Adrienne porta sa main à sa bouche pour étouffer un cri : c'était Maurecourt.

La semaine qui s'écoula ensuite fut pénible. On eût dit que le coup d'œil que cet homme lui avait lancé sur le bord de la route l'avait fascinée. Il fallait qu'elle le revît. Il lui semblait qu'il eût suffi qu'une fois encore il passât devant la maison à l'heure où elle se trouverait à la fenêtre. Après cela elle serait tranquille. Mais quand sortait-il ? Très tôt, ou très tard, ou peut-être aux heures des repas. Comment ne l'avait-elle pas reconnu lorsqu'il était passé ? Vingt fois par jour, maintenant, elle regardait par la fenêtre, mais ne le voyait plus.

Une autre fois encore, elle s'échappa après dîner de la villa des Charmes et s'en fut rôder autour du pavillon. Elle ne risquait pas d'être vue, car les gens sortent peu à La Tour-l'Évêque après le coucher du soleil, mais que pouvait-elle espérer ? Elle aperçut une lumière au premier étage et se promena dans la rue jusqu'à ce que cette lumière s'éteignît. Et, sans

57

qu'elle sût pourquoi, elle éprouva une vive satisfaction à voir cette lumière s'éteindre et rentra chez elle exténuée, mais pleine de confiance.

Le lendemain, elle attendit la nuit avec une impatience et une joie qu'elle eut peine à refréner devant sa sœur et son père, et elle retrouva son poste au coin des deux rues dès qu'il fut possible de sortir sans éveiller l'attention. Devant cette petite maison blanche et sa fenêtre allumée, elle se sentait heureuse. « Il est là, pensait-elle, je le sais. » Et d'une façon inexplicable, cette certitude était pour elle comme un gage qu'on lui aurait donné, une promesse que Maurecourt lui-même lui aurait faite.

Maintenant cette nouvelle habitude était prise, supplantant celle qui consistait à faire une promenade à travers la campagne dans l'espoir de voir paraître une voiture sur la route. Du matin au soir, la jeune fille ne pensait qu'au moment où elle pourrait aller s'adosser à la villa Louise et elle observait sans cesse le ciel, redoutant qu'un nuage ne vînt gâter le temps et lui ravir du même coup cette heure qui, d'un jour à l'autre, était devenue sa raison de vivre.

IV

En été, deux fois par semaine, Adrienne allait au jardin cueillir des fleurs sous les yeux attentifs de son père, qui l'observait du perron, et de sa sœur étendue sur son canapé. Elle suivait les plates-bandes bordées de briques, s'arrêtait par moments pour arracher ces petites herbes qui donnent une goutte de lait lorsqu'on les plie, et faisait grincer son sécateur d'un air menaçant devant les fleurs que le soleil avait brûlées. Cette inspection terminée, elle coupait cinq ou six tiges de géraniums rouges, les seules plantes qui consentissent à pousser dans cette terre avare, et elle rentrait à la villa pour les disposer dans des vases. Le reste du temps, sa tâche se réduisait à parcourir la maison, après que la servante y avait promené son balai et son plumeau, et à s'assurer que tout était en ordre. Autrefois elle s'acquittait de ces petits devoirs assez volontiers, car ils diminuaient les heures d'ennui qui s'écoulaient entre les repas, mais à présent ils lui semblaient fastidieux. Elle eût préféré ne rien faire et s'abandonner au cours de ses rêveries, avec le plaisir de se laisser aller mollement à toutes les pensées qui pouvaient lui traverser l'esprit. Parfois elle s'asseyait dans un grand fauteuil, au salon, et la tête tournée vers la fenêtre, les mains croisées sur ses genoux, elle restait ainsi une heure et comme absorbée par quelque chose qu'elle voyait dans le ciel. Elle jouissait de cette inaction et, la chaleur aidant, glissait dans un état voisin de la torpeur où tout se brouillait dans sa tête en une confusion agréable.

Pourtant ce n'était pas un penchant naturel de son caractère. Bien au contraire, elle était active, mais cette espèce de jeu qui consistait à ne plus conduire sa pensée et à la laisser librement s'enrouler et se dérouler autour d'un souvenir ou d'un projet lui semblait utile, parce qu'il l'empêchait de tomber dans la tristesse et lui permettait d'attendre la fin de la journée sans trop souffrir.

Le moindre bruit dans la rue la faisait revenir à elle et l'attirait aussitôt à la fenêtre. Instinctivement elle tournait les yeux à gauche, vers le pavillon blanc dont on rapprochait les volets dès huit heures du matin et qui ne se rouvraient qu'à six heures du soir, quand l'air se rafraîchissait un peu. Ce moment, Adrienne le connaissait bien ; elle en guettait l'approche avec une inquiétude dont elle n'aurait su dire si c'était pour elle un plaisir ou une souffrance. Elle n'osait pas encore se promener dans la rue du Président-Carnot de peur d'être vue, ou peut-être de voir la personne qu'elle mourait d'envie de voir, mais à partir de cinq heures et demie elle ne tenait plus en place et à six heures moins le quart montait doucement à la chambre du deuxième où Germaine ne venait pas avant la nuit, et se postait à la fenêtre. Elle s'asseyait sur le rebord, dans l'embrasure et, pour mieux voir, d'une main agrippait le rideau, de l'autre s'appuyait contre la gouttière, le corps penché au-dessus du jardin.

Elle attendait ainsi de longues minutes, revenant un peu en arrière lorsqu'elle était fatiguée ou lorsqu'elle craignait que Germaine qui se promenait autour des pelouses ne relevât la tête et ne l'aperçût. Dans le silence de ces fins d'après-midi, les bruits les plus légers parvenaient à son oreille. Elle entendait son père, assis sur le perron dans un fauteuil d'osier qui craquait, plier et déplier les grandes feuilles épaisses du *Temps*; et les cailloux crissant sous les pas réguliers de sa sœur dans l'allée. Ces sons l'énervaient; ils lui rappelaient l'ennui de sa vie quotidienne et semblaient des voix malicieuses lui disant qu'elle n'échapperait jamais à cette espèce de cercle enchanté que traçaient autour d'elle Germaine et M. Mesurat. Elle se fût volontiers bouché les oreilles, mais elle attendait un autre son, plus faible parce qu'il était plus éloigné, et qui viendrait du bout de la rue. Quelquefois, n'en pouvant plus de regarder et d'écouter, il lui prenait une envie soudaine de pousser des cris. Un malaise s'emparait d'elle dans les dernières secondes de cette attente. Il lui semblait que le ciel devenait tout noir et que le toit d'ardoises du pavillon se détachait en blanc sur ce fond tout à coup obscurci. Elle se demandait si elle allait pouvoir rester, si elle ne devrait pas aller s'asseoir à l'instant même dont elle désirait tant la venue, mais c'était toujours au moment où elle se sentait le plus faible que l'horloge de la salle à manger sonnait six heures. Quelques secondes passaient. Puis elle entendait le bruit de volets qu'on repousse et qui frappent le mur l'un après l'autre. Elle voyait alors une femme assez âgée, une domestique sans doute, s'accouder un instant à la barre d'appui d'une fenêtre, au deuxième étage du pavillon, et regarder d'un côté de la rue à l'autre. Lorsque cette femme se retirait, Adrienne, qui avait rentré la tête pour n'être pas vue, reprenait sa position le poing sur la gouttière. C'est à ce moment qu'elle distinguait le tapis cramoisi et la surface polie d'un meuble chargé de papiers. Le sang montait à son visage et bourdonnait dans ses oreilles. Tout le poids de son corps se portait sur son poignet. Elle avait l'impression singulière qu'elle était sur le point de s'élancer dans le vide, vers cette pièce qui lui paraissait si près tout à coup. Elle se redressait enfin, le poignet meurtri, et, revenant dans la chambre, elle se laissait retomber tout étourdie dans un fauteuil.

Un jour, comme elle fermait la porte et s'apprêtait à redescendre l'escalier, elle croisa sa sœur qui montait. Germaine la regarda d'un air méfiant et curieux.

— Que faisais-tu là-haut ? demanda-t-elle.

Adrienne devint pourpre.

— Rien, dit-elle.

Et elle demanda stupidement :

— Et toi, pourquoi montes-tu ?

— Moi ? fit Germaine de la voix douce d'une personne satisfaite d'avance de ce qu'elle va répondre, moi, je monte à ma chambre pour m'y reposer.

Elle gravit encore deux marches et se tint tout près d'Adrienne. La jeune fille sentit son souffle sur la figure et recula un peu. Il y eut un instant de silence pendant lequel les deux femmes se regardèrent, puis Adrienne leva brusquement les épaules et, passant devant sa sœur, elle descendit d'un pas rapide.

Elle gagna sa chambre dont elle referma la porte avec violence. Une colère subite la fit frapper du pied et, tout d'un coup, elle se jeta sur son lit, cachant son visage brûlant dans l'oreiller. Elle avait honte. Avoir été surprise par Germaine, par cette vieille fille que sa maladie prédisposait à la malveillance ! Elle se redressa sur un coude et, du poing, elle martela l'oreiller en répétant à mi-voix, d'un ton furieux : « Idiote ! Idiote ! »

Pour la première fois, elle se demanda ce que penseraient d'elle sa sœur et son père s'il leur était donné de voir en son cœur. Elle haussa les épaules. « Qu'est-ce que ça fait ! » murmura-t-elle après avoir réfléchi un instant. Et elle se sentait supérieure à ces deux personnes, comme si, dans l'espace d'une seconde, elle se fût rendu compte de tout ce qu'il y avait de futile et de vain dans leur existence, de tout ce qu'il y avait de nouveau et d'important dans la sienne.

Ce soir-là, comme il arrivait souvent, elle dîna tête à tête avec M. Mesurat, Germaine n'étant pas assez bien pour descendre. Adrienne s'en félicita. Elle ne voulait pas revoir sa sœur si peu de temps après avoir rougi devant elle ; elle craignait de plus que par malice la vieille fille ne l'interrogeât pendant le dîner sur ce qu'elle faisait cet après-midi au deuxième étage et dans une chambre qui n'était pas la sienne. Et elle s'imaginait l'étonnement de son père, et les questions dont il l'accablerait. « A six heures, là-haut ! Mais, à cette heure-là tu lis dans ta chambre ? Qu'est-ce qui t'a pris ? » Comme s'il y avait une religion qui l'obligeât à se tenir à telle heure en tel endroit et à telle heure en cet autre. Elle se sentit soulevée de fureur et d'impatience à cette idée.

Sans doute, la difficulté n'était remise qu'à demain. Mais demain, quelle heure délicieuse l'en séparait ! A peine son père se fut-il installé dans un fauteuil, qu'elle était dehors. Le plaisir la faisait trembler. Elle enfonça ses ongles dans le fichu qui lui couvrait les

ADRIENNE MESURAT

épaules et courut legèrement jusqu'au coin de la rue
du Président-Carnot.

Il faisait assez clair pour qu'elle vît le pavillon dans
tous ses détails. Tous les jours, maintenant, il prenait dans son esprit un sens plus net. Elle l'avait
considéré d'abord avec une curiosité inquiète, elle
courait maintenant vers lui comme vers un refuge.
Était-elle folle ? Quelle joie trouvait-elle à contempler cette maison banale ? Si encore la personne qui
l'habitait avait pu lui venir en aide, mais cette personne ne la connaissait pas. Et puis qu'est-ce que cela
voulait dire : venir en aide ? Venir en aide contre qui ?

Elle prit sa tête dans ses mains, étourdie par ces
pensées qui s'agitaient en elle subitement, et elle s'en
voulut de gâter ainsi son plaisir en faisant des
réflexions stupides, devant cette maison, là où elle
avait désiré d'être depuis l'instant où elle s'était
levée. Pourquoi n'était-elle pas heureuse ? Qu'avait-
elle donc ? Des larmes montaient à ses yeux. Tout à
coup, elle se sentit dominée, appelée par quelque
chose qu'elle ne connaissait pas. Elle traversa la rue
en courant et vint coller ses lèvres au mur du
pavillon.

Presque aussitôt elle se ressaisit et regarda vivement autour d'elle, mais la rue était vide. Elle étouffa
une sorte de rire et murmura : « Et même si on
m'avait vue, on n'aurait pas compris. » Ses joues
étaient brûlantes. Elle se mit à remonter la rue du
Président-Carnot aussi vite qu'elle put, comme si elle
eût fui quelqu'un. Bientôt elle se trouva sur la route
nationale et s'arrêta. Elle soufflait. La nuit était
douce, l'air immobile. Là-haut, cependant, les têtes
des arbres remuaient lentement dans une brise qu'on
ne sentait pas. De l'autre côté de la route, les champs

64

tout noirs s'étendaient à perte de vue sous un ciel
sombre, constellé de petits points tremblants. Elle
s'aperçut qu'elle pleurait, mais, dans l'immense solitude de la nuit, ses larmes lui parurent puériles. Elle
fit quelques pas sur la route. Les pierres résonnaient
sous ses talons ; elle écouta ce bruit avec l'attention
fiévreuse d'un enfant qui souffre et qui croit avoir
trouvé une distraction. Si elle continuait à marcher
ainsi, elle arriverait à Longpré, au bord de l'eau, puis
à Coures... Il y avait des milliers de gens de toute
espèce qui avaient suivi cette route. Pourquoi pas
elle ? Pourquoi n'irait-elle pas où il lui plairait ? Elle
courut un peu, mais ses robes la gênaient, et elle dut
s'arrêter, le cœur battant.

Elle s'assit sur une borne et se mit à chantonner.
Il lui semblait que depuis un moment elle était hors
d'elle-même et qu'elle se libérait peu à peu de quelque chose. C'était comme si, tout d'un coup, mille
souvenirs s'effaçaient de sa mémoire et qu'elle devenait une autre personne.

Il y avait plusieurs minutes qu'elle était demeurée assise au bord de la route, plongée dans une sorte
de rêverie qui ressemblait à un sommeil, quand une
bouffée de vent qui soufflait au ras du sol la fit tressaillir et elle se leva. Elle marcha sur la route dans
un sens, puis dans l'autre, les mains derrière le dos
et les yeux à terre, et se remit à chantonner un air
à mi-voix, mais elle s'aperçut presque aussitôt que
c'était un air que sifflait souvent M. Mesurat, et se
tut.

Les sourcils froncés, elle marchait à présent dans
la direction de la rue Carnot, d'un pas un peu plus
rapide. Comme elle quittait la route nationale, elle
eut froid tout d'un coup et mit ses mains sur ses bras

65

nus ; sa peau était toute fraîche. Alors, comme si ce contact eût réveillé en elle une idée impérieuse, elle s'arrêta brusquement et, tendant les bras devant elle, elle les regarda dans la lumière incertaine qui tombait du ciel. Ils étaient blancs et arrondis avec cette indéfinissable odeur de fruits que répand la chair bien portante ; la ligne sinueuse allait de l'épaule au poignet avec un dessin d'accolade. Elle les considéra un instant, d'un regard où le plaisir se mêlait à la tristesse, et les laissa retomber avec désespoir. Personne ne lui avait jamais dit qu'elle était belle, mais elle le savait. Et elle se revit, une nuit de la semaine passée, alors qu'elle était seule dans sa chambre, tourmentée par une de ces crises de mélancolie qui la prenaient souvent sans raison apparente. Elle s'était assise devant sa coiffeuse et, le bras sur le marbre, elle se regardait dans le miroir, à la lumière de la lampe. Ses cheveux noirs qui tombaient en tresses le long de ses joues et couvraient ses épaules ajoutaient à son visage quelque chose de majestueux et de triste. Pourtant ses yeux brillaient et le sang courait vite sous sa peau. Elle se regarda ainsi longuement, admira ces traits sans défauts que lui renvoyait la glace ; ces sourcils droits et volontaires, ces prunelles bleues et cette bouche aux lèvres pleines qui ne s'entrouvraient pas. Son air sérieux la surprit ; elle essaya de sourire, mais devant cette mine faussement joyeuse elle ne put s'empêcher de fermer les yeux, comme si elle eût vu quelque chose de honteux. Elle les rouvrit au bout d'une seconde, hocha la tête devant la figure affligée qui se présentait à sa vue, et, courbée soudain sous le poids d'un muet désespoir, elle se laissa tomber, le visage sur le marbre, les cheveux épandus sur les brosses, les flacons et les petites boîtes qui jonchaient sa coiffeuse.

Ce souvenir la dégrisa tout à fait. A quoi lui servait d'être belle, en effet ? Est-ce que cela l'empêchait de souffrir ? Et quel bonheur lui devaient ces cheveux abondants, son teint clair ? Elle eut le sentiment douloureux d'être ridicule aux moments où elle souffrait le plus. Un désir la prit de rentrer chez elle au plus vite, de se coucher et de s'endormir.

Elle descendit la rue en courant et ne s'arrêta pas devant le pavillon blanc. Remarquant toutefois que la lumière au deuxième étage était éteinte, elle en eut, malgré le trouble qu'elle ressentait, cette espèce de satisfaction inquiète qu'elle éprouvait tous les soirs et dont l'attente quotidienne constituait sa vie.

Un instant plus tard, elle était de retour à la villa. Sans doute était-elle restée dehors un peu plus longtemps que de coutume, car son père était couché et elle dut trouver son chemin à tâtons. Elle monta sur la pointe des pieds jusqu'à sa chambre, quand une porte s'ouvrit au deuxième étage avec un bruit sec qui déchira le silence.

— C'est toi, Adrienne ? demanda la voix brève de Germaine.

La jeune fille s'arrêta sur le seuil de sa chambre, le cœur battant de surprise et de colère. Elle eut une courte hésitation.

— Qu'est-ce que tu veux ? fit-elle enfin, sourdement.

— Tu sors après dîner, maintenant, continua Germaine. Voilà une heure et demie que tu es dehors.

— Cela ne te regarde pas, répondit Adrienne.

Elle ouvrit sa porte et se jeta dans sa chambre, mais elle eut le temps d'entendre Germaine qui criait : « Si ! » d'une voix aiguë et furieuse. Cela suffit à la mettre hors d'elle-même. Elle referma la porte à toute volée et donna deux tours à la clef aussi bruyamment que possible. Puis elle appliqua l'oreille au vantail, mais le silence s'était rétabli. Quelques minutes elle resta dans l'ombre, écoutant sa respiration haletante, lorsqu'elle entendit la porte de sa sœur qui se refermait doucement. Ce bruit la fit tressauter. Elle eut l'impression qu'il révélait plus de choses sur le caractère de Germaine qu'elle n'en avait su jusque-là et elle se demanda depuis combien de temps elle était épiée par la malade.

— Mais tant pis, tant pis ! dit-elle tout haut, sur un ton excédé.

Et elle fit deux ou trois pas vers la table sur laquelle se trouvait sa lampe, mais se ravisa aussitôt et se mit à se déshabiller dans l'obscurité ; elle n'avait pas envie de recommencer l'expérience de l'autre soir et pleurer devant sa glace, elle voulait se glisser dans ses couvertures au plus vite et dormir. De ses mains fébriles elle arracha ses vêtements, déroula ses cheveux et s'étendit dans son lit. Mais ses pensées l'empêchèrent de dormir. Elle avait chaud. Le sang battait dans les artères de son cou et elle se retourna plusieurs fois sans pouvoir trouver une position confortable. Elle rejeta sur le pied du lit la couverture qu'elle trouvait pesante, puis le drap dont le contact l'agaçait.

Pendant un long moment elle se tint immobile dans l'espoir que le sommeil viendrait si elle ne bougeait pas, mais chaque fois qu'elle fermait les yeux, des taches et des traits brillants la forçaient à les rouvrir. Un malaise dans les bras et les jambes la contraignit de se retourner pour se mettre sur le côté. A la fin, elle se leva et s'assit au pied de son lit. Toutes sortes de choses lui revinrent brusquement à l'esprit comme pour se moquer d'elle ; elle se rappela qu'elle avait chanté tout à l'heure sur la route. Elle se revit collant ses lèvres sur le mur du pavillon blanc et sentit qu'elle devenait toute rouge à l'idée de ce qu'elle avait pu faire dans une seconde d'emportement.

Au bout d'un quart d'heure, elle se recoucha, les bras le long du corps, la tête lourde, et, comme toujours dans les moments où elle était le plus malheureuse, des souvenirs d'enfance vinrent à sa mémoire. Elle se répéta à mi-voix des noms de camarades qu'elle avait oubliées et se mit à penser au cours Sainte-Cécile et à une maîtresse de français qui la gourmandait sans cesse. C'était une vieille fille à lorgnon, toujours vêtue d'une blouse blanche bien amidonnée et d'une robe de serge bleue dont les reprises brillaient au soleil. Sûrement, elle avait dû traverser des moments difficiles au cours de sa vie pour être devenue aussi méchante. Adrienne la revoyait en train de faire réciter les leçons, le livre à la main, guettant les fautes des élèves avec un mauvais sourire, et elle entendait cette pauvre voix grêle et triomphante qui criait : « Trois fautes ! Vous m'apprendrez vingt vers de plus ! »

Tout à coup il lui sembla qu'elle tombait et qu'elle se retenait ; elle voulut faire un mouvement mais ses mains étaient croisées sous sa nuque et elle ne parvint pas à les remuer. Elle eut la sensation de se débattre et presque aussitôt le sommeil la gagna.

Au bout de quelques heures, elle se réveilla aussi brusquement qu'elle s'était endormie. Elle regarda autour d'elle, mais l'obscurité était complète et elle ne put même pas distinguer la blancheur de son oreiller. Et, tout à coup, elle se rappela un vers qu'elle avait appris autrefois et dont les paroles lui vinrent aux lèvres. Elle murmura :

C'était pendant l'horreur d'une profonde nuit.

Jamais elle n'avait réfléchi au sens de ces mots et, maintenant que sa mémoire les lui restituait après des années d'oubli, ils lui semblèrent empreints d'une beauté forte et terrible, et elle eut peur. Il y a en effet quelque chose de calme et de rassurant dans les premières heures d'obscurité, mais à mesure que la nuit avance et que tous les bruits de la terre se taisent, l'ombre et le silence prennent vite un caractère différent. Une espèce d'immobilité surnaturelle pèse sur tout et il n'est pas de mot plus éloquent que celui d'*horreur* pour décrire les moments qui précèdent la venue de l'aube.

Adrienne ramena la couverture sur ses jambes et se retourna vers le mur qu'elle toucha de ses mains. Elle entendit son souffle et le prit une seconde pour celui de quelqu'un penché au-dessus d'elle, mais cette frayeur superstitieuse se dissipa lorsqu'elle se fut complètement réveillée. Des rêves l'avaient tourmentée. Lesquels ? Elle ne pouvait plus se souvenir. Elle se demanda pourtant si elle n'avait pas crié ou dit quelque chose et si ce n'était pas le son de sa voix qui l'avait tirée de son sommeil ; et l'idée d'avoir parlé toute seule, au milieu de la nuit, lui parut affreuse. Elle craignait ce silence, elle craignait plus encore de le troubler et s'efforça, en respirant par la bouche, de diminuer le bruit de son souffle.

Elle s'assoupissait de nouveau lorsqu'une pensée traversa son cerveau : bientôt, sans doute, Mme Legras allait venir. Peut-être pourrait-elle l'aider. L'aider ?

Elle s'endormit.

V

Au petit déjeuner du lendemain, il ne fut pas question de la scène qu'Adrienne avait eue la veille avec sa sœur et, dès qu'elle eut bu son café noir, Germaine s'installa comme de coutume devant la fenêtre du salon. Cependant, comme M. Mesurat sortait de la villa pour aller faire sa promenade, la vieille fille se souleva sur ses coussins et dit à Adrienne qui remontait la housse d'un meuble :

— Me diras-tu maintenant ce que tu faisais dehors hier soir ?

Adrienne se retourna vivement. Sa figure s'empourpra sous le torchon blanc qui lui serrait la tête.

— Tu as parlé à papa ? demanda-t-elle.

— Cela t'ennuierait donc ? fit Germaine.

Adrienne lui tourna le dos et feignit de s'occuper d'un vase de fleurs.

— Eh bien, Adrienne ? reprit Germaine en appuyant son coude sur le bord du sofa ; elle avait cet air à la fois décidé et contenu des personnes qui jouissent par avance de la discussion qu'elles vont provoquer.

— Mais qu'est-ce que tu veux ? demanda sa sœur.

— Je veux une réponse, dit Germaine. Depuis quelque temps, tu changes. Tu sors la nuit. Que fais-tu ? Je dois savoir.

Adrienne se retourna et fit quelques pas vers le sofa.

— Pourquoi ? fit-elle. Tu n'es pas ma mère.

Elle sentit qu'elle perdait patience et qu'elle regretterait ce qu'elle allait dire, puis elle s'abandonna tout d'un coup à sa colère, avec le plaisir de se délivrer et de faire mal.

— Est-ce que c'est parce que tu as dix-sept ans de plus que moi ?

Le sang afflua brusquement aux pommettes de Germaine. Elle eut une expression de surprise et parut douter une seconde de ce qu'il y avait d'insolent dans la question de sa sœur, mais presque aussitôt ses traits se contractèrent.

— Je prends ici la place de ta mère, dit-elle d'une voix que la haine faisait trembler un peu. Heureusement, il y a quelqu'un pour te surveiller : c'est moi. Le devoir te commande de me répondre. Je veux savoir ce que tu as fait hier soir.

Adrienne secoua la tête avec force.

— Tu m'entends, Adrienne, reprit Germaine sans la quitter des yeux. Je veux le savoir, ou je le dirai à ton père.

— Tu ne sauras rien, répondit la jeune fille sourdement.

Germaine se laissa retomber sur ses coussins et croisa les mains.

— A ta guise, dit-elle d'un ton menaçant.

Adrienne s'éloigna et reprit son occupation. Il y eut un court silence, puis Germaine se remit à parler, avec cette obstination des faibles qui ne peuvent se contenter d'une défaite et recommencent inlassablement la bataille.

— Si tu crois que je ne sais pas ce que tu fais, dit-elle. On ne te surveille pas assez. Tout se lit sur ton visage.

Adrienne essuyait la cheminée. Elle se regarda dans la glace et demanda d'une voix blanche :

— Qu'est-ce qu'il dit, mon visage ?

— Il dit que tu ne dors pas et que tu cours les rues, répondit brutalement la vieille fille.

Adrienne passa son chiffon sur la glace, d'un geste machinal. Dans ses yeux clairs, le regard étonné semblait chercher un sens aux paroles que venait de prononcer Germaine.

— Que je cours les rues ? répéta-t-elle enfin. Mais ce n'est pas un crime. Et si je ne peux pas dormir, est-ce ma faute ?

Germaine se mordit les lèvres. Il était impossible de se méprendre à ce ton ; elle se sentit ridicule et grossière.

— Tu sais très bien ce que j'ai voulu dire, dit-elle d'une voix rapide. J'informerai ton père de ta conduite si tu ne me dis pas ce que tu as fait hier soir.

Et, devant le silence méprisant d'Adrienne, sa curiosité s'exaspéra et se changea tout à coup en fureur.

Elle se leva brusquement et appuya son genou tremblant contre le sofa.

— Tu vas parler, tu sais, dit-elle en tendant l'index vers sa sœur. Je saurai bien t'y forcer.

La jeune fille ne répondit pas ; cette soudaine explosion de colère la comblait d'étonnement.

— D'abord pourquoi te caches-tu, si ce n'est pas pour faire le mal ? demanda Germaine qui élevait la voix comme pour se convaincre de ce qu'elle disait. Tu attends qu'il fasse noir pour te glisser dehors.

Elle ne contenait plus sa rage devant le regard muet que lui lançait sa sœur.

— Tu me comprends très bien, reprit-elle. Tu as beau faire l'innocente. Avec moi, tu n'auras aucun succès, tu sais. Est-ce que tu me crois bête, par hasard ? Tu t'imagines que je ne te vois pas remonter la rue tous les soirs, à neuf heures ?

Adrienne devint pâle.

— Pourquoi veux-tu me rendre malheureuse ? balbutia-t-elle.

— Malheureuse ! cria Germaine. Et moi, tu crois que je n'ai pas été malheureuse, moi ?

Elle eut un geste convulsif et poursuivit :

— J'ai souffert de toutes les façons, tu entends, horriblement. Mais cette expérience servira. Je t'empêcherai de commettre les mêmes erreurs que moi.

— Quelles erreurs ?

— Tu n'as pas besoin de savoir. C'est uniquement pour ton bien que je t'interroge, et par pitié.

Elle porta son mouchoir à ses lèvres.

— Me répondras-tu ? demanda-t-elle encore une fois.

Adrienne secoua la tête.

— Non, fit-elle.

Germaine la regarda un instant, puis elle haussa les épaules et s'étendit de nouveau sur le sofa.

— Alors, c'est comme si je ne t'avais rien dit, remarqua-t-elle.

— Oui, dit Adrienne.

Elle prit un vase de fleurs et se rendit aussitôt à la salle de bains. Cette scène l'avait tellement étonnée qu'elle en oubliait toute la colère qu'elle avait d'abord ressentie contre sa sœur. Elle plaça le vase de géraniums dans une cuvette et tourna le robinet de toutes ses forces ; l'eau se mit à couler en un jet dru qui frappa les parois de porcelaine avec un bruit assourdissant. Penchée sur les fleurs, la jeune fille regarda cette eau qui montait lentement autour du vase et le faisait osciller sur sa base. Lorsque le vase fut plein, elle ferma le robinet mais elle regretta de ne plus entendre ce fracas qui l'empêchait de réfléchir.

Elle s'assit sur une chaise, encore stupéfaite de ce que sa sœur lui avait dit. Jamais elle n'avait eu de conversation avec Germaine. Cette femme l'irritait dans tout ce qu'elle faisait et ses moindres gestes lui paraissaient déplaisants. Elle avait aussi une répugnance instinctive pour cette maladie dont Germaine était atteinte et n'aimait pas à s'approcher d'elle. Tout cela mettait entre elles une distance qui augmentait avec le temps, puis brusquement, il avait semblé à la jeune fille qu'elle se trouvait en présence d'une inconnue : c'était au moment où Germaine avait parlé de ses souffrances.

Elle se leva et reprit son vase de fleurs qu'elle essuya pensivement dans son tablier, puis elle revint au salon. Un moment, elle se tint debout au milieu de la pièce, les yeux fixés sur le dessin du tapis grenat ; juste entre deux fauteuils, à la place habituelle, le soleil jetait sa longue tache rectangulaire.

Adrienne s'étonna du silence de sa sœur. Elle fit quelques pas, posa les fleurs sur le guéridon, déplaça des livres sur le secrétaire.

— Dis donc, fit-elle tout à coup.

Germaine ne répondit pas. Alors Adrienne se dirigea vers le sofa et regarda sa sœur. La vieille fille n'avait pas bougé mais ses yeux étaient rouges ; des larmes tremblaient au bord des cils et coulaient des deux côtés du long nez aquilin.

— Pourquoi me regardes-tu ? dit-elle d'une voix qui s'étranglait.

Et, comme Adrienne ne répondait rien et ne s'en allait pas, elle ajouta en détournant la tête :
— Va-t'en, je te déteste.

Le soir même, comme Désirée posait la cafetière devant M. Mesurat, le vieillard se tourna vers Adrienne.
— Sais-tu, dit-il, j'ai une idée. On s'ennuie ici après dîner. Nous allons jouer au trente et un.

La jeune fille laissa retomber sa serviette qu'elle était en train de plier et leva les yeux vers sa sœur, mais Germaine gardait un visage impénétrable.
— Eh bien ? fit M. Mesurat en caressant sa barbe du revers de son pouce.

Il se tut, gêné par la surprise qu'il lisait sur le visage de sa fille cadette.
— Papa, je ne sais pas jouer aux cartes, dit Adrienne rapidement.
— Je te montrerai, dit M. Mesurat d'un ton jovial. Ça s'apprend en deux minutes. Germaine va jouer avec nous, n'est-ce pas, Germaine ?

Germaine inclina la tête.
— C'est vrai, reprit le vieillard, ici, on ne fait rien, le soir. Je lis mon journal, ta sœur monte se coucher. Il faut des distractions. Qu'est-ce que tu as ?

Adrienne s'était levée et porta la main à sa poitrine ; le sang s'était retiré de ses joues et elle se retint au dossier de sa chaise, comme si elle eût craint de tomber.
— Qu'est-ce que tu as ? répéta M. Mesurat d'une voix impérieuse. Adrienne !
— Je veux aller à côté me reposer, murmura-t-elle.
— Assois-toi, ordonna M. Mesurat.

Et il lui prit le poignet et la contraignit à se rasseoir. Elle ferma les yeux ; son front se rida.

— C'est drôle, ce malaise, tout d'un coup, fit Germaine d'une voix glaciale.

Elle hocha la tête et, repoussant la tasse de camomille qui fumait devant elle, croisa les bras sur la table et regarda sa sœur.

— La chaleur, expliqua M. Mesurat. C'est cette lampe qui chauffe, elle est beaucoup trop bas ; remonte-la, Germaine.

Germaine étendit le bras vers la suspension qu'elle remonta un peu. Dans cette lumière qui tombait d'en haut, le visage d'Adrienne parut blafard, et M. Mesurat fronça le sourcil.

— Tu vas boire un peu de café, dit-il en emplissant une tasse.

— Je ne veux rien, papa, répondit Adrienne.

Le vieillard eut une seconde d'hésitation ; du regard il consulta Germaine qui haussa les épaules.

— Parfait, dit-il.

Il avala le café en deux traits et se leva. A ce moment Adrienne ouvrit les yeux ; sa figure s'éclaira tout d'un coup en voyant que son père avait quitté la table et elle crut un instant qu'il n'était plus question de cartes, mais M. Mesurat frappa du poing sur le dos de sa chaise et lui dit avec une bonhomie qui sonnait faux :

— Lève-toi. En avant. Nous serons mieux au salon.

Sans mot dire, elle obéit et passa devant son père qui lui donna en riant une tape sur l'épaule. Elle fit quelques pas, entra au salon et se tint au milieu de cette pièce obscure. Tout se brouillait dans son esprit comme par l'effet d'un brusque étourdissement. Seule une pensée revenait sans cesse et la jetait dans un trouble qui grandissait peu à peu ; l'heure approchait où, d'ordinaire, elle se rendait au coin de la rue.

Il faisait beau. Par la fenêtre le ciel brillait encore de cette clarté douce qui ressemble à un prolongement du jour dans la nuit. Pas un nuage. Elle sentit en elle un élan, quelque chose d'analogue à ce qu'elle éprouvait dans la chambre de sa sœur lorsque, penchée à la fenêtre, elle avait l'impression que le pavillon était tout près et qu'en un bond par-dessus le jardin et la rue elle allait l'atteindre. Ses doigts se croisèrent. Elle entendit son père qui butait dans un fauteuil, puis un bruit d'allumettes qu'on frottait à petits coups brefs contre une boîte. Bientôt la lampe éclaira la pièce.

— Approche une chaise, fit M. Mesurat qui s'installait devant le guéridon.

Elle fit un effort sur elle-même, prit une chaise et s'assit entre son père et Germaine qui battait les cartes. La lampe posée au milieu de la table filait un peu et elle en fit mentalement la remarque, mais ne songea pas à en parler. Tout cela lui semblait un mauvais rêve, cette vieille fille malade qui battait les cartes, ce vieillard au souffle bruyant, elle assise à ce guéridon au lieu d'être dehors, près du pavillon blanc. Le vers de Racine lui revint à la mémoire. Quelle nuit égalait en horreur la scène qu'elle avait devant les yeux ? Et, brusquement, elle baissa la tête et porta les poings à son front.

— Allons, bon ! s'écria son père. Qu'est-ce qu'il y a encore ?

Il prit les mains d'Adrienne et la força à se découvrir le visage.

— Tu vas me dire ce que tu as, dit-il d'une voix où la colère s'annonçait.

— Mais rien, rien, protesta Adrienne avec désespoir, et elle mit ses mains sur ses genoux.

78

— Papa, explique-lui le jeu et commençons, dit Germaine d'un ton impatient.

Cette parole rendit son calme à M. Mesurat. Il saisit les cartes que Germaine venait de déposer sur la table et se mit à les distribuer sans rien dire. Les yeux baissés, Adrienne regardait ces petits morceaux de carton qui s'abattaient devant elle avec un bruit sec. Une sorte de langueur s'emparait d'elle. Elle prit les cartes qu'on lui avait données et, machinalement, elle les tassa et se mit à les battre, lorsqu'un cri de son père la fit tressauter.

— Pas encore! je vais t'expliquer, dit-il.

Et il lui exposa toute la théorie du jeu, accompagnant ses paroles de petits gestes précis, levant l'index, lui montrant ses cartes qu'il avait disposées en éventail dans sa main. Elle hochait la tête.

— Commence! ordonna-t-il, lorsqu'il eut fini.

Elle abattit au hasard une carte que Germaine couvrit aussitôt d'une des siennes. A son tour, M. Mesurat abattit une carte en accompagnant son geste d'une explication.

— Et maintenant, recommanda-t-il, choisis bien.

Adrienne fronça les sourcils et considéra ses cartes qu'elle tenait, à l'invitation de son père, en éventail. Elle n'avait pas écouté les explications de M. Mesurat qui guettait la carte qu'elle allait jouer, et elle connut un instant l'affolement des élèves à qui l'on pose une question trop difficile. Rois, reines et valets dansaient devant ses yeux. Elle choisit un as de trèfle, se ravisa, prit un dix de carreau. Tout à coup, elle s'aperçut que sa main tremblait. Ni son père ni sa sœur ne la quittaient du regard. Elle ramena ses cartes sur sa poitrine comme pour cacher son jeu.

— Je ne sais pas, dit-elle.

— Tu n'as donc pas compris ? s'écria M. Mesurat, furieux.

— Joue n'importe quoi, fit rageusement la vieille fille.

Et elle frappa le marbre de la table du revers de ses doigts.

— Bon, répondit Adrienne qui perdait la tête.

Elle examina son jeu une seconde fois et tira une carte qu'elle jeta sur la table.

— Mais non ! cria M. Mesurat. Tu ne peux pas jouer ça. Ecoute-moi donc.

Il se pencha tout près d'elle et recommença ses explications d'une voix lente mais qui montait peu à peu. Elle ne pouvait le suivre. Tant de choses se brouillaient dans son esprit qu'elle ne comprenait plus le sens de ses paroles ; elle n'entendait que des sons où grondait l'impatience. Le souffle chaud du vieillard effleura sa joue ; elle ferma les yeux, prise d'un dégoût subit et tenta de rassembler ses idées. Un mot retentissait dans sa tête avec le rythme désordonné d'une cloche : souffrir, souffrir. C'était cela, souffrir. Elle songea brusquement que l'heure était passée à laquelle, d'ordinaire, elle gagnait le coin de la rue. Une crainte superstitieuse l'envahit. Pour la première fois elle manquait à cette espèce de rendez-vous. Cela lui porterait malheur. Peut-être qu'à ce moment même le docteur se penchait à sa fenêtre... Elle se leva d'un bond et laissa tomber ses cartes.

— Je ne jouerai pas, dit-elle.

— Quoi ? rugit M. Mesurat.

— Je ne veux pas jouer, répéta-t-elle.

Elle sentit la main osseuse de sa sœur qui enserrait son poignet, et fit un effort pour se dégager.

— Assois-toi, dit la vieille fille sur un ton de commandement, assois-toi.

M. Mesurat se mit à frapper du plat de la main sur la table.

— Tu vas obéir, gronda-t il. Tu vas me dire ce qu'il y a.

— Assois-toi, répéta Germaine.

Adrienne se débattait, mais sa force l'avait quittée tout d'un coup et elle ne parvenait pas à se libérer. Elle tira sur son bras et se mit à crier :

— Laissez-moi tranquille ! Laissez-moi tranquille !

— Veux-tu ne pas crier ! fit M. Mesurat. Tu vas ameuter les voisins. Tais-toi !

— Attends ! s'écria Germaine.

Et, lâchant le bras de sa sœur, elle se leva et se traîna aussi vite qu'elle put à la fenêtre qu'elle ferma.

— Maintenant, crie, fit-elle en s'appuyant au mur.

M. Mesurat se leva à son tour. Le sang montait à ses joues, mais il affecta de parler d'une voix mesurée, comme un homme qui se domine bien.

— Il ne s'agit pas de crier, dit-il. Adrienne va nous expliquer ce qu'il y a.

Il prit la jeune fille par le bras. Elle était sans couleur et s'appuyait d'une main au dossier de son fauteuil.

— Que veux-tu, papa ? demanda-t-elle.

— Que tu nous parles, que tu nous dises ce que tu as.

— Je n'ai rien.

— Alors, joue, fit Germaine qui regagna sa place.

Adrienne ne répondit pas. Il lui semblait que dans cette pièce qu'elle connaissait si bien, quelque chose d'inconnu se glissait. Un changement indéfinissable avait lieu ; c'était une impression analogue à celle que l'on peut avoir dans les rêves ou des endroits que l'on sait n'avoir jamais vus paraissent familiers. A un premier mouvement de curiosité succède l'effroi puis la terreur de ne pouvoir s'enfuir, de se sentir immobile et prisonnier. Elle se demanda si elle ne devenait pas folle, et jeta un regard autour d'elle. Ce n'était pas l'aspect connu des choses qui la frappait mais plutôt leur caractère étrange et lointain ; cependant, comme dans un rêve, elle éprouva l'horreur de ne pouvoir faire un mouvement, d'être retenue par une force invisible entre ce fauteuil et cette table. Ses yeux s'arrêtèrent une seconde sur la lampe : elle vit qu'elle ne filait plus et mesura par ce détail le trouble où elle avait dû être depuis qu'elle s'était assise devant le guéridon, puisque quelqu'un s'était occupé de baisser la mèche, et qu'elle n'en avait rien vu. La voix de M. Mesurat la fit revenir à elle.

— Si tu ne veux pas parler, c'est moi qui vais le faire, disait-il en se penchant vers la jeune fille. Tu me dis que tu n'as rien, mais tu rêves, tu es distraite, tu refuses de jouer. D'autre part, j'ai su...

Germaine fit un mouvement. M. Mesurat lui lança un coup d'œil de côté et reprit :

— J'ai su par quelqu'un que je ne nommerai pas que tu sors depuis quelque temps, la nuit. Tu restes dehors, une heure, deux heures, je ne sais pas, moi. Hein ? Dis que ce n'est pas vrai.

Il approcha son visage de celui d'Adrienne. Elle vit ses yeux aux paupières alourdies, son nez charnu où de petites veines se croisaient. Des paroles qu'elle voulut prononcer lui restèrent dans la gorge.

— Cela ne te suffit pas ? continua-t-il. Tu te crois fine, tu t'imagines que nous ne sommes pas au courant de ce que tu fais, hein ?

Il s'arrêta un instant et reprit :

— Tous les après-midi, entre cinq heures et demie et six heures, tu montes à la chambre de Germaine, tu te penches par sa fenêtre, tu guettes...

— Ce n'est pas vrai, souffla la jeune fille.

— Germaine ! fit M. Mesurat.

Germaine rougit fortement et garda le silence.

— Alors, s'écria le vieillard en frappant la table de son poing, tu comprends que j'en ai assez ; je veux savoir, tu entends. Tu caches quelque chose. Veux-tu parler ?

Il la secoua par le bras.

— Tu vois quelqu'un, hein ! Avoue, hein ?

Adrienne poussa un cri de douleur et voulut se dégager, mais son père avait la main ferme.

— Non, je ne te lâche pas, dit-il. Tu vas répondre. Tu aimes quelqu'un, hein ?

Il la secouait si fort qu'elle faillit tomber. Elle vit l'effroi sur le visage de sa sœur et s'en sentit gagnée par une sorte de panique.

— Oui, cria-t-elle d'une voix aiguë dont le ton l'étonna elle-même.

M. Mesurat desserra un peu son étreinte.

— Ah ! qui ? demanda-t-il.

Il y eut un instant de silence pendant lequel on entendit la respiration du vieillard que ses efforts avaient essoufflé.

— Qui ? répéta-t-il.

— Je ne sais pas son nom, balbutia la jeune fille.

— Tu ne sais pas son nom ! hurla Antoine Mesurat en saisissant Adrienne par les épaules, tu oses me prendre pour un imbécile.

Et, sous l'empire d'une rage qu'il ne pouvait plus dominer, il la secoua de toutes ses forces. Elle enten-

dit ses dents qui s'entrechoquaient à chaque mouvement de sa tête et poussa des cris étouffés. Muette
de terreur, Germaine ne bougeait pas de sa chaise.
Tout à coup, Adrienne glissa sur la poitrine de son
père et tomba d'une masse aux pieds du vieillard.
Elle s'était évanouie.

VI

Elle rouvrit les yeux dans sa chambre et entendit au même instant des pas qui s'éloignaient d'elle et une porte qui se refermait, puis derrière la porte un bruit de voix. Le silence se rétablit presque aussitôt. Elle était couchée tout habillée sur son lit. Des moucherons voletaient autour de la lampe en chantant de leur voix minuscule. Il faisait chaud. Elle poussa un profond soupir et, se soulevant un peu sur son avant-bras, elle s'accouda sur le bord du lit et regarda autour d'elle. Ses yeux s'arrêtèrent sur l'armoire à glace que son père lui avait donnée pour ses seize ans. Il y avait quelque chose de si ridicule et de si cruel dans ce souvenir qu'elle ne put retenir un gémissement de dégoût. Elle vit dans le miroir qu'elle était dépeignée et que ses cheveux se déroulaient sur ses épaules et, bien qu'elle ressentît une espèce de choc de ce désordre, elle ne songea pas a y remédier et continua à se regarder. Ses joues étaient blanches, et il y avait dans son visage un air morne qu'elle ne se connaissait pas. Sa bouche était entrouverte. Elle se trouva vieillie tout d'un coup mais ne détourna pas les yeux. Y avait-il un changement dans ses traits ? Elle s'aperçut que la lampe dessinait des ombres sous ses paupières. Cela lui donnait une expression

déplaisante. « Je ressemble à une morte », pensa-
t-elle. Bientôt, à force de se fixer dans la glace, elle
crut apercevoir une ligne sombre qui tremblait
autour de sa tête, puis sa figure et ses épaules parurent se dédoubler et une seconde image d'elle hésita
un instant et monta lentement au-dessus de la première. Il lui sembla que quelque chose tirait ses
yeux, mais elle ne parvenait pas à les fermer. Elle
contempla ces deux personnes qui dansaient devant
ses prunelles et se tenaient pourtant immobiles.
Toute pensée s'arrêtait dans son esprit. Brusquement elle retomba sur son oreiller, comme si elle
eût reçu un coup sur la tête. Elle dormit.

Il faisait grand jour lorsqu'elle s'éveilla, mais elle
eut de la peine à se lever et demeura quelques minutes au lit. Dans une demi-heure, elle serait en bas
comme d'habitude. Elle entendrait son père lire les
en-têtes du journal, elle verrait sa sœur examiner le
fond de sa tasse et l'essuyer du bout de sa serviette,
comme elle faisait toujours avant d'y verser son café.
Et la vie continuerait comme à l'ordinaire, malgré
cette horrible scène d'hier soir, alors que tout en elle
lui semblait changé.
    Et en effet, lorsqu'elle descendit à la salle à man-
ger, elle vit M. Mesurat qui tenait à bout de bras son
journal déplié. Comme la journée s'annonçait torride,
il avait enlevé sa veste d'alpaga noir et l'avait posée
sur le dos d'une chaise. Dans son visage sanguin,
l'attention creusait de petites rides autour de ses
yeux et de son nez, car il était presbyte et ne lisait
qu'avec des grimaces. Il aperçut Adrienne qui entrait
et lui lança un regard du coin de l'œil.
    — Bonjour, fit-il jovialement.

— Bonjour, Adrienne, dit à son tour Germaine qui remuait son sucre dans sa tasse.

— Bonjour, répondit-elle.

Elle s'assit. C'était bien cela, rien n'était changé. Elle considéra la nappe à carreaux rouges et les tasses en porcelaine avec une sorte d'étonnement. Elle vit dans la panse de la cafetière de métal son visage déformé, étiré d'une façon qui l'amusait tant lorsqu'elle était petite fille. Elle réfléchit une seconde, versa son café, et, comme si elle cédait à la force d'un enchantement, elle entendit sa propre voix qui demandait ce matin-là aussi bien que tous les autres :

— Quelle température aujourd'hui, papa ?

Alors il y eut un court silence, le temps de chercher la réponse à cette question dans le haut de la troisième page du journal, et, derrière les grandes feuilles qui sentaient l'encre, la voix de son père annonça :

— Probabilités pour la journée du 17 : en hausse légère, vingt-six degrés.

Elle se sentit vaincue. Furtivement, elle leva les yeux et vit Germaine qui échangeait un regard avec M. Mesurat. Cette félicitation muette qu'ils s'adressaient l'un à l'autre lui fit horreur, et elle détourna la tête. Dehors le ciel était blanc, empli d'une vaste et puissante lumière que la vue supportait à peine. De sa place, Adrienne pouvait distinguer la villa Louise entre les tilleuls rabougris. Que n'était-elle la fille de cette Mme Legras ! Peut-être souffrirait-elle moins. Elle eut conscience que son père et sa sœur l'observaient et ne put supporter leur silence.

— Quand viennent les locataires d'en face ? demanda-t-elle pour dire quelque chose.

M. Mesurat posa son journal et regarda devant lui par-dessus son lorgnon. Il parut chercher.

— Ceux de l'année dernière, voyons...

— Ils étaient venus en juin, fit Germaine en rompant son pain, mais ce n'est pas une raison pour que Mme Legras arrive à la même époque.

— Évidemment, dit le vieillard d'un air convaincu.

Il jeta un dernier coup d'œil sur son journal et plongea la moitié d'un croissant dans son café.

— Pourquoi veux-tu savoir ? demanda Germaine d'une voix qui feignait l'indifférence.

— Mais je ne tiens pas tellement à savoir. Je disais ça...

— Pourtant tu demandais, continua la vieille fille.

Adrienne fit un mouvement d'épaules et ne répondit pas. M. Mesurat appuya son journal contre la cafetière et se mit à lire tout en mangeant.

— Le ministère va tomber, dit-il entre deux bouchées, c'est sûr.

Il regarda subrepticement ses filles par-dessus le bord de son journal. Adrienne baissait la tête et ne se décidait pas à boire. Germaine ne la quittait pas des yeux.

Quelques minutes après le déjeuner, Adrienne prit le sécateur dans un tiroir de la cuisine et voulut sortir. Son père avait coiffé son panama, mais, contrairement à son habitude, il ne partait pas en promenade et s'était installé dans son fauteuil, sur le haut du perron, avec son journal. Il aperçut Adrienne qui venait vers lui du fond du corridor et demanda :

— Où vas-tu ?

— Au jardin, cueillir des fleurs.

— Ce n'est pas le jour, fit une voix.

La jeune fille se retourna et vit sa sœur qui l'observait de son canapé, par une fenêtre du salon. Elle demeura interdite.

— Tu as entendu ? dit M. Mesurat.

— Les géraniums sont fanés, reprit Adrienne après un instant. Il en faut d'autres.

Elle était devenue rouge et serrait son sécateur de toutes ses forces dans sa main droite.

M. Mesurat étendit ses jambes devant lui, comme pour l'empêcher de passer.

— Tu as entendu ce qu'a dit ta sœur ? demanda-t-il encore.

Adrienne s'appuya au chambranle de la porte et regarda son père. Sous le bord baissé du panama les yeux du vieillard paraissaient noirs, mais l'ombre laissait en lumière le nez charnu et les joues massives qui se perdaient dans la barbe jaunâtre. Ses pommettes se ridèrent et il eut un sourire satisfait.

— Tu me regardes ? dit-il au bout d'un instant.

— Je veux sortir, fit-elle d'une voix étranglée.

— Eh bien, tu ne sortiras pas, répondit M. Mesurat en scandant sa phrase d'un geste avec son journal.

— Pourquoi ? souffla-t-elle.

Il ne répondit pas tout de suite et planta ses yeux sur elle. Elle vit le journal trembler entre ses mains et, prenant peur tout d'un coup, elle recula un peu dans le corridor. Brusquement, il se leva et la suivit. Elle recula encore, se glissa contre le mur, la paume de sa main gauche contre la boiserie toute tiède. Un besoin nerveux de crier la tourmentait mais ses dents ne se desserraient pas. Elle vit son père s'avancer vers elle. Il referma la porte à toute volée et cria :

— Tu tiens à savoir pourquoi ?

Cette voix furieuse la fit tressaillir. Elle entendit, dans la pièce à côté, sa sœur qui se levait et fermait la fenêtre comme la veille. Son cœur battait horriblement ; elle lâcha son sécateur et fit non de la tête.

— Je vais te le dire, continua M. Mesurat avec lenteur, mais en élevant le ton peu à peu. Je ne veux pas que tu ailles au jardin, je ne veux pas que tu sortes de cette maison tant que tu ne m'auras pas dit le nom de cet homme, tu m'entends, Adrienne ?

Elle fit : « Oui », d'une voix à peine perceptible. Une faiblesse dans les genoux la contraignit de se retenir à la boiserie qu'elle sentait sous ses mains, pour ne pas tomber.

— Parfait, dit le vieillard. Va t'occuper de la maison.

Il sortit et s'installa de nouveau dans son fauteuil. Par la grille de la porte, elle le vit qui reprenait son journal et le dépliait. Elle ferma les yeux un instant, puis ramassa son sécateur et entra au salon. Sa sœur était debout, le visage attentif ; elle s'appuyait à la cheminée et vit Adrienne dans la glace qui reflétait la porte du fond. Un long moment passa en silence. Adrienne posa le sécateur sur le guéridon et regarda les géraniums qui ornaient ce meuble ; du doigt elle fit tomber les pétales que la chaleur avait brunis et, cette occupation terminée, demeura immobile. Elle entendit Germaine marcher derrière elle et se diriger vers le canapé, puis essayer d'ouvrir la fenêtre. Après quelques efforts qui semblaient inutiles, la vieille fille demanda :

— Veux-tu m'aider à ouvrir cette fenêtre ?

Sa voix était douce et trahissait la fatigue ; elle se laissa tomber sur le canapé sans attendre la réponse de sa sœur.

— Comment l'as-tu fermée ? demanda Adrienne d'un ton morne.

— Je ne sais pas, c'était plus facile sans doute.

Adrienne hésita une seconde, puis se dirigea vers la fenêtre et l'ouvrit. D'elle-même, elle poussa le canapé que Germaine avait déplacé un peu. Elle s'assit enfin sur un fauteuil au milieu du salon. L'émotion l'avait étourdie et elle ne se rendait pas bien compte de ce qu'elle faisait; elle entendit son souffle plus précipité que de coutume, mais se calma peu à peu. Le soleil arrivait à ses pieds et couvrait le bas de sa robe d'une longue tache droite qu'elle observa jusqu'à ce que ses yeux lui fissent mal, et elle releva la tête. De minces nuages passaient dans le ciel et paraissaient s'effriter dans la lumière. La chaleur pesait. Pas un bruit n'arrivait du dehors, pas un cri d'oiseau. Elle n'entendait même plus son père froisser son journal et devina qu'il s'était endormi.

VII

A quelques jours de là, elle était assise à la fenêtre de la salle à manger et regardait la rue. Elle revenait d'une promenade que son père lui avait fait faire
et n'avait pas encore ôté son chapeau. Tous les jours,
maintenant, M. Mesurat l'emmenait avec lui et ils
allaient tous les deux à l'autre bout de la ville, derrière le presbytère, pour voir où en était la maison
que l'on y construisait. Déjà la charpente du faîte
était debout et, cet après-midi, au grand plaisir de
M. Mesurat qui avait battu des mains, ils avaient vu
la branche d'arbre et le drapeau tricolore victorieuse-
ment attachés au point le plus haut de ce qui serait
le toit.

Il était près de six heures mais le ciel était aussi
pur qu'à midi. Elle réfléchit que ces différents
aspects du ciel étaient les seuls changements qu'elle
observait dans le paysage qu'elle avait sous les yeux.
Les tilleuls de la villa Louise demeuraient à peu près
les mêmes, les géraniums roses et rouges repous-
saient docilement avec leurs larges feuilles cotonneu-
ses. Elle pencha un peu la tête et aperçut l'arbre
flexible qui inclinait doucement ses branches par-
dessus le toit du pavillon blanc. Sa poitrine se gonfla. Rien ne changeait dans sa vie. Plusieurs fois elle
avait été tentée de dire à table : « Eh bien, oui, j'aime

Maurecourt, le docteur de la rue Carnot », pour voir ce qu'il arriverait, mais elle ne parvenait jamais à prononcer ces mots. Elle avait aussi remarqué que, lorsqu'elle se croyait sur le point de dire cette phrase, Germaine ou son père prenaient la parole, comme s'ils eussent deviné son dessein et qu'ils eussent voulu l'empêcher de faire sa confession. Cette coïncidence la frappait ; elle lui attribuait une origine mystérieuse et voyait là un signe qu'elle ne devait pas parler de son amour, mais le garder secret.

Dans la solitude de sa chambre, alors que son père et sa sœur dormaient, elle avait pris l'habitude de prononcer tout haut le nom de Maurecourt en ayant soin de protéger sa bouche de ses deux mains, afin que personne ne pût l'entendre, et ce nom que la violence de Germaine et de M. Mesurat n'avait pu lui arracher, elle le répétait dix fois, vingt fois, avec une joie cruelle qui la faisait souffrir. Pourtant, il lui semblait qu'elle eût étouffé si elle ne l'eût pas dit. Elle ne pleurait pas, mais à certains moments, alors que le découragement et la mélancolie succédaient à l'inquiétude et aux faux espoirs, elle sentait quelque chose qui s'enflait dans sa gorge et le sang, se précipitant à sa tête, battait douloureusement contre ses tempes.

Elle ôta son chapeau et plongea ses mains dans ses cheveux comme pour en diminuer le poids en les soulevant. Ses vêtements lui tenaient chaud. Elle se leva et, appuyant ses genoux contre le rebord de la fenêtre, elle s'accouda à la balustrade. Au loin une voiture passait sur la route nationale, mais ce bruit lointain diminua rapidement. Plus loin encore, des chiens aboyèrent. Elle tendait l'oreille à ces sons avec avidité. Il était vraiment insupportable, le silence de cette rue. On eût dit que les gens n'y venaient point, par crainte de déranger cette espèce d'immobilité affreuse qui pesait sur cette partie de la ville.

Elle songea avec mélancolie que l'heure approchait à laquelle, autrefois, elle montait en cachette à la chambre de Germaine. Maintenant la porte de cette chambre était fermée à clef. En se penchant, toutefois, elle pouvait voir le pavillon des autres fenêtres, mais moins bien.

Une brise soufflait; elle la respira longuement en fermant les yeux. Tout à coup elle entendit des pas qui remontaient la rue et tourna aussitôt la tête vers le pavillon. Son cœur se serra. Ce petit homme qui marchait vite le long du mur, c'était Maurecourt. Elle en douta une seconde et se recula instinctivement, craignant d'être vue et le souhaitant de toutes ses forces. Il marchait vite, sans lever les yeux. Dans un instant il aurait disparu. Elle s'affola, esquissa vers lui un geste qu'elle réprima aussitôt et porta la main à sa bouche comme pour s'empêcher de crier. A présent il était là, il passait juste devant la maison, suivait la villa Louise. Elle agrippa la balustrade et se pencha sur la rue comme pour l'appeler; elle leva même un bras, mais il ne pouvait plus la voir et continuait son chemin. Elle ne le voyait plus que de dos, il n'y avait plus qu'à crier. Alors il se retournerait. Elle ne le put. C'était comme dans ces cauchemars où l'on est incapable de bouger et de proférer un son. Il lui sembla qu'elle était pleine d'une force dont elle ne pouvait faire usage. Elle entendit ses pas qui s'éloignaient et, brusquement, il quitta la rue Thiers et en prit une autre. Ah! elle pouvait gesticuler maintenant! Elle tourna sur elle-même comme une folle. Le voir, le rappeler, comment? Une idée lui traversa l'esprit. Si elle pouvait être malade, il viendrait; malade ou blessée. Blessée. Elle ferma un battant de la croisée et, tout d'un coup, ferma les yeux et passa ses deux bras nus à travers la vitre.

Le bruit de verre cassé la surprit. Elle vit ses bras striés de rouge; en une seconde ils ruisselèrent de sang et elle poussa un gémissement, bien qu'elle ne souffrît pas, puis elle se mit à crier. Cela lui faisait du bien de crier. Mais la peur la saisit en voyant sa robe toute couverte de sang et elle se précipita vers la porte, les bras tendus devant elle.

Son père entra, suivi de Germaine qui soufflait. Leurs visages prêts à la colère se détendirent, et ils firent : « Ah ! » tous deux ensemble. Le vieillard recula et d'un air effaré il regarda Germaine.

— Comment as-tu fait cela ? demanda la vieille fille, d'une voix entrecoupée. C'est insensé. Vite, de la teinture d'iode et un rouleau de gaze, continua-t-elle en s'adressant à son père. Dans l'armoire de ma chambre.

M. Mesurat disparut. Germaine prit une serviette de table dans la desserte et en enveloppa les bras de sa sœur, mais le contact du linge sur ses plaies fit crier Adrienne qui essaya d'arracher ce pansement sommaire. La vue de son sang l'avait mise hors d'elle-même et elle eut l'impression que sa raison s'en allait. Elle se laissa tomber sur une chaise.

— Veux-tu me laisser faire ! dit Germaine qui ramassa la serviette tachée de rouge.

— Fais appeler le docteur.

— Tais-toi. Lève les bras, commanda Germaine.

Adrienne obéit. Elle était toute pâle et se demandait confusément pourquoi elle s'était blessée. Espérait-elle vraiment que l'on ferait appel à un doc-

95

teur pour des coupures aux bras ? Quel désordre il avait dû y avoir dans son esprit pour y croire une seconde ! Et il était si simple de faire un geste au moment où le docteur passait. Il se serait arrêté, elle aurait alors simulé quelque chose, une crise ; elle aurait porté la main à la tête en poussant un cri...

M. Mesurat reparut portant une fiole et un petit rouleau blanc.

— Donne vite, fit Germaine.

Elle prit la fiole et, avec un pinceau attaché au bouchon, badigeonna les plaies d'Adrienne qui hurla. Au bout d'un instant le sang s'arrêta de couler et Germaine enroula les bandes de gaze autour des bras de la jeune fille. M. Mesurat surveillait cette scène avec une mine mécontente et curieuse à la fois et offrit à plusieurs reprises d'aider Germaine dans sa tâche, mais elle l'écartait d'un geste avec une autorité qu'elle n'avait pas d'ordinaire. Cette femme dont la vie n'avait été que le long développement d'une seule maladie se retrouvait, pour ainsi dire, dans son élément dès qu'il s'agissait de bandages ou de drogues. Dans ces moments, il se manifestait en elle une activité singulière. C'était elle qui soignait les rhumes de M. Mesurat et les maux de tête d'Adrienne. Elle avait toujours ce qu'il fallait dans l'armoire de sa chambre. Indolente le reste du temps, elle semblait se réveiller dès que la santé de son père et de sa sœur venait à se déranger. Elle administrait les médicaments d'une main ferme, ne perdait jamais la tête dans les petits accidents, savait soigner et guérir avec adresse et présence d'esprit. Ce n'était certes point la bonté d'âme qui la faisait agir ainsi, mais sans doute l'instinct du malade qui hait la maladie sous toutes ses formes et la combat chez les autres pour se venger, en quelque sorte, de son impuissance à la maîtriser en lui-même. Elle exerçait ses fonctions de médecin avec une ferveur jalouse. Il ne fallait ni la contrarier ni l'aider. C'était entendu. Quant à faire appel à un praticien du dehors, on n'y songeait même pas. Faire venir un docteur, lorsque Germaine était là ! Jamais M. Mesurat ne se fût arrêté à une résolution aussi bizarre. Adrienne non plus du reste, et c'est le fait d'avoir cru possible l'intervention de Maurecourt qui lui permettait de voir jusqu'où son égarement l'avait conduite.

— Je l'aime donc tant ! pensait-elle.

Cela lui parut une révélation.

Le surlendemain elle était presque guérie. Elle ne portait plus ses bandages et toutes ses plaies s'étaient refermées. Mais elle gardait une impression profonde de ce qu'elle avait fait. Elle ne se reconnaissait pas dans ce geste violent qu'elle avait eu et elle pensait avec une sorte de respect mêlé de crainte à ce qui avait pu le lui inspirer.

Mai tirait à sa fin. Déjà bon nombre de Parisiens s'étaient abattus sur La Tour-l'Évêque et la société d'harmonie avait repris ses concerts qu'elle donnait dans un kiosque situé au milieu du jardin public. Un peu plus d'animation se remarquait dans les rues du centre, mais la partie de la ville qu'habitaient les Mesurat conservait à peu près la même tranquillité qu'en hiver et au printemps. On entendait plus souvent des bruits de voitures sur la route nationale et c'était tout.

Ce matin, Adrienne coupait des géraniums sous la surveillance de son père et de sa sœur. Ils lui avaient permis cette distraction, bien qu'elle n'eût pas encore consenti à répondre à leurs questions, mais c'était parce que Germaine était trop faible pour faire régulièrement le tour du jardin et que M. Mesurat jugeait indigne de lui de cueillir des fleurs. Comme elle se penchait sur les plates-bandes, elle entendit le bruit d'une voiture et releva la tête. Son père avait baissé son journal et regardait devant lui d'un air attentif.

— Qu'est-ce qu'il y a ? demanda Germaine.

— Tu n'entends pas ? fit Adrienne.

Elle alla jusqu'à la grille et se tint immobile, le visage entre les barreaux. Un vent chaud soulevait la poussière sur la route avec un murmure à peine perceptible. Le bruit de roues se rapprochait.

— J'entends maintenant, fit Germaine.

— Ça vient du côté de la route nationale, ajouta son père.

Ce petit dialogue, presque invariablement le même, avait lieu plusieurs fois par jour. Un instant passa. Tout à coup Adrienne étreignit les barreaux avec force. La voiture descendait la rue Carnot et l'on entendit bientôt, dans le fracas des sabots du cheval sur le pavé, le grincement du frein que le cocher serrait, car la rue était en pente assez rapide.

« Mme Legras », pensa la jeune fille dont le cœur se mit à battre.

Enfin, elle allait voir cette femme dont elle ne savait plus si elle la détestait ou si, au contraire, elle souhaitait sa venue. M. Mesurat s'était levé.

— Par exemple ! fit-il, d'un ton de surprise.

La voiture tourna dans la rue Thiers. Ce n'était pas Mme Legras, et Adrienne ne put retenir un cri de déception, mais sa curiosité redoubla lorsque le cocher tira sur les rênes du cheval et s'arrêta à la porte même de la villa Louise. Une petite femme descendit de voiture. Elle était toute petite et vêtue de pauvres vêtements noirs qui proclamaient son état : de toute évidence c'était une bonne. Elle avait cet air timide et sérieux des bons domestiques et voulait à toute force descendre elle-même la malle de bois noir que le cocher avait placée à côté de lui. Mais il sauta à bas de son siège et chargea la malle sur son épaule. Alors elle sortit une clef de son sac, ouvrit la grille et pénétra dans le jardin, suivie du cocher.

Cette scène fut observée avec une sorte de passion, de curiosité, par les habitants de la villa des Charmes. Germaine s'était assise et M. Mesurat, debout et la bouche entrouverte, regardait fixement le jardin d'en face, comme si un gouffre venait de s'y creuser.

Adrienne sentait son cœur bondir dans sa poitrine. Tout ce qui ressemblait à du nouveau l'émouvait tellement qu'elle en éprouvait une souffrance. Des pensées confuses traversèrent son esprit. A force de serrer les barreaux, ses mains lui faisaient mal. Son regard n'embrassait qu'une toute petite portion de la rue, mais, dans une sorte d'élan de l'imagination, elle vit cette rue gagnant la campagne, rejoignant les routes entre les champs. Brusquement, elle conçut un projet qui la remplit de joie et de crainte : ouvrir la grille, se sauver dans la rue, courir droit devant elle jusque dans les champs, dans les bois, pour se sentir libre, ne serait-ce qu'une heure... Elle entendit son père qui échangeait des réflexions avec Germaine et devina qu'ils ne la surveillaient pas. Elle abaissa son bras droit ; sa paume se colla sur la poignée de la grille, appuya doucement. Une seconde passa. Elle se mordit les lèvres et tira la poignée à elle ; quelque chose résistait. Alors elle saisit la poignée à pleine main et tira violemment, sans même se soucier du bruit qu'elle pouvait faire. Mais la grille était fermée à clef.

Une longue semaine passa sans apporter de grandes modifications à la vie d'Adrienne. Maintenant les fenêtres de la villa Louise étaient ouvertes toute la journée et l'on voyait la vieille domestique passer de pièce en pièce, plumeau ou balai au poing. Puis un jardinier vint émonder les tilleuls du jardin; cela dura deux après-midi. On pense bien que rien de tout cela ne fut perdu pour M. Mesurat qui alla jusqu'à supprimer ses promenades de fin de journée afin de pouvoir suivre cette activité dans tous ses aspects. Germaine ne témoignait pas moins d'intérêt à ce qui se faisait de l'autre côté de la rue, et, du reste, étendue sur le canapé, elle était admirablement placée pour tout voir.

Seule, Adrienne paraissait indifférente. Après avoir désiré, redouté, attendu l'arrivée de Mme Legras, elle s'en désintéressait brusquement, au moment même où cet événement allait se produire. Une sorte de langueur l'avait prise. Dès qu'elle pouvait, elle montait à sa chambre et s'étendait sur son lit pour y dormir, ou bien, lorsque le sommeil ne venait pas, se laissait aller mollement au cours de longues rêveries. Il lui semblait qu'elle avait, pour ainsi dire, touché le fond de son désespoir lorsqu'elle s'était aperçue que son père fermait la grille à clef tous les matins. C'était une question de supériorité physique. Il était plus fort qu'elle. Pouvait-elle lui arracher cette clef ? Et par une contradiction singulière, elle éprouvait quelque chose comme du contentement à se savoir impuissante. Si elle avait été libre, qu'aurait-elle fait ?

Comme autrefois elle aurait rôdé autour de ce pavillon, elle aurait promené sa douleur le long de la rue Carnot et sur la route nationale, leurrée du décevant espoir qu'elle y rencontrerait le docteur. Maintenant on l'enfermait, on la gardait à vue. C'était peut-être moins affreux d'être plongée ainsi dans un ennui sans trêve que de passer fiévreusement d'un instant de joie inquiète au plus cruel des chagrins. Elle était lasse.

Tous les soirs elle jouait à ce jeu de cartes que son père avait eu tant de mal à lui apprendre. Il était loin, à présent, le jour où, dans un accès d'angoisse, elle avait jeté les cartes sur le guéridon en déclarant qu'elle ne jouerait pas. C'était sans humeur qu'elle prenait sa place, après dîner, entre sa sœur et son père. On eût dit que cette fille, aux traits volontaires pourtant, avait pris le parti de se conformer en tout à la règle de la maison pour échapper à l'ennui d'une part et de l'autre à une contrainte brutale qui lui faisait peur. Mieux valait jouer aux cartes que de pleurer et de bâiller dans sa chambre ou de subir la colère d'un vieillard impérieux et d'une malade aigrie.

« Ressemblons-leur, se disait-elle, c'est le moyen d'avoir la paix. »

M. Mesurat qui s'apercevait de ce changement s'en félicitait lorsqu'il se trouvait seul avec Germaine. On respectait sa tranquillité. Que demandait-il de plus ? Mais Germaine n'ajoutait aucune foi à la soumission d'Adrienne. Plus méfiante que son père, elle soupçonnait sa sœur de cacher de nombreux projets et, plus curieuse que lui, elle ne pardonnait pas à la jeune fille de n'avoir jamais révélé le nom de l'homme qu'elle aimait. Aussi quel précieux spectacle c'eût été pour un observateur que ce jeu de cartes quotidien ! Ces trois personnes étaient réunies autour de cette lampe, que d'intérêts les divisaient, que de pensées hostiles dans leurs cœurs ! Le père craignant pour la paix et les habitudes de sa maison, une fille torturée d'amour, l'autre de jalousie et de curiosité. Et il semblait que tout cela fût représenté d'une manière concrète par ce jeu qui consistait à prévenir le voisin dans son plan d'attaque, à faire avorter ses projets et à triompher de lui. Dans le silence, les cartes s'abattaient sur le marbre avec un petit bruit sec et de temps en temps une voix proclamait un résultat, émettait une appréciation brève. Presque toujours M. Mesurat, rompu comme il était à ces exercices, emportait finalement la partie, malgré l'application irritée de Germaine et les efforts d'Adrienne qui s'échauffait au jeu.

Il faut vivre à l'écart de Paris pour comprendre la puissance de l'habitude. Ce n'est pas trop de dire qu'Adrienne avait pris le pli de sa souffrance d'autant plus aisément que tout autour portait la marque d'une vie réglée par la coutume et où l'imprévu n'avait pas de place. Le souvenir de Maurecourt s'était, pour ainsi dire, installé en elle et ne la quittait jamais. C'était comme si ce regard que le docteur avait jeté sur elle la suivît partout et la contraignît à ne penser qu'à lui. Rien n'est plus proche d'une femme ensorcelée qu'une femme éprise. La volonté ne compte plus, sa pensée même lui est enlevée. Elle n'est rien sans celui qui seul peut la faire agir et, si elle en est séparée, elle tombe dans une espèce d'engourdissement moral et ne garde de la vie que la conscience de sa douleur et de sa solitude.

Il y a quelque chose de terrible dans ces existences de province où rien ne paraît changer, où tout conserve le même aspect, quelles que soient les profondes modifications de l'âme. Rien ne s'aperçoit au-dehors de l'angoisse, de l'espoir et de l'amour, et le cœur bat mystérieusement jusqu'à la mort sans qu'on ait osé une fois cueillir les géraniums le vendredi au lieu du samedi ou faire le tour de la ville à onze heures du matin plutôt qu'à cinq heures du soir.

VIII

Contrairement aux prévisions de M. Mesurat, Mme Legras ne vint s'installer chez elle que dix jours après sa domestique. Par extraordinaire, son arrivée ne fut observée que d'Adrienne. Depuis quelque temps, en effet, M. Mesurat, relâchant la surveillance qu'il exerçait sur sa fille cadette, avait repris sa promenade du matin de chez lui à la gare. C'était à ce moment que Mme Legras était venue. Quant à Germaine, inquiète de voir que le ciel se couvrait, et que le soleil ne paraissait presque plus, elle était demeurée au lit comme elle faisait toujours lorsque le temps menaçait le moins du monde. En vain cria-t-elle à sa sœur de lui dire ce que c'était que ce bruit de voiture, Adrienne se vengeait de ce que la vieille fille lui avait fait souffrir, en ne lui parlant plus.

Elle s'était accoudée à la fenêtre de la salle à manger et regardait. Un mois plus tôt, elle ne se fût pas tenue d'émotion, elle se serait sans doute cachée derrière le rideau. Elle s'avouait alors qu'elle détestait cette femme, parce qu'elle était jalouse d'elle, mais, d'une façon inexplicable par moments, elle éprouvait à son égard un respect mêlé de sympathie. Cela tenait peut-être au fait que Mme Legras possédait une maison située juste en face du pavillon blanc. N'était-ce pas un privilège d'être le voisin du docteur, et de pouvoir à loisir observer ce qui se passait chez lui ? Et il semblait à la jeune fille que de cette situation spéciale il retombait une sorte de gloire sur Mme Legras.

Pourtant, depuis une semaine ou deux, ces impressions étaient devenues moins nettes. On eût presque dit qu'elles s'étaient effacées, tant la jeune fille paraissait calme en regardant Mme Legras descendre de voiture, et cette tranquillité la surprit elle-même. « C'est elle, c'est Mme Legras », se disait-elle, comme pour stimuler sa curiosité dormante. Et elle ajoutait, par un enchaînement naturel de ses pensées : « Je n'aime donc plus Maurecourt ? »

Épaisse et courte, Mme Legras était vêtue de noir, mais avec un luxe de soie et de dentelles qui trahissait une vanité assez forte. Un large chapeau orné de *pleureuses* lui cachait le visage, mais son cou puissant et ses épaules massives disaient son âge. Elle sauta de voiture avec légèreté et appela sa domestique d'une voix aiguë. Ses gestes étaient vifs ; elle affectait de tourner sur elle-même avec la mine d'une personne qui ne sait plus où donner de la tête et, n'obtenant pas de réponse, se mit à donner des ordres au cocher qui prit les valises. Tous deux entrèrent dans le jardin de la villa, suivis d'un basset jaune qui trottinait à leurs talons. Adrienne entendit leurs pas sur le gravier et la voix de Mme Legras qui demandait au cocher quel temps il avait fait à La Tour-l'Évêque. Elle les vit ensuite monter le perron puis disparaître à l'intérieur de la villa.

Un moment passa. Le cheval secouait la tête pour chasser les mouches qui bourdonnaient à ses naseaux. Il était coiffé d'un chapeau de paille d'où passaient ses oreilles perpétuellement agitées. La

sueur faisait briller sa robe. Tout à coup, la jeune
fille agrippa la barre d'appui et se pencha en avant.
Une sorte d'éblouissement lui fit écarquiller les yeux.
Cette voiture qu'elle regardait depuis quelques
secondes, elle la connaissait. Elle avait déjà vu ces
roues peintes en jaune et cette banquette de drap
bleu déteint. Et sa mémoire la reporta brusquement
à plus d'un mois en arrière : elle était au bord d'une
route, les bras chargés de reines-des-prés. Une voiture passait près d'elle ; dans cette voiture un homme
lisait et, relevant les yeux, lui jetait un regard à la
fois profond et distrait : c'était Maurecourt. La scène
se retraçait dans son esprit avec une netteté, une profusion de détails qui la bouleversèrent. Ses genoux
pliaient sous elle. L'âcre parfum des fleurs sauvages
saisit son odorat comme si elle les avait encore dans
les bras, et elle se demanda si elle ne devenait pas
folle. Elle s'assit sur le rebord de la fenêtre, mais ne
put détacher la vue de ce véhicule qui lui rappelait
d'une façon si pénible et presque ironique l'instant
mystérieux où elle avait pressenti que sa vie allait
changer. Quel bonheur n'avait-elle pas espéré ? Elle
n'osait y réfléchir maintenant. A la fois tendres et
féroces, ces souvenirs lui déchiraient le cœur en lui
parlant de joie, et elle s'étonna que sous le coup d'une
souffrance aussi pleine et aussi violente elle ne défail-
lît pas. Elle ne pouvait même pas pleurer ; elle était
immobile, la bouche entrouverte, retenant son souffle comme pour ne pas interrompre le cours des pensées qui la ravageaient.

Quelques minutes plus tard, le cocher reparut,
sauta sur son siège et fit claquer son fouet au-dessus
de la tête du cheval. La voiture s'ébranla. En trois
secondes elle avait disparu et l'espèce de mauvais

rêve que poursuivait Adrienne perdit sa force d'hallucination. La jeune fille se leva. Machinalement elle fit
quelques pas dans la pièce. Elle eut l'impression que ses
pieds la menaient où il leur plaisait et qu'elle n'en était
plus maîtresse. Comme elle passait près de la table,
elle se laissa tomber sur une chaise et s'affala tout d'un
coup, le front sur ses bras repliés. Elle sanglotait.

Au bout d'un instant elle entendit Germaine qui
l'appelait. Son premier mouvement fut de ne pas
répondre, mais il y avait dans la voix de sa sœur quelque chose d'angoissé qui la surprit. Elle se tamponna
les yeux, indécise. Germaine l'appela de nouveau.
Alors elle se leva et s'en fut dans l'escalier.

— Qu'est-ce que tu veux ? cria-t-elle.

Puis, sans attendre la réponse, elle monta jusqu'à
la chambre de la vieille fille et entra. Une odeur
d'eucalyptus lui fit faire la grimace, la fenêtre était
fermée ; dans une soucoupe placée au chevet du lit,
une cigarette médicale achevait de se consumer.

— Qu'est-ce que tu veux ? répéta Adrienne qui se
tenait dans l'embrasure de la porte.

Les épaules couvertes d'une écharpe de laine, Germaine était assise dans son lit et considérait sa sœur
avec une expression d'inquiétude. Elle paraissait
plus maigre que de coutume, mais ses pommettes
étaient rouges.

— Ferme la porte, dit-elle.

Adrienne hésita. Elle répugnait à s'enfermer dans
cette pièce avec une malade. Enfin elle poussa la
porte et se dirigea vers la fenêtre d'un pas rapide.

— N'ouvre pas, fit Germaine avec effroi.

Adrienne se retourna.

— Qu'est-ce que tu as ? demanda-t-elle d'un ton
mécontent.

Germaine leva sa main décharnée et la laissa retomber sur le drap, comme si le poids en était trop lourd. Il y avait dans ses traits une lassitude horrible.

— Cette fièvre m'épuise, dit-elle.

— Tu as de la fièvre ?

— Je n'arrive pas à la faire tomber, expliqua Germaine. D'ordinaire elle me prend le soir et me quitte le matin. C'est le temps qui change sans doute.

— Il ne fait pas froid, aujourd'hui.

La malade secoua la tête et ferma les yeux. Il y eut un silence.

— Tu as besoin de quelque chose ? reprit Adrienne. Veux-tu de l'aspirine ?

— Non, fit Germaine. Je ne veux rien.

Elle ajouta en tournant la tête vers sa sœur :

— Assois-toi.

Adrienne ne bougea pas. Elle était partagée entre le désir de s'en aller et la surprise d'entendre Germaine lui parler sur ce ton.

— Assois-toi donc, répéta la vieille fille d'une voix implorante. Tu ne vois pas que je ne suis pas bien ?

C'était la première fois qu'un aveu de ce genre sortait de ses lèvres. Adrienne s'assit au milieu de la chambre.

— Je ne veux pas rester seule, continua Germaine.

— Pourquoi donc ? De quoi as-tu peur ?

Germaine regarda sa sœur d'un air interdit :

— Je n'ai pas peur, dit-elle enfin. Qu'est-ce que tu veux dire ?

— Mais je ne sais pas, fit Adrienne avec un geste d'impatience. Je n'ai pas dit que tu avais peur.

Elles se turent. Adrienne avait croisé les mains sur son tablier et se tenait immobile. Par dégoût de cet air impur qui flottait autour d'elle, elle s'efforçait de respirer le plus légèrement possible.

— Adrienne, dit la vieille fille au bout d'un assez long moment, tu ne crois pas que je suis malade, n'est-ce pas ?

— Non.

— Pourtant, tu n'as rien répondu lorsque je t'ai dit que je n'étais pas bien.

— Mais que voulais-tu que je dise ?

— Tu n'es pas inquiète à mon sujet ?

— Non, répondit Adrienne.

Le cœur lui levait. Elle se sentait gagnée par quelque chose de sinistre, comme si d'une façon mystérieuse les pensées lugubres de Germaine se communiquaient à elle et l'empoisonnaient. Elle détourna le visage devant le regard que lui lançait la vieille fille.

— Écoute, dit tout à coup celle-ci. Je vais te dire quelque chose.

Elle s'arrêta comme pour se recueillir, et ferma les yeux. Sur l'oreiller blanc, sa figure paraissait consumée d'un feu intérieur. Ses cheveux déjà grisonnants retombaient dans son cou en une natte courte attachée par un ruban bleu. Elle ressemblait si peu à elle-même qu'Adrienne en éprouva une crainte subite et fut sur le point de se lever, mais Germaine rouvrit les yeux et la regarda.

— Écoute, Adrienne, dit-elle doucement, je crois que je vais mourir.

Adrienne quitta sa chaise et fit un pas vers sa sœur. La stupéfaction l'empêcha de parler tout d'abord.

— Germaine, tu es folle, dit-elle enfin.

Et elle eut tout d'un coup un mouvement de colère contre cette femme qui lui faisait peur.

— Oui, folle, répéta-t-elle. Tu n'as qu'un peu de fièvre.

Germaine secoua la tête.

— Il y a douze ans que je suis malade, dit-elle.

— Tais-toi, fit Adrienne. Nous l'aurions su, si c'était vrai.

— Tu le sais très bien, reprit la vieille fille d'un ton calme. Tu n'oses jamais t'approcher de moi. Et ta figure, ton expression lorsque je viens près de toi, tu crois que je ne vois pas cela ? En ce moment même...

Adrienne baissa les yeux. Elle eut conscience, en effet, du dégoût qui se lisait sur ses traits. Quelques secondes passèrent en silence.

— Je ne suis pas contagieuse, dit Germaine.

— Pourquoi ne vois-tu pas un docteur ? demanda Adrienne qui devint rouge.

Une lueur passa dans les veux de Germaine, et elle demanda :

— Quel docteur ?

— N'importe lequel, balbutia Adrienne. Il y en a ici.

— Le docteur de la rue Carnot, par exemple.

— Celui-là ou un autre.

— Mais celui-là plutôt qu'un autre, dit sournoisement la vieille fille.

— Qu'est-ce que tu veux dire ? demanda Adrienne qui sentait renaître en elle toute sa rancune contre sa sœur. Pourquoi dis-tu cela ?

Germaine leva la main, comme tout à l'heure, et la laissa retomber sur le lit. Ses lèvres se tendirent.

— J'ai deviné, fit-elle.

Adrienne la regarda sans répondre. Elle s'efforçait de lire les pensées de Germaine dans ses yeux, mais la vieille fille poussa un profond soupir et détourna la tête. Le cœur d'Adrienne se serra. Pour la première fois, elle eut honte de son amour ; ne semblait-elle

110

pas ridicule ? Elle eut horreur de cette malade qui n'avait rien de mieux à faire que d'épier les autres ; et elle eut horreur d'elle-même, de cette passion qui la dévorait et qu'elle cachait comme une maladie.

— Ce n'est pas vrai, dit-elle enfin.

— Si, répliqua Germaine. Tu t'es coupé les bras exprès.

— Qu'est-ce que tu en sais ? dit Adrienne d'une voix sourde.

— J'ai des yeux pour voir.

— Mais cela ne te regarde pas, s'écria la jeune fille en frappant du pied. Tu me rends horriblement malheureuse.

A ces mots, Germaine fit un mouvement de tête comme pour mieux prêter l'oreille.

— Comment cela ? demanda-t-elle.

— Comment ? répéta Adrienne qui ne se contenait plus. Je ne sors plus à ma guise, je suis forcée de jouer aux cartes avec vous le soir, de faire le tour de la ville avec papa, l'après-midi, je ne suis plus libre, je ne peux même plus m'accouder à la fenêtre !

Elle s'arrêta en voyant l'expression que prenait le visage de sa sœur. Un sourire creusait des trous sous ses pommettes. Elle écoutait, la bouche légèrement entrouverte, et cachait mal une joie qui grandissait dans ses yeux. Adrienne la regarda un instant, il y eut en elle un tel désarroi qu'elle recula de quelques pas vers la porte et s'appuya au pied du lit. En l'espace d'une seconde elle crut tour à tour vingt choses différentes. Puis brusquement, devant ce sourire qui demeurait sur la face amaigrie de la vieille fille, elle eut l'intuition de la vérité.

— Ah ! tu es contente, cria-t-elle.

111

Elle voulut ajouter quelque chose, mais les mots s'arrêtèrent dans sa gorge. Alors elle haussa les épaules avec fureur et sortit rapidement, refermant la porte derrière elle, à toute volée. Sur le palier, elle écouta ; pas un son n'arrivait de la chambre. Par un geste de colère, elle enfonça ses deux poings dans les poches de son tablier ; elle soufflait. Et tout à coup, relevant la tête avec un air de bravade, elle chuchota :

— Meurs donc !

Elle entendit aboyer le basset de Mme Legras, puis quelqu'un poussa la grille de la villa des Charmes. C'était son père qui rentrait de sa promenade. Elle descendit et trouva M. Mesurat au salon. Dans son trouble, elle se mit à marcher d'un bout à l'autre de la pièce, la tête basse et les mains dans son tablier.

— Qu'est-ce que tu as ? demanda le vieillard.

Elle s'arrêta net.

— Moi ? Rien.

Au fait, pourquoi était-elle descendue au salon ? Elle se dirigea vers la porte, mais son père la retint.

— Quel air as-tu ? Qu'est-ce que tu faisais là-haut ?

Elle planta ses yeux sur lui et parut ne pas le voir.

— Là-haut ? fit-elle.

— Mais oui, s'écria M. Mesurat. Ne répète pas toutes mes questions. Je te demande de me dire ce que tu faisais là-haut.

Adrienne secoua la tête.

— Rien.

— Comment ! s'écria le vieillard que cette parole exaspéra. Tu es là, les joues en feu, les cheveux en désordre...

Elle lança un regard vers la glace et vit qu'en effet des mèches tombaient sur son front. Quelque chose de hagard dans son visage la surprit. Elle se retira vivement en arrière et s'appuya contre le dossier du sofa.

— Elle va mourir, dit-elle tout d'un coup.

M. Mesurat ne bougea pas.

— Qui ? demanda-t-il enfin.

Il était debout au milieu de la pièce, et son chapeau qu'il n'avait pas encore enlevé ombrageait ses yeux. Adrienne poussa un soupir.

— Germaine, répondit-elle, d'une voix blanche.

— Germaine ! s'écria M. Mesurat furieux. Tu n'es pas folle ? Elle n'est pas malade.

— Si, elle est malade.

En disant ces mots, Adrienne devint blême. Le vieillard frappa du poing sur le dossier d'un fauteuil.

— Veux-tu te taire ! ordonna-t-il. Si elle était malade, elle l'aurait dit.

— Elle me l'a dit.

— Ce n'est pas vrai. Elle va parfaitement bien.

Adrienne regarda son père sans répondre. Il était rouge de colère.

— Va-t'en ! cria-t-il soudain.

Elle obéit, quitta le salon, ferma la porte derrière elle comme dans un rêve. De l'autre côté de la rue, le basset de Mme Legras emplissait le jardin de ses aboiements.

IX

Le temps changea et il plut à verse toute cette semaine. Ni Adrienne ni son père ne purent sortir. Quant à Germaine, il n'aurait pu en être question, même par la température la plus douce, mais à la différence des autres jours elle gardait la chambre et ne paraissait à aucun des repas. Tout d'abord M. Mesurat feignit de ne pas remarquer cette absence. Il haïssait le changement apporté aux habitudes de la maison, mais il craignait, s'il en parlait à Adrienne, de donner de l'importance à ce qu'il était résolu d'ignorer. « Ne disons rien, pensait-il, et tout s'arrangera. »

Pourtant sa mauvaise humeur trahissait son inquiétude. Il avait beau se dire qu'Adrienne avait menti et que Germaine n'était pas plus malade que lui, quelque chose l'avertissait du contraire. Mais il s'en voulut d'ajouter foi à ces sornettes et, comme pour s'encourager à ne pas y croire, il demandait à Adrienne tous les jours, en se mettant à table, pourquoi Germaine tardait tant à descendre.

— Tu sais bien, disait alors la jeune fille avec lassitude.

— Non, je ne sais pas, répondait M. Mesurat d'un ton furieux. Et, lorsque Adrienne lui disait encore une fois que Germaine était malade, il frappait la table de son poing et lui ordonnait de se taire.

— Je te défends de me parler de ça, disait-il. Germaine va parfaitement bien. Du reste, ajouta-t-il un jour, après un instant de réflexion, nous verrons.

Et il se passa le pouce sur la barbe d'un air satisfait.

Le lendemain matin, en effet, comme on annonçait le petit déjeuner, il monta jusqu'au palier de Germaine et se mit à crier :

— Germaine, tu es prête ?

Il y eut un moment de silence, et il appela de nouveau, cette fois en tambourinant sur la porte de sa fille.

— Je ne descends pas, répondit une voix de l'intérieur de la chambre.

— Si, tu descends, répliqua le vieillard avec autorité.

Il colla son oreille à la porte et saisit le bouton dans son poing. Le sang avivait ses pommettes et semblait prêter un éclat plus vif à ses yeux bleus. Il était penché comme pour écouter et son dos arrondi faisait penser à celui d'une bête puissante à l'affût d'une proie.

— Tu m'entends ? demanda-t-il, je te ferai descendre.

Au bruit de cette scène, Adrienne était montée doucement jusqu'à mi-chemin du deuxième étage, et, postée sur une marche, le dos appuyé au mur, elle écoutait avec un mélange de crainte et de curiosité la voix grondante de son père.

— Germaine, reprit M. Mesurat, je te préviens que j'entre et que je te fais descendre.

Et, pour augmenter l'effet de cette menace, il tourna plusieurs fois le bouton de porte. Un cri d'effroi lui répondit.

— Non, papa ! fit Germaine. Va-t'en !

Elle se tut un instant et répéta :
— Va-t'en, je vais m'habiller.
— Vas-tu descendre ? insista M. Mesurat.

Quelques secondes passèrent, puis la voix répondit : « Oui », mais elle était si faible qu'Adrienne ne put l'entendre ; cependant la jeune fille devina la réponse de sa sœur à l'exclamation de triomphe que poussa son père.

— Parfait ! dit le vieillard. Je le savais bien.

Il lâcha le bouton de porte et se mit à descendre rapidement l'escalier. Comme il passait devant Adrienne, il lui prit la main et la secoua rageusement ; ses yeux plongèrent dans ceux de sa fille :

— Toi, dit-il, si jamais tu m'annonces encore qu'elle est malade...

Il n'acheva pas et, haussant brusquement les épaules, il la laissa là et continua de descendre.

Un quart d'heure plus tard, Adrienne et M. Mesurat étaient encore assis à table ; ils avaient fini de boire leur café au lait. Plus d'une fois le vieillard avait fait mine d'aller voir si Germaine ne venait pas, mais il se bornait à appuyer le poing sur la table et à se pencher un peu en avant, prêt à repousser sa chaise derrière lui et à se lever du même coup ; puis il se ravisait en maugréant. Adrienne observait cette mimique du coin de l'œil et gardait le silence. Depuis quelques jours, elle avait senti se glisser dans son cœur un sentiment qu'elle n'avait jamais connu jusque-là et qui l'avait choquée d'abord pour lui donner ensuite une sorte de joie secrète : elle méprisait son père. Pendant des années elle l'avait respecté, peut-être même pensait-elle l'avoir aimé de cet amour sans feu que l'on distribue en parts égales aux divers membres de sa famille, mais, à partir du jour où il l'avait secouée pour la contraindre à jouer aux cartes, elle avait reconnu que la crainte seule formait le fond de son respect, et que l'amour filial n'y jouait aucun rôle. Maintenant encore elle le craignait ; elle redoutait la force de ce poignet velu et ces doigts cruels qui laissaient des traces rouges sur ses bras meurtris, et tout à l'heure son cœur battait fort lorsque le vieillard lui avait saisi la main pour la broyer dans la sienne. Cependant, elle prenait l'habitude de ces violences et elle en souffrait moins ; il lui semblait que depuis le moment où elle s'était appliquée à observer tous les ridicules de son père, elle était plus libre, elle respirait mieux. C'était comme une vengeance qu'elle exerçait contre lui et dont il était lui-même et l'instrument et la victime. Était-ce elle, en effet, qui l'obligeait à faire ces mines ridicules, à marcher de cette façon pesante, la bouche ouverte, à manger salement ? Non, mais on eût dit qu'il faisait tout pour se dégrader aux yeux de sa fille qui attachait sur lui un regard à la fois curieux et dégoûté. C'est peut-être la plus grande consolation des opprimés que de se croire supérieurs à leurs tyrans. Quelquefois Adrienne était transportée d'une joie étrange, et pendant une seconde ou deux elle en venait à oublier Maurecourt ; c'était lorsque son père, cédant à une manie invétérée, comptait les mouches sur la longue bande de papier collant pendue au lustre du salon et que, l'index levé, l'œil fixe, il s'écriait triomphalement : « Quinze en une heure ! » ou bien lorsque, ayant à répondre à une lettre, il traçait sur une feuille des lignes parallèles, habitude professionnelle, et moulait un : *Monsieur* splendide, avec des fioritures en tire-bouchon qui lui coûtaient de profonds soupirs.

A l'égard de sa sœur, elle entretenait des sentiments d'un caractère différent. Elle la savait haineuse, jalouse de la santé et du bonheur des autres, et, tout cela, elle le lui eût aisément pardonné si la répulsion qu'elle avait pour la maladie n'eût pas étouffé en elle tout élément de pitié. Jamais elle ne passait près de Germaine sans contenir sa respiration, pour ne pas absorber l'air que, dans son esprit, la vieille fille empoisonnait de son souffle malade. A table, elle souffrait toujours de l'avoir près d'elle et elle se réjouissait intérieurement chaque fois qu'une faiblesse retenait sa sœur dans sa chambre. Souvent, il est vrai, elle essayait de dominer cet état d'esprit et elle s'efforçait de parler à Germaine avec plus de douceur qu'il ne lui était naturel, mais la vieille fille semblait ne jamais apprécier ces tentatives de bienveillance et demeurait toujours plongée dans sa mauvaise humeur d'incurable. Et puis, Adrienne sentait en elle-même un dégoût qu'aucune considération ne parviendrait à surmonter, et elle détestait sa sœur comme on déteste un nid de vipères, avec cette horreur naturelle de tout ce qui peut abréger la vie ou altérer ses sources.

Entre ces deux personnes, l'une malade, l'autre sénile, elle avait très nettement conscience de sa force et de sa jeunesse, mais la joie qu'elle en tirait n'était jamais autre chose qu'un sentiment fugitif. A quoi lui servait de n'avoir que dix-huit ans, en effet ? Était-elle heureuse ? Et elle rêvait de s'enfuir, d'aller se jeter aux pieds de Maurecourt en qui elle mettait tout son espoir, et de le supplier de la prendre pour femme. Certes, il n'y avait que quelques pas de la villa des Charmes au pavillon blanc, mais ces pas séparaient des mondes. Et elle ne voyait sa situation que par antithèses. D'un côté la tristesse, chez elle, de l'autre le bonheur, chez Maurecourt. Ici la vie à son déclin, la mort rôdant autour de la maison, là une vie caime, sans soucis, pleine d'une joie égale qui se renouvellerait chaque jour. Elle retraçait en elle-même le portrait idéal de ce docteur Maurecourt qu'elle n'avait qu'entrevu, mais qui prenait dans son esprit la physionomie d'un personnage symbolique. Avec l'espèce de mysticisme des âmes naïves, elle se sentait d'autant plus près de lui qu'elle souffrait des circonstances de sa vie présente et elle trouvait parfois une étrange douceur mêlée à l'amertume des vexations qu'elle avait à subir. « Si je ne l'aimais pas, se disait-elle, je ne souffrirais pas tant. » Et cette pensée la réconfortait un peu, comme si, par une dispensation mystérieuse, le docteur bénéficiait des ennuis de la jeune fille. Toutes ces chimères se poursuivaient sans cesse dans le cerveau d'Adrienne et la rendaient distraite.

Elle tressauta au cri que poussa M. Mesurat et, tournant les yeux vers la porte, elle vit entrer Germaine. La vieille fille marchait assez péniblement et les yeux fermés comme une personne qui souffre de la tête, mais Adrienne fut surprise de voir combien peu elle avait changé. Elle s'attendait à un visage plus décharné encore, à une faiblesse de mourante, et, bien que Germaine fût horriblement maigre et qu'elle se soutînt avec un bâton, elle n'en avait pas moins des couleurs qui pouvaient donner un instant l'illusion de la santé.

— Tu vois bien, s'écria M. Mesurat, d'un air de triomphe. Je te l'avais bien dit que tu descendrais. Ce n'est qu'une affaire de bonne volonté.

Il passa rapidement son pouce sur sa barbe et jeta

un coup d'œil vers Adrienne, quêtant un regard approbateur, mais la jeune fille affecta de ne pas le voir.

— Allons, dit-il, agacé par cette attitude, verse du café à ta sœur. Sonne pour qu'on apporte du pain.

Et, sous la table, il donna un vigoureux coup de pied à la chaise que la vieille fille n'arrivait pas à tirer à elle.

— Assois-toi, Germaine, fit-il sur un ton bon-homme, heureux de la voir de nouveau devant lui, à sa place habituelle.

Elle se laissa tomber sur sa chaise. Assise de côté, la tête basse et les avant-bras posés sur la table, elle soufflait un peu et paraissait exténuée. Sans dire un mot Adrienne avait empli une tasse de café noir et l'avait placée devant sa sœur. Elle la regardait atten-tivement et ne parvenait pas à dissimuler cette curio-sité avide et cruelle que l'on surprend dans les yeux des enfants lorsqu'ils assistent aux épreuves infligées à un camarade.

— Bois, commanda M. Mesurat.

Germaine inclina la tête et approcha la tasse de ses lèvres, mais elle la reposa presque aussitôt. Elle frissonna.

— Fermez la fenêtre, dit-elle.

A ce moment la bonne entra, portant une assiet-tée de pain. M. Mesurat haussa les épaules.

— Désirée, fermez la fenêtre, dit-il d'un air contrarié.

Désirée posa le pain, ferma la fenêtre et sortit. Il y eut un instant de silence.

— Allons, dit enfin le vieillard, voyant que Ger-maine demeurait immobile. Bois ton café.

Germaine leva la tête ; ses yeux brillants aux pau-pières rougies se posèrent sur Adrienne.

120

— L'aspirine, demanda-t-elle.

— Quoi donc ? fit M. Mesurat. On eût dit qu'il attendait une parole de ce genre. Pour quoi faire, l'aspirine ?

La vieille fille tourna son regard vers son père, elle avait la bouche entrouverte et sa tête tremblait legèrement, trahissant une forte émotion.

— Pour faire tomber ma fièvre, dit-elle.

— Ta fièvre ! s'écria le vieillard. Mais va donc te regarder au salon. Tu n'as pas plus de fièvre que moi. Une mine extraordinaire, au contraire.

Il continua, emporté par le son de sa voix qui emplissait la pièce :

— Je sais ce que c'est que la fièvre. Je l'ai eue, moi, en 86. On ne se lève pas quand on a la fièvre, on reste à plat de lit quinze jours sans pouvoir remuer.

Germaine fit mine de parler.

— Tais-toi, ordonna-t-il. D'abord ce n'est pas le climat. On n'attrape pas la fièvre en Seine-et-Oise, tu m'entends, et tu n'es pas malade, et il n'y a jamais eu personne de malade ici.

Sa voix devenait de plus en plus forte. Il cria en ponctuant ses paroles de coups de poing sur la table :

— Alors, assez, assez, assez. Vous m'entendez ? Je veux la paix. Je veux qu'on me laisse tranquille. Tu entends, Adrienne ? C'est pour toi aussi, ce que je dis là. La première qui me parle encore de maladie aura de mes nouvelles.

Il se leva et lança sa serviette au milieu de la table, parmi les assiettes et les tasses. Ses filles le regardèrent sans oser répondre. Il soufflait de colère mais parut jouir de l'effet de ses paroles.

— Compris ? cria-t-il après une seconde de silence.

Et, haussant quatre ou cinq fois les épaules par

121

un geste furieux, il enfonça ses poings dans les poches de sa veste et s'en fut au salon. Adrienne et Germaine l'entendirent qui se laissait pesamment tomber dans un fauteuil avec un soupir de lassitude.

X

Quelques minutes plus tard, cédant à la manie de son père qui voulait à tout prix que tout fût comme à l'ordinaire, Germaine était étendue sur le canapé du salon, devant la fenêtre, bien qu'il n'y eût pas de soleil et que le temps annonçât de la pluie.

Dès que M. Mesurat eut quitté la maison pour aller acheter son journal à la gare, elle appela sa sœur qui passait l'inspection des meubles dans la salle à manger. Adrienne vint à contrecœur. Elle s'était réjouie d'abord de la cruauté de son père qui forçait une malade à sortir de son lit et, se rappelant les méchancetés de Germaine, elle avait applaudi à ce qu'elle nommait intérieurement un juste retour ; mais la violence du vieux Mesurat avait dépassé ce qu'elle attendait et elle éprouvait à l'égard de sa sœur le vague sentiment de honte que l'on a en présence de gens humiliés au-delà de ce qu'ils méritent.

— Eh bien ? fit-elle.

— Adrienne, dit Germaine d'un ton de fermeté qui étonna la jeune fille, j'ai résolu de quitter la maison.

— Quitter la maison ! Mais tu n'y songes pas !

— C'est une chose que je ne discuterai pas avec toi, reprit Germaine d'une voix dure et hachée. Tu comprends bien que je ne peux plus vivre ici, à mon âge, sous la contrainte de cet homme qui ne me permet même pas de rester couchée quand cela me plaît, quand c'est nécessaire. Et puis ce climat est mauvais, exécrable. Tu vois comme il fait froid ce matin, après des journées torrides. Il y a de quoi vous tuer. J'ai besoin de chaleur, de soleil, d'une température égale. J'ai besoin aussi de me sentir libre. Papa vieillit horriblement. C'est un tyran, un tyran. Enfin, tu as vu ce matin... Cette scène ridicule, odieuse. Depuis des années, j'ai médité de m'en aller, mais j'ai reculé devant des difficultés de toutes sortes, de petites difficultés au fond. Aujourd'hui, ce matin, je me sens la force de partir, mais je ne peux plus attendre. Il faut que tu m'aides, il le faut, tu m'entends ? Du reste, tu ne me pleureras pas.

Elle ricana avec amertume.

— Ma santé, mon bonheur, oui, mon bonheur, trop de choses dépendent de ce que je compte faire. Je déteste cette maison, ma chambre, glaciale dès le coucher du soleil. Je ne peux plus passer un hiver ici. J'en ai assez. Je veux partir, partir.

Le cœur d'Adrienne se gonfla. Elle pensa immédiatement à la chambre qui serait libre, à la fenêtre où elle pourrait s'asseoir toute la journée. Elle fit un pas vers le canapé.

— Mais papa ? dit-elle d'une voix tremblante. Que lui diras-tu ?

— Papa n'en saura rien avant mon départ.

— Et l'argent, Germaine ? Où vas-tu trouver l'argent pour ce voyage ?

— L'argent, l'argent, fit Germaine qui devenait nerveuse, je le trouverai, sois-en sûre. Je vais y réfléchir. Maintenant, veux-tu m'aider, veux-tu m'aider à m'en aller d'ici ?

Adrienne réprima le cri qui lui montait aux lèvres.

— Si tu crois que je peux t'aider..., dit-elle.

Et elle s'arrêta, prise d'une pudeur qui l'empêchait de trahir sa joie. La vieille fille se mit à rire.

— Pourquoi ris-tu ? demanda Adrienne.

— Ce n'est rien, fit Germaine. Veux-tu écrire la lettre que je te dicterai ? Cherche du papier dans le secrétaire.

Sans mot dire, Adrienne obéit, prit du papier, une plume, de l'encre, et s'assit devant le guéridon.

— Y es-tu ? demanda Germaine.

Et elle lui dicta la lettre suivante :

« Madame, je désire entrer chez vous, pour y passer une semaine, le temps de trouver un endroit dont le climat convienne à l'état général de ma santé. J'accepte d'avance le prix de pension que vous avez établi. Je m'excuse de ne vous être pas recommandée, sinon par la condition dans laquelle je me trouve et qui, je l'espère, me vaudra votre bienveillance. J'arriverai demain mardi par un train du soir. Veuillez croire, madame... »

Elle s'interrompit.

— On dit madame à une religieuse ?

— Je ne sais pas, dit Adrienne. Je ne crois pas.

— Tant pis, je n'ai pas le temps de m'arrêter à ces chinoiseries : « ... à mes sentiments les meilleurs. » Signe et adresse l'enveloppe : « Madame la Supérieure de l'Hospice de Saint-Blaise. »

— Quel département, Saint-Blaise ?

— Je ne sais pas.

— Cherche dans le Larousse. Mais vite. Il va pleuvoir et papa va revenir.

Adrienne prit un des livres qui occupaient le fond du secrétaire et se mit à chercher. Pendant qu'elle feuilletait le dictionnaire, avec une hâte qui faisait trembler ses doigts, Germaine s'était appuyée sur un de ses coudes et regardait la grille du jardin. Ses traits étaient immobiles, mais quelque chose de tendu dans le regard trahissait une anxiété profonde. Par un geste qui lui était coutumier, elle ramena un pan de son châle sur sa poitrine.

— Eh bien, dit-elle, au bout d'un instant, d'un ton d'impatience, en frappant le bras du canapé de sa main.

Adrienne referma le livre et compléta l'adresse.

— Côte-d'Or, répondit-elle. J'écris.

— Bon, cachette l'enveloppe. Tu trouveras un timbre dans le petit tiroir. Cet après-midi, en sortant avec papa, tu glisseras la lettre dans la boîte.

Elle s'arrêta et parut chercher.

— Attends, il y a autre chose, continua-t-elle, d'une voix rapide. Ah! oui... Remets le livre en place. Tu écriras au loueur de voitures qu'il vienne demain, qu'il s'arrête au coin de la rue Carnot, à six heures et demie.

— Six heures et demie! s'exclama Adrienne.

— Je veux partir avant que papa ne se lève. Dis au loueur qu'il vienne à l'heure, dis-lui six heures et quart, je serai dehors avec mes valises.

— Et s'il pleut?

La vieille fille fit un mouvement d'effroi. Elle n'avait pas songé à cette éventualité, mais elle se ressaisit.

— Tant pis, fit-elle, j'y serai; avec un parapluie je m'en tirerai. Ah! la clef de la grille, tu la prendras dans la veste de papa.

— Dans la veste de papa! Mais quand, Germaine?

— Je ne sais pas, ce soir. Allons bon, voilà qu'il pleut.

Adrienne se leva et vint près du canapé. La précipitation avec laquelle parlait Germaine avait fini par rendre la jeune fille presque aussi nerveuse qu'elle l'était elle-même.

— Comment veux-tu que je lui prenne sa clef ? demanda-t-elle.

Germaine tourna vers elle son visage angoissé.

— Attends qu'il fasse nuit, dit-elle, tu pénétreras chez lui. Il la met dans la poche droite de sa veste. Tu la prendras, tu iras ouvrir la grille, puis tu reviendras et tu la remettras en place. Veux-tu, hein ?

Adrienne parut indécise.

— N'est-ce pas ? fit alors Germaine qui s'affolait. C'est oui ? Je t'en supplie, Adrienne. Si je le pouvais moi-même... Tu as peur qu'il ne s'éveille ?

Son visage s'éclaira. Elle se souleva sur un coude et dit en baissant un peu la voix :

— Je te jure qu'il ne s'éveillera pas. Il le dit assez souvent qu'il ne bouge pas la nuit, que le tonnerre ne l'éveillerait pas. Tu m'entends ? Je te jure...

— Bon, fit Adrienne.

Et, tout d'un coup, elle fut elle-même gagnée par une sorte d'enthousiasme et s'écria :

— Mais bien sûr que non, il ne bougera pas, c'est enfantin. Alors j'écris au loueur de voitures. Je mettrai la lettre à la poste cet après-midi. Il l'aura à la distribution de neuf heures. Combien de temps seras-tu partie ?

— Je ne sais pas. N'oublie pas, à six heures et quart.

Au fond du jardin, la grille s'ouvrit. Elles virent M. Mesurat qui remontait en courant l'allée centrale. Adrienne glissa la lettre dans son corsage, puis remit l'encre et la plume sur le secrétaire. Comme son père

entrait au salon, elle était en train d'essuyer les flam-
beaux de bronze qui ornaient la cheminée. Germaine
avait les yeux fermés et paraissait dormir.

L'après-midi, M. Mesurat et ses filles observèrent
le ciel avec un sentiment qui ne différait que dans ses
degrés et qui chez ces trois personnes était le même.
Pleuvrait-il ? Et les yeux inquiets cherchaient parmi
les nuages des indices du beau temps. Mais, quel que
fût l'ennui qu'éprouvait le vieillard à voir compromise
sa promenade quotidiennie, ce n'était rien auprès de
l'anxiété d'Adrienne et de l'espèce de terreur qui agitait le cœur de Germaine. Croyantes, ces filles eussent
prié. A chaque ondée, elles échangeaient des regards
chargés d'une tristesse affreuse. On eût dit que leur
vie dépendait du temps qu'il allait faire entre quatre
et cinq heures. Peut-être, pour bien comprendre un
tel état d'esprit, est-il nécessaire de se rappeler le mode
d'existence des deux sœurs. Il paraîtra étonnant, en
effet, qu'après avoir vécu si longtemps dans des circonstances d'une monotonie insupportable, elles ne
trouvassent pas en elles-mêmes assez de patience pour
attendre un jour favorable à l'exécution de leur projet. S'il pleuvait entre quatre et cinq heures, Adrienne
ne sortirait pas et par conséquent ne pourrait mettre
sa lettre à la poste à temps pour qu'elle parvînt au
loueur de voitures avant la nuit. Mais si Germaine ne
partait pas le lendemain, ne pouvait-elle pas remettre son voyage au jour qui suivrait, ou même à la
semaine prochaine ? Le cœur humain est ainsi fait. Il
laisse s'écouler de longues années et ne songe pas un
instant à se mutiner contre son sort, puis il vient un
moment où il sent tout d'un coup qu'il n'en peut plus
et qu'il faut tout changer dans l'heure même et il craint

de tout perdre s'il diffère d'un seul jour cette entreprise
dont la veille encore il n'avait pas l'idée. Ainsi Germaine
se tournait et se retournait sur le canapé où elle avait
passé tant d'heures immobile, en proie maintenant à
une souffrance qui lui faisait joindre les mains sur sa
poitrine ou cacher son visage pour étouffer ses gémisse-
ments, écoutant la pendule qui sonnait toutes les quinze
minutes, guettant dans le ciel une éclaircie que les vents
capricieux promettaient et refusaient tour à tour.

L'après-midi parut horriblement long. Depuis le
déjeuner, pourtant, il n'avait pas plu et le ciel prenait une teinte blanchâtre qu'il semblait devoir
conserver jusqu'à la fin du jour. La douloureuse impatience de Germaine s'était communiquée à sa sœur
qui avait fini par s'asseoir non loin du canapé, afin
de pouvoir parler à la malade dès que l'occasion s'en
présenterait et mettre au point les derniers détails
du complot. Mais on eût prévenu M. Mesurat de ce
qui se tramait, qu'il ne fût pas plus fidèlement
demeuré au salon. Installé dans son fauteuil, il lisait
les annonces de son journal avec toute l'attention de
l'ennui ; il s'interrompait quelquefois pour bâiller ou
pour poser à ses filles des questions banales qui aug-
mentaient leur irritation. Par contenance, Adrienne
avait pris un livre et feignait de ne pas entendre ce
que lui demandait son père. Alors Germaine répondait par monosyllabes. Deux heures passèrent.
    Enfin le vieillard se leva et, quittant la pièce, s'en
fut un instant sur le perron.
    — Adrienne, les timbres, chuchota Germaine d'une
voix pressée. Tu en trouveras dans le petit tiroir de
droite du secrétaire. Regarde en même temps s'il n'a
pas serré de l'argent dans le tiroir du bas.

La jeune fille courut au secrétaire sur la pointe des pieds et ouvrit un tiroir qu'elle referma sans bruit. Elle revint près du canapé.

— J'ai les timbres, dit-elle à mi-voix.

— Et l'argent ?

— Je n'ai pas eu le temps de regarder, il va revenir.

Germaine fit un geste d'humeur.

— Mais non. Il n'a pas bougé. Je le vois d'ici. Je te préviendrai s'il rentre. Va donc.

Elle la poussa de la main. Adrienne retourna au secrétaire et ouvrit le tiroir dont sa sœur lui avait parlé. Il était plein jusqu'au bord de papiers et, sous une liasse de notes acquittées, elle aperçut un portefeuille qu'elle saisit ; elle voulut le fouiller mais entendit à ce moment M. Mesurat qui rentrait et refermait la porte derrière lui. Affolée, elle poussa le tiroir et n'eut que le temps de venir jeter le portefeuille sur les genoux de la malade. Son père entra.

— Tu ne lis plus ? dit-il en la voyant au milieu de la pièce.

— Non, dit-elle, et elle se détourna un peu pour qu'il ne s'aperçût pas qu'elle était rouge.

— Le temps a l'air de se rétablir, fit-il en s'asseyant dans son fauteuil. Dans une heure nous pourrons sortir.

Elle s'assit et reprit son livre. L'émotion lui faisait battre le cœur et elle craignit un instant que son père n'entendît le souffle oppressé qui sortait de sa poitrine : mais il chantonnait en faisant aller sa tête à droite et à gauche. Au bout de quelques minutes, il s'assoupit.

— Eh bien ? fit Adrienne qui se pencha vers sa sœur. Le portefeuille ?

— Vide, répondit Germaine. Cherche encore dans un autre tiroir.

— Je ne peux pas, répondit la jeune fille en appuyant sur ces mots.

— Alors, tu ne veux pas que je parte ?

Adrienne se mordit les lèvres. Elle vit dans son esprit le pavillon blanc et l'intérieur de cette pièce que l'on apercevait si bien de la chambre du haut. Il lui sembla que le sort de son amour était lié au départ de sa sœur. Germaine devina les pensées fugitives qui effleuraient le visage de la jeune fille. Elle insista.

— Je ne peux pas partir sans argent. Cherche encore. Il ne se réveillera pas.

Adrienne baissa la tête et parut réfléchir profondément.

— Combien te faut-il ? demanda-t-elle.

— Quatre cents francs pour partir, répondit Germaine presque aussitôt.

— Et après ?

Germaine fit un geste de la main comme pour indiquer que l'avenir immédiat importait seul.

— J'ai mes bijoux, répondit-elle enfin. Je me tirerai d'affaire.

Et elle ajouta, sur un ton d'impatience :

— L'essentiel est que je m'en aille, n'est-ce pas ? Il me faut cet argent.

Les yeux d'Adrienne reflétèrent le trouble qu'elle ressentait. Elle joignit les mains sur ses genoux.

— Je peux te prêter cette somme, dit-elle avec effort.

Germaine la regarda d'un air froid.

— Sur tes économies ? demanda-t-elle.

— Oui.

— Je veux bien. Prête-moi cinq cents francs.

Adrienne se leva et sortit de la pièce sur la pointe des pieds. Dehors, elle poussa un soupir. Il lui en coûtait de se séparer de cet argent que son père lui avait fait mettre de côté depuis sept ans, mais elle réfléchit qu'elle eût volontiers donné le double à sa sœur pour la voir quitter la maison. Elle monta donc à sa chambre et sortit de son armoire une boîte en bois d'olivier qu'elle ouvrit au moyen d'une petite clef de cuivre. Près de trois cents pièces d'or y étaient rangées par petits rouleaux enveloppés dans du papier. C'étaient là des cadeaux, cadeaux de Noël, de Pâques et d'anniversaires, que M. Mesurat et une vieille cousine, morte depuis peu, lui avaient faits. Elle prit un rouleau de vingt-cinq pièces, serra la boîte et referma l'armoire à clef. Une seconde, elle se tint immobile au milieu de sa chambre. Était-ce la joie ou le regret qui lui poignait ainsi le cœur ? Elle alla s'appuyer contre le barreau de sa fenêtre et regarda le pavillon au coin de la rue. Cette vue lui donna courage. Elle se rappela les lettres qu'elle avait à mettre à la poste, les tira de son corsage, cacheta les enveloppes et y colla les timbres. Puis elle descendit.

Son père dormait toujours, mais elle lut une grande inquiétude sur les traits de Germaine. La vieille fille lui fit signe d'approcher.

— Tu as l'argent ? demanda-t-elle.

Adrienne lui donna le rouleau. Sans mot dire, Germaine s'assura qu'il était solidement fermé et le glissa dans son corsage. Elle se laissa retomber sur ses coussins.

— Qu'est-ce que tu faisais donc là-haut ? fit-elle d'un air de reproche. Il aurait pu t'entendre marcher. Les timbres sont sur les enveloppes ?

Adrienne inclina la tête, et alla s'asseoir dans un fauteuil. Maintenant il n'y avait plus qu'à attendre.

XI

Quatre heures sonnèrent enfin et M. Mesurat se leva de son fauteuil pour sortir avec sa fille. Adrienne était déjà prête. Elle avait passé une sorte de petite veste bleue dont les manches bouffaient à la hauteur des épaules et s'était coiffée d'un chapeau de paille noir qui se relevait légèrement en arrière comme pour laisser plus de place à la masse épaisse de ses cheveux. A sa main gantée de fil, elle tenait un parapluie dont elle agaçait la virole.

— Allons, dit son père qui remarquait son impatience, mais n'en devinait pas toute la raison, tu vas sortir.

Il ajouta en regardant le ciel :

— Si le temps se maintient, il y aura concert au jardin public.

Ils se mirent en route aussitôt. Bien qu'elle sût exactement l'itinéraire qu'ils devaient suivre, la jeune fille n'en était pas moins très inquiète. Il suffisait en effet qu'en passant devant le bureau de poste son père traversât un instant plus tôt que de coutume pour qu'elle ne parvînt pas à glisser ses lettres dans la boîte. Mais ce hasard ne se produisit point et Adrienne put disposer de ses lettres exactement comme elle l'entendait. Elle marchait le long du mur, et à la hauteur de la poste jeta les lettres dans l'ouverture de la boîte par un geste rapide qui n'éveilla pas le moindre soupçon. Cette réussite lui procura tant de joie qu'elle ne put s'empêcher de saisir le bras de son père comme si, par un mouvement d'affection, elle eût voulu s'appuyer sur lui en marchant.

— Qu'est-ce que tu as ? lui demanda le vieillard stupéfait.

Elle rougit et retira son bras.

— Je me sentais un peu lasse, balbutia-t-elle.

— Tu n'as pas fait cinquante pas, c'est ridicule.

Ils poursuivirent leur route en silence. Quelques instants plus tard, ils arrivaient en vue du petit parc planté de tilleuls dont la municipalité avait doté la ville. Quatre heures et quart sonnaient à la mairie et des groupes de promeneurs se dirigeaient vers l'intérieur du parc, non sans jeter de fréquents coups d'œil dans la direction du ciel. Après avoir passé la grille, Adrienne et son père prirent l'allée principale jusqu'au kiosque à musique dont on apercevait de loin le toit de tôle rouge et les minces colonnes. Tout autour de cet édifice qui semblait vouloir imiter l'architecture chinoise, on avait disposé des chaises pliantes, dont un grand nombre déjà étaient occupées, mais une habitude de plus de huit ans assurait à M. Mesurat et à sa fille deux bonnes places un peu en arrière de l'endroit où se tenait le chef d'orchestre. Comme ils se frayaient un chemin entre les chaises, la jeune fille toucha le coude de son père.

— Papa, dit-elle, quelqu'un a ma place.

C'était vrai. Une grosse dame vêtue de brun occupait la chaise d'Adrienne.

— Allons, bon, quel ennui ! fit M. Mesurat qui devenait l'homme le plus timide du monde dès qu'il mettait le pied dans la rue. Va expliquer à cette dame...

134

Et il resta un peu en arrière pendant que sa fille se dirigeait vers la délinquante.

Adrienne vint se placer devant elle et dit :

— Je regrette, madame...

Mais elle s'arrêta aussitôt. C'était Mme Legras.

— Qu'est-ce que vous regrettez, mademoiselle ? demanda Mme Legras en relevant la tête.

Elle avait une voix à la fois ironique et calme et une expression amusée dans le regard. Sans paraître plus de quarante ans, elle était déjà marquée par l'âge, mais son visage à l'ovale un peu trop plein avait quelque chose de plaisant dans sa régularité. Son nez recourbé, ses lèvres épaisses trahissaient une sensualité qui s'accordait assez bien avec cet air majestueux que prennent les traits lorsque la graisse les envahit. Sa jaquette de serge à parements de taffetas était entrouverte et laissait voir un luxueux jabot de dentelle qui s'épandait sur le devant d'une blouse blanche. Une voilette qui tombait tout autour de son chapeau cachait une chevelure que l'on devinait abondante. Elle exhalait une forte odeur de poudre de riz.

— Vous n'allez pas me dire que j'ai votre chaise, continua-t-elle. Ce sera la troisième fois qu'on me dérange. Je ne bouge pas.

Et elle ajouta aussitôt, comme s'il y avait un rapport entre ces deux faits :

— Du reste, je vous connais. Vous êtes ma voisine de la villa des Charmes.

Adrienne inclina la tête. Elle était interdite et se sentait partagée entre le dépit de voir cette femme usurper sa chaise et l'étonnement de se trouver tout d'un coup en face de Mme Legras.

— Cela ne fait rien, murmura-t-elle enfin. Nous nous assoirons autre part.

— Asseyez-vous à côté de moi. Qui est avec vous ?

M. Mesurat s'était avancé, écoutant d'un air penaud. Adrienne le présenta gauchement et tous deux s'assirent, la jeune fille entre Mme Legras et son père. Sans bien s'en rendre compte, elle avait honte du vieillard et se tourna vers sa voisine comme si elle eût voulu l'empêcher de voir M. Mesurat. Mais Mme Legras, curieuse, penchait la tête tantôt en avant, tantôt en arrière, et le regardait du coin de l'œil. Il se détournait un peu, gêné par cette attention et furieux de ne pas occuper la place qu'il avait d'ordinaire. Quelle figure ferait-il si on venait lui contester la chaise sur laquelle il était assis ?

— Votre papa a l'air gentil, chuchota Mme Legras à l'oreille d'Adrienne. Timide, hein ?

— Oui, madame.

— Ça se voit. Une belle tête. Je parierais qu'il a été officier.

Adrienne devint rouge. Il lui semblait que pour rien au monde elle ne pouvait avouer la profession qu'avait exercée son père.

— Il a fait son service militaire à Bourges, balbutia-t-elle.

Et elle ajouta vivement en ouvrant son sac à main :

— Je vais acheter le programme du concert.

— Je l'ai, fit Mme Legras.

Elle lui donna une feuille de papier qu'elle tenait à la main. Adrienne examina un instant ce programme où tout se brouillait à ses yeux et le lui rendit sans avoir pu en lire un mot. A ce moment, Mme Legras se pencha un peu devant elle et dit en s'adressant à M. Mesurat :

— Je vois que vous êtes musicien, monsieur ?

Cette parole aimable et oiseuse fit rougir le vieil-

ADRIENNE MESURAT

lard. Il passa son pouce sur sa barbe et répondit brièvement qu'il assistait toujours aux concerts de la
société d'harmonie. Mme Legras fit un signe de tête
approbateur et sourit. Elle avait de longues dents
régulières dont elle paraissait assez fière.

— Vous me disiez qu'il a été officier à Bourges, dit-
elle dans l'oreille d'Adrienne. Il y a longtemps que
vous êtes à La Tour-l'Évêque ?

La jeune fille allait répondre quand des exclamations parties de tous les côtés l'en empêchèrent ; les
musiciens arrivaient et les dernières personnes qui
rôdaient autour du kiosque, sans pouvoir se décider
à prendre place, se précipitèrent vers les chaises
libres et s'assirent tumultueusement. Un instant plus
tard les instruments s'accordaient. L'orchestre atta-
qua un brillant morceau.

Il y avait trop longtemps qu'Adrienne entendait ces
concerts pour qu'elle y trouvât d'ordinaire un plaisir bien vif. Elle avait l'oreille assez juste, en effet,
pour comprendre que ces musiciens jouaient médio-
crement, qu'ils n'observaient pas toujours la mesure,
que la qualité de leurs instruments répondait mal
aux intentions du compositeur. Ce jour-là cependant,
dès les premiers accords, elle éprouva une émotion
singulière. Sans doute les récents événements de sa
vie l'avaient-ils rendue plus sensible. Elle écouta une
longue phrase qui s'élevait lentement avec une sorte
de nonchalance, et passait ensuite par un effort subit
à un rythme de plus en plus rapide. Elle en fut tou-
chée aussitôt, comme par une voix qui lui eût parlé
d'elle tout d'un coup, en une langue qu'elle seule pouvait entendre, et il s'établit entre elle et l'orchestre
cette correspondance mystérieuse, cette espèce de
conversation secrète qui est le charme le plus puis-

137

sant de la musique et qui explique pourquoi elle a tant de prise sur le cœur humain. Elle écoutait. Toute cette joie et cette tristesse qui se succédaient dans les thèmes et s'appelaient l'une l'autre lui déchiraient le cœur, en même temps qu'elles lui mettaient aux yeux des larmes de plaisir. Elle se reconnaissait dans ces rythmes divers qui lui semblaient les battements de son propre cœur. Elle se rappelait sa douleur, sa solitude et, sur la route nationale, ses éclats de rire plus tristes que des sanglots. Une sensation d'étouffement la prit. Il lui parut qu'en une minute elle revivait tout ce qu'elle avait souffert pendant des mois, et ces souffrances étaient d'autant plus vives, et pour ainsi dire plus vraies, qu'elles étaient exprimées par une voix qui n'était pas la sienne. Pour la première fois elle entendit raconter ses propres malheurs, et ils lui semblèrent affreux. Elle se serait peut-être habituée à eux comme on s'habitue à une plaie terrible qui ne se referme pas, mais cette musique expliquait tout, lui donnait toutes les raisons qu'elle avait de souffrir. Elle eut un mouvement de honte et regarda Mme Legras à la dérobée, comme si elle eût craint que ses voisins n'eussent compris de quelle personne il s'agissait dans ce récit de ses misères, mais la grosse dame paraissait insensible aux beautés qui atteignaient Adrienne si profondément, et elle jetait les yeux autour d'elle d'un air curieux et satisfait.

Le morceau s'acheva dans une salve d'applaudissements qui fit tressauter Adrienne. Elle sentit tout à coup une main qui pressait la sienne avec douceur mais autorité, et, se retournant un peu, elle rencontra le regard de Mme Legras qui l'observait attentivement.

— Eh bien, dit celle-ci à mi-voix, c'est cette musique qui vous fait pleurer ?

— Je ne m'en étais pas aperçue, répondit Adrienne qui s'efforça de sourire. Elle voulut dégager sa main, mais Mme Legras la lui tenait si fort qu'elle ne le pouvait sans mauvaise grâce.

— Quel était ce morceau ? demanda-t-elle.

— Je ne sais pas, dit Mme Legras. Une *Dame blanche* quelconque. Vous savez que vous allez revenir goûter chez moi, reprit-elle sur un ton à la fois sérieux et enjôleur. Nous sommes voisines, il faut nous connaître.

Adrienne devint rouge de plaisir. Elle eut l'impression soudaine que ce morceau qu'elle venait d'entendre était comme l'annonce magnifique d'une vie nouvelle. Autrement, pourquoi en aurait-elle été si émue ? Cette femme presque inconnue qui l'invitait tout à coup chez elle, dans cette maison où elle désirait depuis si longtemps pénétrer, n'était-ce pas un signe ? Elle fut sur le point de demander si, de la villa Louise, on pouvait voir les pièces du pavillon blanc qui donnaient sur la rue Carnot et, tournant vers Mme Legras des yeux brillants de reconnaissance, elle allait accepter, lorsqu'elle songea à sa sœur. Ne devait-elle pas s'assurer que tout était prêt pour son départ ? Un rien pouvait faire tout manquer.

— Aujourd'hui, je ne peux pas, dit-elle.

— Pourquoi ? demanda Mme Legras.

Elle eut un air presque soupçonneux, comme si de connaître Adrienne depuis cinq minutes lui donnait le droit d'être de moitié dans ses secrets. La jeune fille secoua la tête.

— Un autre jour, madame, avec plaisir.

— Venez demain.

139

— Oui, demain.

Brusquement elle se demanda ce que serait cette journée de demain, ce que serait l'attitude de M. Mesurat devant la disparition de Germaine, mais elle n'eut pas le courage de s'arrêter à cette pensée. Pour le moment elle était tranquille, presque heureuse. Est-ce que cela ne devait pas lui suffire ? Les ennuis viendraient toujours assez tôt sans que, pour ainsi dire, elle dût aller à leur rencontre. Elle craignit seulement que son père n'eût entendu sa conversation avec Mme Legras. S'il allait faire des difficultés, l'empêcher d'aller demain à la villa Louise ? Mais il ne paraissait pas avoir entendu la conversation des deux femmes et lisait un programme qu'il avait ramassé à terre. Adrienne se pencha vers sa voisine.

— N'en dites rien à mon père, lui souffla-t-elle.

Et, comme le visage de Mme Legras exprimait la surprise, elle ajouta d'une voix rapide :

— Je vous expliquerai.

Un grand hourvari d'instruments coupa court à cet entretien. Les musiciens s'accordaient ; soudain, après un bref silence, une marche pompeuse et bruyante éclata. Adrienne reconnut avec un indicible sentiment de dégoût l'air que son père chantonnait si souvent et qu'il accompagnait maintenant de petits hochements de tête timides ; et, prise d'une irritation subite, elle serra de toutes ses forces le fermoir de son sac à main entre ses doigts. C'était sa vie présente, cette marche stupide et laide qui faisait briller les yeux des gens autour d'elle. Il lui semblait qu'elle pouvait entendre M. Mesurat éteindre la lampe et monter l'escalier de son pas lent, en sifflant dans sa moustache. Elle eut horreur d'elle-même et frissonna comme sous l'effet d'une nausée.

140

Dans le tumulte des applaudissements, elle entendit la voix tranquille de Mme Legras qui disait :

— Est-ce bête, cette musique !

Et elle eut envie de lui prendre la main, mais n'osa pas. Cependant, des gouttes d'eau tombaient sur les arbres. Quelques personnes ouvrirent des parapluies. Plusieurs se levèrent, indécises, interrogeant du regard les musiciens qui parlaient entre eux. Enfin la pluie se fit plus drue tout d'un coup et il y eut une cohue genérale. Des gens escaladaient les marches du kiosque ; les autres s'enfuyaient sous les arbres. M. Mesurat saisit sa fille par le bras.

— Viens ! dit-il.

— Au revoir ! Je vais m'abriter sur la place, cria Mme Legras qui avait ouvert un minuscule parapluie de soie bleue.

Elle échangea un clin d'œil de connivence avec Adrienne qui se retournait vers elle, et disparut dans la foule.

XII

En passant la grille de la villa des Charmes, Adrienne eut l'impression de rentrer dans un bagne. De cette conversation avec Mme Legras, elle rapportait une sorte de nostalgie de la liberté qui lui était très pénible. Cette femme qui pouvait aller, venir à sa guise... Elle traversa le petit jardin en courant, entre les flaques d'eau, et monta jusqu'en haut du perron que la pluie battait avec violence. Dans l'antichambre elle frappa des pieds une ou deux fois, et pénétra au salon après s'être essuyé les chaussures.

Il faisait sombre. La villa des Charmes devenait lugubre dès qu'on fermait les fenêtres. Un instant plus tard, M. Mesurat entrait à son tour. Il soufflait.

— IIs n'ont pas eu le temps de jouer tout le programme, expliqua-t-il à Germaine, qui était toujours étendue sur le canapé. Juste une ouverture et puis la marche, tu sais...

Il fredonna cette marche.

Adrienne passa derrière lui et haussa les épaules en levant les yeux.

— Beaucoup de monde ? demanda Germaine.

— Pas une place de libre, répondit M. Mesurat. Un succès !

— Nous avons fait la connaissance de Mme Legras, dit Adrienne qui ne put s'empêcher de parler de sa nouvelle amie, comme pour lutter contre la tristesse, l'ennui qui pesaient dans cette pièce. Elle enleva son chapeau, ses gants que la pluie collait à ses mains et les posa sur le guéridon.

— Oui, fit le vieillard en se tournant vers elle. Prétentieuse, hein ?

Adrienne devint rouge.

— Parce qu'elle est bien habillée ? Je ne trouve pas.

— Possible, repondit-il, vexé qu'elle ne fût pas de son avis, mais je le trouve, moi.

Il alla s'asseoir dans son fauteuil.

— On ne sait pas ce que fait son mari, continua-t-il. Je me suis laissé dire qu'ils étaient riches.

— Riches, fit Germaine comme un écho.

— Oui, mais enrichis on ne sait pas comment, dit le vieillard en levant l'index.

Adrienne reprit son chapeau et ses gants, et sortit. Ce cailletage lui déplaisait et elle regretta d'avoir prononcé le nom de Mme Legras devant son père et sa sœur. En quittant le salon elle éprouva une sorte d'allégement presque physique. Une envie la prit de sauter comme une enfant et elle monta à sa chambre d'un trait pour voir de sa fenêtre la villa où elle devait se rendre le lendemain. Tout d'un coup, elle se sentait joyeuse et elle remercia le sort qui permettait qu'elle eût au moins une chambre où elle pût se réfugier, se tenir seule, s'entretenir toute seule de ses projets, de ses espoirs et cacher cet inexplicable élan de bonheur qui la saisissait brusquement.

Elle ferma la porte et s'assit à la fenêtre dont elle tira un rideau. Il pleuvait à verse et le ciel s'assombrissait. Une eau boueuse coulait au bas des trottoirs dont les pierres brillaient, le bruit monotone de la pluie emplissait la rue.

Au bout de quelques minutes, Adrienne entendit une voiture qui venait du côté de la ville et vit presque aussitôt une voiture de louage qui déboucha dans la rue et s'arrêta devant la villa Louise. La grande capote de cuir était baissée, toute luisante, et la jeune fille ne fit qu'apercevoir sa nouvelle amie qui descendait et rentrait chez elle en toute hâte après avoir crié au cocher quelque chose qu'Adrienne ne comprit pas. La grille du jardin s'ouvrit et se referma bruyamment ; puis Mme Legras courut au perron qu'elle grimpa aussi vite que ses grosses jambes le lui permettaient et sonna plusieurs fois à la porte. Il y eut un grand bruit de jappement à l'intérieur de la maison ; enfin la porte s'ouvrit et Mme Legras disparut.

Tout cela n'avait duré qu'un instant. Déjà la voiture avait tourné et repris le chemin de la ville. Adrienne lâcha le rideau qu'elle tenait entre les doigts et le laissa revenir à sa place, et elle s'abîma dans ses réflexions. Cette indépendance dont jouissait sa voisine... Pouvoir prendre une voiture, faire ce qu'elle voulait. Elle appuya son front contre la fenêtre ; entre les mailles du rideau, elle aperçut dans la lumière du crépuscule les murs blancs du pavillon qu'habitait Maurecourt, et, au-dessus du toit d'ardoises, la tête noire du jeune arbre immobile sous la pluie. En bas, dans le salon, M. Mesurat parlait à Germaine et le bruit confus de sa voix arrivait aux oreilles d'Adrienne. Elle devint triste, de même que tout à l'heure, elle s'était sentie heureuse, tout d'un coup. Et sa gaieté tomba aussi brusquement qu'elle était venue.

Après le dîner, la température s'abaissa au point que Germaine demanda qu'on allumât des bourrées dans la cheminée. C'était à cette seule condition

144

qu'elle pouvait rester au salon. Son père rechigna un peu tout d'abord, choqué par cette idée d'un feu au début de juin, mais il finit par tomber d'accord qu'il ne faisait pas chaud et se chargea lui-même d'accumuler les branches vertes au fond de l'âtre. Ce qu'il redoutait surtout, c'est que sa partie de cartes n'eût pas lieu. Sans doute ce feu lui paraissait ridicule, extraordinaire, mais il consentait à violer la coutume, pour ne pas sacrifier une habitude qui lui devenait de plus en plus chère. Son trente et un achevait, couronnait sa journée. Après cela il pouvait souffler la lampe en se disant qu'il avait bien travaillé ; il pouvait dormir.

Tandis qu'il était accroupi devant la trappe, Adrienne battait silencieusement les cartes, les bras appuyés sur le guéridon. A côté d'elle, sa sœur était à moitié couchée dans un fauteuil et suivait les gestes d'Adrienne d'un regard fiévreux et absorbé. Elle s'était enveloppée d'une espèce de mante de laine tricotée et avait de plus jeté sur ses épaules une jaquette de serge dont les manches pendaient sur les bras du fauteuil. Son visage empourpré exprimait une douloureuse contention d'esprit. Comme M. Mesurat levait et baissait la trappe à grand bruit, elle en profita pour se pencher vers Adrienne et lui demanda à mi-voix :

— Les lettres sont parties ?

La jeune fille inclina la tête. Germaine ferma les yeux d'un air soulagé. Un moment passa. Puis M. Mesurat se releva et du bout de son pied chaussé d'une pantoufle fit remonter la trappe. La pièce fut éclairée d'une joyeuse lumière aux reflets dansants. Les branches se tordaient dans la flamme. Germaine ouvrit les yeux. Son regard rencontra celui du vieillard qui l'observait, un peu rouge de ses efforts ; et, frappant dans ses mains :

— Es-tu contente ? demanda-t-il.

Elle souffla : « Oui », et se redressa un peu. Ses mains osseuses saisirent les cartes que sa sœur jetait une à une devant elle.

M. Mesurat observa la flamme un instant et parut frappé d'une idée.

— Adrienne, demanda-t-il, où as-tu mis tes chaussures ?

— Dans la cuisine, avec les tiennes, pour qu'elles sèchent plus vite, répondit la jeune fille.

Il sortit aussitôt. Germaine l'accompagna des yeux jusqu'à la porte, puis tourna la tête vers sa sœur.

— Adrienne, fit-elle d'une voix brève.

Adrienne cessa de distribuer les cartes.

— Qu'est-ce que tu veux ? demanda-t-elle.

Elle fut frappée de l'expression qu'elle lut sur les traits de la malade. Il lui sembla qu'elle souriait. Quelque chose dans ses yeux paraissait changé.

— Qu'est-ce que tu veux, Germaine ? répéta-t-elle.

Germaine avança une main qu'Adrienne ne prit pas.

— Je m'en vais, Adrienne, fit-elle d'une voix entrecoupée. Je ne reviendrai pas.

Elle passa son mouchoir sur ses lèvres et ajouta en baissant un peu la tête :

— Jamais. C'est fini. Fini...

Et, tout d'un coup, elle se laissa tomber en avant, la face sur les cartes étalées devant elle, et se mit à sangloter éperdument. Adrienne se leva.

— Qu'est-ce que tu as, Germaine ? balbutia-t-elle.

Et, par un geste craintif du bout des doigts, elle toucha son épaule qu'une espèce de hoquet soulevait

146

de temps en temps. Mais Germaine ne parvenait pas
à s'arrêter.

— Tais-toi, supplia la jeune fille. Papa va revenir.

En effet, le pas de M. Mesurat remontait le couloir qui menait à la cuisine. Germaine se releva un
peu et mordit son mouchoir qu'elle avait roulé en
tampon. Elle réussit de la sorte à maîtriser ses larmes ; puis la crainte d'éveiller les soupçons de son
père et de faire peut-être manquer sa fuite la calma
tout à fait. Adrienne se rassit et continua la distribution des cartes.

— Voilà, fit M. Mesurat en entrant. Elles sont trempées. Jamais elles n'auraient séché à la cuisine.

Il tenait dans chaque main une paire de chaussures qu'il plaça devant le feu soigneusement, les poin-
tes en dehors. Adrienne et Germaine l'observèrent
à la dérobée, et dans leurs yeux se glissa le même
regard de curiosité et de dégoût. Il était accroupi
devant la flamme et faisait penser, d'une façon
odieuse à force de ridicule, au petit enfant qui ali-
gne des pâtés sur le sable. La jeune fille sentit qu'elle
devenait rouge de honte et baissa les paupières, mais
Germaine ne détourna pas la tête.

— Allons, papa, fit enfin Adrienne en tapant avec
ses cartes sur le guéridon, elles sont bien comme ça.
Viens jouer.

Il se leva en s'appuyant d'une main sur le tapis et
approcha son fauteuil de la table.

— A qui à commencer ? demanda-t-il.

Il s'assit et prit ses cartes qu'il examina.

— A moi, fit Adrienne.

Elle jeta une carte au milieu de la table. Germaine
la couvrit d'une des siennes. M. Mesurat fit alors tomber une troisième carte sur ces deux premières avec

un bruit mat. Personne ne rompit le silence avant la fin de la partie.

Adrienne dormit mal. Pourtant elle était accablée de fatigue.

Elle avait réussi à se glisser dans la chambre de son père et à prendre sa clef dans la poche de sa veste, opération facile, étant donné que le vieillard s'endormait vite et d'un sommeil profond, mais la terreur de l'éveiller en heurtant un meuble, de l'entendre crier, d'être découverte, faisait couler la sueur sur le visage de la jeune fille et elle regagna sa chambre tremblante d'une émotion qui la laissait sans force. Elle se déshabilla dans l'obscurité et se jeta sur son lit.

Elle sommeillait quelques minutes et s'éveillait brusquement comme si quelqu'un lui eût touché l'épaule et lui eût dit : « Allons, ouvre les yeux, réfléchis, réfléchis. » Elle se tournait et se retournait dans son lit, cherchant sur le traversin un endroit que le poids de sa tête n'eût pas encore creusé. Mais c'était en vain qu'elle essayait d'échapper à l'obsession de ses pensées. Son sommeil inquiet ne durait pas.

Les événements qui se préparaient l'obligeaient à revenir sur les quelques semaines qui venaient de s'écouler. Elle éprouvait le besoin d'enchaîner ainsi le passé à l'avenir, espérant que par une logique mystérieuse elle parviendrait à connaître ce que les temps futurs lui réservaient en se rappelant tout ce qui lui était récemment arrivé de bon et de fâcheux. Quelle place occupait son amour dans sa vie ? Y avait-il changé grand-chose ? Elle fut tentée d'abord de répondre non, à cette question qu'elle se posait elle-même, mais elle réfléchit presque aussitôt qu'elle n'aurait pas mis tant de zèle à seconder Germaine dans sa fuite, si elle n'avait pas convoité sa chambre. Et cette chambre, pourquoi la voulait-elle ? Puis elle se souvint de Mme Legras. Elle avait rougi devant cette grosse dame comme une petite fille, elle lui avait parlé avec toute l'amabilité dont elle était capable. Demain elle irait la voir. Pourquoi ? Dans quel espoir ? Elle n'osait même pas se l'avouer. Là encore elle voyait le fait de son amour.

Sa pensée se reportait ensuite sur l'objet même de sa passion, celui qui, sans le vouloir, sans le savoir, la rendait malheureuse. Il lui semblait qu'elle souffrait moins depuis quelque temps. C'était peut-être qu'elle ne l'avait pas vu depuis le jour où elle s'était coupé les bras. Mais alors pourquoi cherchait-elle donc à le revoir, pourquoi surveillait-elle la rue la plus grande partie de la journée ? Est-ce qu'en ne le revoyant plus jamais elle ne finirait pas par guérir tout à fait ? Mais cette pensée lui arracha des larmes. Elle se dit en essuyant ses yeux sur son drap : « Il y en a qui ont des maladies, moi je suis amoureuse, il n'y a rien à faire. »

Et, tout en pleurant, elle finit par s'endormir.

De bonne heure, le lendemain, elle fut éveillée par quelqu'un qui frappait à sa porte. Elle se leva d'un bond et courut ouvrir. C'était Germaine. Son visage était d'une maigreur effrayante et ses yeux cerclés de bistre accusaient une nuit d'insomnie.

— Tu pars ? demanda Adrienne.

— Je pars, fit Germaine d'une voix résolue. Donne-moi la clef.

Elle était vêtue de noir et portait avec difficulté une petite valise gonflée d'objets. Un chapeau trop grand pour elle lui donnait un air ridicule. Elle suivit le regard d'Adrienne et dit :

— Oui, j'ai pris un de tes chapeaux. Les miens sont trop vieux.

Quelque chose la gênait. Elle posa sa valise à ses pieds et s'appuya au chambranle de la porte pendant qu'Adrienne allait chercher la clef.

— Merci, dit Germaine en prenant la clef. Il est juste six heures moins le quart. Je vais attendre en bas.

Adrienne inclina la tête. Elle n'aimait pas la façon à la fois inquiète et sérieuse dont sa sœur la regardait. Tout à coup Germaine balbutia :

— Au revoir, Adrienne.

— Au revoir.

Mais Germaine ne s'en allait pas. Elle regardait la mine interdite d'Adrienne d'un air de désespoir.

— M'écriras-tu ? demanda-t-elle.

La jeune fille leva les épaules. Brusquement, Germaine lui tendit les bras ; ses lèvres tremblaient et des larmes brillaient dans ses yeux, mais Adrienne recula dans la chambre avec effroi. Sans rien dire, Germaine ramassa la valise et descendit en s'appuyant au mur.

Adrienne se recoucha aussitôt. De son lit, elle entendait sa sœur qui ouvrit la porte de la salle à manger et la referma doucement derrière elle.

Il pleuvait. Les gouttes d'eau frappaient les vitres avec un bruit à peine perceptible. La jeune fille ramena son drap jusque sur sa bouche et réfléchit les yeux au plafond.

Elle regrettait de ne pas avoir embrassé Germaine ou, plutôt, de n'avoir pu l'embrasser, car au moment où elle avait vu ses bras se tendre vers elle, un sentiment d'incoercible horreur l'avait fait rentrer dans sa chambre. Peut-être, en effet, ne suffisait-il que d'un baiser pour lui communiquer cette maladie dont souffrait sa sœur. Sans doute la vieille fille l'avait assurée qu'elle n'était pas contagieuse, mais n'est-ce pas ainsi que parlent tous les malades ?

Maintenant, Adrienne se sentait tout à fait éveillée. Des craintes lui vinrent. Si son père se levait un peu plus tôt que de coutume et qu'il descendît à la salle à manger pour y trouver sa fille debout, prête à partir ? Mais cela n'était pas possible. La seule chose à redouter était qu'il n'entendît la voiture s'arrêter au coin de la rue. Au reste, que pourrait-il faire ? Elle chassa ces pensées de son esprit et fit des projets pour la journée qui commençait. Le matin, elle monterait à la chambre de sa sœur; l'après-midi, elle irait chez Mme Legras.

Six heures sonnèrent. Encore une fois, elle se demanda de quelle manière M. Mesurat accueillerait la nouvelle de la disparition de sa fille. Après avoir réfléchi un instant, elle résolut de jouer l'ignorance et de lui laisser tout découvrir par lui-même. Elle ne put s'empêcher de rire silencieusement en imaginant la stupéfaction du vieillard et se cacha le visage sous son drap comme si elle eût craint qu'on ne la surprît.

Tout à coup elle perçut le bruit d'une porte qu'on ouvrait avec précaution. C'était Germaine qui sortait de la salle à manger. Elle traversait le salon, suivait le couloir. « L'imprudente, pensa la jeune fille, elle traîne des pieds. » Une autre porte s'ouvrit au bout de quelques secondes et se referma. A présent Adrienne pouvait entendre le pas hésitant de sa sœur qui descendait l'allée du jardin. Son cœur se mit à battre. Elle ne résista pas à la tentation de se lever et d'aller à la fenêtre. Germaine était parvenue au

151

bout de l'allée. Elle était debout devant la grille et se penchait un peu. Sa valise et son parapluie ouvert étaient à ses pieds, écrasant un géranium rose. Elle se pencha un peu plus ; dans sa robe noire, le dos arqué, elle faisait penser à un insecte. Ses bras remuaient. Enfin Adrienne entendit le grincement de la clef qui tournait dans la serrure et, par un geste instinctif, elle se boucha les oreilles. Comment se pouvait-il que son père n'entendît pas ce bruit ? Mais Germaine ouvrit la grille, ramassa sa valise, son parapluie, et disparut.

Adrienne se recoucha. Elle tira de dessous son oreiller une petite montre d'or qu'elle portait d'ordinaire à sa ceinture, au bout d'une chaîne ; il était six heures cinq. Pourquoi donc Germaine était-elle sortie si tôt ? Cette pluie la glacerait. Elle ferma les yeux et s'enfonça sous ses couvertures, dans le creux du lit. Elle aurait voulu s'endormir, ne pas vivre ces quelques minutes qui s'écoulaient si lentement. Il lui sembla tout à coup entendre le pas de son père qui descendait l'escalier, et elle rejeta les couvertures loin d'elle, prise de peur. Mais elle se trompait : il n'y avait rien dans le silence que cette espèce de petit chuchotement de la pluie contre les vitres.

Bientôt, elle n'y tint plus. Elle se leva et passa un peignoir. Pourquoi la voiture n'arrivait-elle pas ? Pourquoi l'horloge ne sonnait-elle pas le quart de six heures ? Et, sans réfléchir que, de ces deux questions, l'une était la réponse de l'autre, elle se mit à marcher de son lit à sa fenêtre, en proie à un affolement qu'elle s'efforçait en vain de maîtriser.

Elle entendit sa sœur qui toussait dans la rue. Au loin, l'horloge de l'église sonna un coup. Elle prit sa montre et s'assit tout près de la fenêtre ; ainsi pla-

cée, elle pouvait presque voir Germaine. Elle apercevait sa valise et son regard se portait du minuscule cadran dans la paume de sa main au mur de
moellons et à la petite valise de cuir fatigué. L'eau
courait le long du trottoir, boueuse, avec cette ondu-
lation particulière que lui imprimait la forme des
pierres et qui la faisait ressembler à une natte de cheveux tressés. Elle nota ce détail, dans son impatience,
avide d'une distraction qui fît passer le temps.

Enfin elle entendit la voiture qui descendait une
rue voisine. Ce ne pouvait être qu'elle. Il était six heures vingt. Elle se leva et agita les mains comme une
enfant. La voiture parut. Adrienne se boucha aussitôt les oreilles : ce vacarme n'éveillerait-il pas son
père ? Sa crainte dura peu. Déjà la voiture s'était
arrêtée au coin de la rue et Germaine avait fermé son
parapluie et l'avait jeté avec sa valise sous l'énorme
capote de cuir. Elle saisit alors une poignée de fer
attachée au siège du cocher et grimpa comme elle
put dans la voiture. Adrienne eut l'impression qu'elle
s'y laissait tomber.

Quelques secondes plus tard, la rue était vide et
silencieuse à nouveau. Au-dessus du pavillon blanc,
le jeune arbre aux feuilles noires tremblait dans la
brise du matin.

XIII

Elle ne put s'empêcher de rougir en entrant dans la salle à manger, redoutant le moment où M. Mesurat lui demanderait pourquoi Germaine ne descendait pas. A sa grande surprise, elle trouva son père en train de lire devant une table où deux couverts seulement étaient mis. Sa confusion augmenta lorsque le vieillard lui dit bonjour de derrière son journal d'une voix qui ne paraissait changée en aucune manière. Elle crut qu'elle rêvait et s'assit sans mot dire. D'une main mal assurée, elle se versa du café dans une tasse et cassa son pain en deux. Son cœur battait et elle lançait des coups d'œil du côté de son père, mais, entre les doigts courts et roses du vieux Mesurat, le journal ne tremblait pas et le cachait tout entier aux regards de sa fille.

Elle se mit à manger. Tout à coup il laissa tomber son journal à terre et rapprocha sa chaise de la table.

— Qu'est-ce qu'il y a ? fit-il. Tu ne me demandes pas la température aujourd'hui ?

Et, sans attendre qu'elle lui répondît, il tira de sa poche un papier chiffonné qu'il mit sous les yeux de sa fille.

— Lis ça, dit-il.

C'était un billet de quatre lignes gribouillées au crayon. Adrienne reconnut l'écriture de Germaine et lut :

« Je m'en vais, papa. Ne cherche pas à me rejoindre, personne ne sait mon adresse. J'ai repris dans l'écrin de maman tous les bijoux qui m'appartenaient. Adieu. »

— Où as-tu trouvé cela ? balbutia la jeune fille.

Cette question demeura sans réponse. Le vieillard remit le papier dans sa poche et remplit sa tasse de café. Il avait le visage fermé des gens chez qui l'étonnement a coupé net l'élan de la fureur et qui dévorent leur rage en silence. Il but son café sans lever les yeux. Dès qu'il eut fini de déjeuner, il se leva et sortit.

Adrienne resta seule. Pour la première fois dans sa vie elle était seule dans la villa et elle en fit la réflexion avec un mélange de plaisir et d'inquiétude, comme si cette solitude comportait de grands mystères. Elle était libre d'aller où il lui plaisait, elle pouvait monter à la chambre de Germaine, elle pouvait même sortir de la maison, du jardin, s'enfuir comme elle en avait eu l'idée un jour. Mais elle restait immobile sur sa chaise et contemplait la tasse de café qu'elle n'avait pu finir. Quelque chose la retenait de se lever, une paresse soudaine, inexplicable. Dans quelques minutes son père reviendrait, et alors cette courte indépendance finirait. Elle serait de nouveau la fille, l'esclave d'Antoine Mesurat. Elle ne se levait pas, elle éprouvait un sentiment agréable à s'abandonner à son sort, à ne plus lutter, à laisser les choses agir d'elles-mêmes. Il y avait si longtemps qu'elle s'efforçait d'être heureuse, maintenant elle n'essaierait plus, elle vivrait au jour le jour, courbant la tête sous les colères du vieux Mesurat. Une envie de dormir la prit. Elle appuya sa tête sur ses bras et s'assoupit sur la table.

155

Elle se réveilla un moment plus tard en entendant sonner neuf heures, et s'étonna que son père ne fût pas encore de retour. D'ordinaire, il allait à la gare chercher son journal et revenait au bout d'un quart d'heure. Où était-il ? Elle résolut de ne pas s'inquiéter et, se levant, remit un peu d'ordre dans sa coiffure.

Elle eut alors l'idée de monter à la chambre de sa sœur, mais l'horreur de la contagion la fit hésiter : depuis que Germaine lui avait confié qu'elle était mourante, Adrienne ne pouvait souffrir la pensée de toucher un vêtement qu'elle aurait porté. Et pourtant n'avait-elle pas encouragé son départ, pour avoir sa chambre ? Il lui parut absurde d'abandonner le fruit de sa victoire pour un scrupule de santé. D'ailleurs, se disait-elle, afin de stimuler son courage, si une chambre était contaminée, la maison entière l'était aussi.

Après avoir réfléchi un instant, elle arrêta son plan de conduite et s'en fut chercher à la cuisine une soucoupe qu'elle emplit de soufre. Puis elle monta jusqu'au deuxième étage. « Je devrais être heureuse, pensait-elle, je vais m'appuyer à cette fenêtre pour la première fois depuis un mois. Est-ce que je n'aime plus Maurecourt ? » Cette question qu'elle se posait lui fit monter le sang aux joues.

Elle poussa la porte et entra d'un air résolu, mais en contenant son souffle. La fenêtre était close ; elle l'ouvrit et aspira longuement l'air qui pénétrait dans la chambre avec quelques gouttes d'eau. Plusieurs minutes elle regarda le pavillon blanc. Le toit d'ardoises luisait comme du métal sous la pluie qui ruisselait à sa surface. La fenêtre du premier étage était entrouverte, et elle put voir un coin du tapis rouge qu'elle avait presque oublié. Elle sentit que ses yeux se brouillaient de larmes qu'elle ne pouvait contenir.

— Que je suis malheureuse, dit-elle à mi-voix.

Elle ajouta presque aussitôt, d'un ton pensif où perçait une sorte de rancune :

— A cause de lui.

Brusquement elle ferma la fenêtre comme si elle avait eu assez de ce spectacle qui lui serrait le cœur.

Elle prit une allumette, la frotta sous le marbre de la cheminée et mit le feu au petit tas de poudre jaune qui dégagea aussitôt des volutes de fumée âcre. Puis elle sortit en courant.

M. Mesurat ne revint qu'à l'heure du déjeuner et n'échangea pas une parole avec sa fille. Il paraissait même éviter de la voir. A table, il lut son journal, ou feignait de le lire car Adrienne le surprit plusieurs fois les yeux levés par-dessus son lorgnon, le regard perdu dans une méditation qu'il n'interrompait que pour porter des aliments à sa bouche. Elle s'accommodait fort bien de ce silence qui trompait toutes ses prévisions et se félicitait intérieurement d'en être quitte à si bon compte.

Un moment après la fin du repas, M. Mesurat mit son chapeau et sortit de nouveau sans qu'il fût question une seconde d'emmener sa fille avec lui. Un tel bouleversement de ses habitudes ravit d'abord Adrienne, puis l'inquiéta. Elle avait trop longtemps vécu selon les exigences d'un rigoureux emploi de la journée pour ne pas être elle-même quelque peu atteinte de la manie des heures fixes, et ce dérange-ment apporté aux allées et venues de son père lui semblait étrange. Sans pouvoir se l'avouer, elle en était choquée à peu près comme d'une irrégularité de conduite.

Ces légers soucis furent bientôt chassés, du reste, par des réflexions d'un ordre différent. Elle se souvint de l'élégance avec laquelle Mme Legras était vêtue, le jour où elle avait fait sa connaissance, et ne voulut pas se rendre chez elle avant d'avoir accordé l'attention la plus scrupuleuse à sa toilette. A cet effet elle se rendit à sa chambre et passa en revue sa garde-robe. Cet examen fut d'autant plus long que son choix était restreint. Elle avait trois jupes d'été, une de serge assez mince, les autres de toile blanche. Il pleuvait. En robe de toile, elle se crotterait sûrement, car elle n'avait pas de chance, et alors ce vêtement serait horrible, pensait-elle. D'autre part, elle s'imaginait que la serge la vieillissait. Elle prit le parti d'essayer ces trois jupes et, comme son indécision persistait, résolut enfin de mettre un costume d'hiver. Elle choisit donc une jupe de grosse étoffe brune et une blouse plissée, empesée au col et aux poignets et ornée d'un assez modeste jabot de dentelle.

Dès trois heures et demie elle était prête. Trois fois elle avait défait ses cheveux pour se coiffer avec plus de soin, mais maintenant elle était sûre qu'il n'y avait plus rien à modifier dans sa tenue et qu'elle était aussi jolie qu'il lui était possible de l'être. Elle passa et repassa devant la glace de son armoire, fermant les yeux et les rouvrant tout d'un coup pour mieux juger de l'effet qu'elle pouvait produire. « Si j'allais voir Maurecourt, se demanda-t-elle, me serais-je habillée mieux ? » Elle secoua la tête et s'assit. Toute sa joie tombait à la pensée qu'elle n'allait pas le voir ce jour-là plutôt qu'un autre et qu'il était indifférent qu'elle fût bien ou mal habillée, jolie ou laide. Était-ce pour aller goûter avec Mme Legras qu'elle s'était tenue plus d'une heure devant son miroir, pour cela seul ? Quel espoir s'était glissé en elle ? Elle haussa les épaules et résolut de se rendre chez sa voisine avant que son père ne pût l'en empêcher.

La domestique lui prit son parapluie et la fit entrer au salon. Cette pièce paraissait petite par la quantité de choses qu'on y avait rassemblées et donnait cependant une impression de pauvreté assez déplaisante. Et puis, outre que les meubles n'étaient ni bien faits ni d'une belle matière, ils avaient servi longtemps et passé entre tant de mains qu'ils avaient fini par prendre cet air singulier, presque impersonnel des objets de location. On n'était pas tenté de s'asseoir sur ces chaises dont la profusion et la diversité paraissaient véritablement étonnantes. Il y en avait de toutes sortes, disposées en demi-cercle dans les coins, ou placées près de petites tables chargées de lampes et de bibelots. Une vaste plante d'hiver allongeait ses feuilles immenses au-dessus d'un piano droit. Non loin de là, un secrétaire avançait sa panse comme pour faire admirer les poignées de ses tiroirs. Des rideaux drapés et lourdement frangés atténuaient la lumière.

Adrienne s'assit sur l'un des sièges d'une causeuse et attendit. Elle se sentait mal à son aise. Un miroir surchargé de dorures noircies lui renvoya l'image d'une jeune fille aux joues rouges et qui devinrent plus rouges encore. Elle regretta presque d'être venue et se demanda ce qu'elle dirait, comment elle expliquerait pourquoi elle était arrivée si tôt. Une horloge sur laquelle se battaient des Amours sonna la demie de trois heures. Peu à peu elle se remettait.

Elle s'enfonça dans sa causeuse et regarda autour d'elle avec plus d'assurance, ne parvenant pas à imaginer qu'elle était chez Mme Legras, dans cette maison qui l'avait si longtemps intriguée. En se tournant vers la fenêtre, elle aperçut la villa des Charmes ; cela lui parut drôle et elle ne put s'empêcher de sourire. De quelle partie de la maison pouvait-on voir le pavillon blanc ? Oserait-elle le demander ?

La porte s'ouvrit brusquement, et Mme Legras entra, précédée d'un vigoureux basset jaune qui vint flairer les bottines d'Adrienne en grognant.

— A la bonne heure ! lança Mme Legras, les mains tendues vers la jeune fille.

Elle portait une blouse de soie blanche agrémentée d'un ample jabot de *blonde* et une jupe de taffetas gris qui lui serrait les hanches et luisait sur ses cuisses pour s'épandre ensuite en une sorte de flot bruyant tout autour de ses jambes. Ses cheveux encore noirs et assez épais bouffaient sur son front et jusqu'à ses sourcils. Elle remplit la pièce d'une forte odeur de réséda.

— Nous ne restons pas ici, poursuivit-elle, en serrant les mains d'Adrienne. Nous serons mieux dans ma chambre ?

Elle entraîna la jeune fille hors du salon et monta un escalier, le bras passé autour de sa taille. Chemin faisant, elle lui parlait avec une volubilité joyeuse.

— C'est ainsi qu'on trompe son papa, fit-elle, avec une legère pression du bout des doigts. Vous allez me dire ce qu'il a de si méchant. Je vous garde tout l'après-midi, vous savez. C'est vraiment une joie de vous avoir rencontrée à ce concert. Moi qui m'ennuyais tant !

Elle expliqua qu'elle venait à La Tour-l'Évêque pour s'y reposer.

— Je n'ai plus votre âge, ajouta-t-elle, avec un clin d'œil. C'est là. Entrez.

Elle poussa la jeune fille dans une petite pièce tendue de vieux rose et de rouge. Ici encore s'étalait un luxe misérable. Un lit de bois clair imitait les formes les plus capricieuses du XVIIIᵉ siècle et venait en droite ligne d'un grand magasin de Paris où les meubles de ce genre sont fabriqués en séries de mille. Deux fauteuils de même goût, mais peints en blanc, étaient disposés de chaque côté d'une de ces minuscules tables rondes à dessus de marbre qui semblent faites pour être renversées. Un tapis épais, mais taché, étouffait le bruit des pas.

— Que c'est joli ! s'écria Adrienne.

— Hein ? fit Mme Legras. C'est coquet. Pur XVIIIᵉ. Otez votre chapeau. Si, je le veux. Vous avez un miroir, là.

Adrienne se pencha devant un miroir et ôta son chapeau. Elle s'aperçut qu'elle était rouge de nouveau et s'en voulut. Pourquoi cette timidité avec une femme si aimable ? Il lui prit une envie soudaine de rire. Cette chambre, ce mystère, cette fuite de chez elle, tout cela avait quelque chose de plaisant et d'inattendu qui l'enchantait. Tout à coup elle se tourna vers la fenêtre et regarda par-dessus les brise-bise de mousseline, mais elle ne put voir que la villa des Charmes.

— Qu'est-ce qu'il y a qui ne va pas ? demanda Mme Legras qui l'observait et lut une déception sur son visage.

— Rien, répondit Adrienne. Il pleut encore.

— Asseyez-vous, fit Mme Legras en la poussant vers la bergère. On nous sert le thé dans une heure. D'ici là faisons bien connaissance.

161

Elle s'assit et disposa des coussins derrière elle, tandis que le chien s'étendait sur un pouf aux pieds de sa maîtresse.

— Tout d'abord, moi, cela me laissera plus de liberté, dit-elle. Donc, bref aperçu de Mme Legras. Bonne femme entre deux âges... Si, si, fit-elle comme si Adrienne avait protesté, entre deux âges et penchant vers le mauvais. L'humeur un peu vive, je vous en préviens, mais là (elle appuya sur son corsage) un cœur, un vrai cœur de femme : mère, sœur, épouse, tout ensemble, et confidente, ajouta-t-elle en levant un doigt. Des goûts baroques, des lubies même. De la gaieté tant et plus. Voilà pour le moral. D'autre part une vie calme, sans heurts, sans grands événements. Pas de rêves, un mari brave homme, pas d'ambitions. Bref, et pour tout vous dire en un mot, bourgeoise, bourgeoise, bourgeoise. Cela vous va ?

Adrienne fit un violent effort sur elle-même. Elle sentit que le moment était venu de secouer sa timidité et de dire une parole aimable.

— Bien entendu, fit-elle en rougissant un peu. Je suis tout aussi bourgeoise que vous.

— La chère petite ! s'exclama Mme Legras qui étendit la main par-dessus la table pour presser le bras de la jeune fille ; et elle se mit à rire. Passons un contrat, voulez-vous ? Je vis seule ici. Seule, non. Mon mari vient quelquefois, mais ses affaires le tiennent tant. Enfin, je suis souvent seule, vous aussi, n'est-ce pas ?

— Oui, madame.

— Oui, Léontine, corrigea Mme Legras. Donc, chaque fois que l'une de nous s'ennuiera, elle ira voir l'autre...

Elle s'arrêta devant l'air effaré d'Adrienne et reprit vivement :

— ... et nous sortirons ensemble. Mais parlons de vous. Vous me permettez de vous appeler par votre petit nom ? Adrienne, je crois ?

— Oui.

— Je vous en supplie, appelez-moi Léontine. Il n'y a rien de tel pour encourager l'amitié, la confiance. Imaginez que je vous aie connue depuis six ans, vous verrez. Vous n'ôtez pas votre jaquette ?

Adrienne défit deux boutons de sa jaquette et sourit en s'accoudant sur le bras du fauteuil.

— Ma belle, fit Mme Legras, quel âge avez-vous ? Vous n'êtes pas encore à celui où l'on doive le cacher. Dix-neuf ans ?

— Dix-huit.

— Dix-huit ans !

Elle se tourna tout à fait vers Adrienne et joignit les mains sur la table. Ses yeux brun clair paraissaient jaunes et fixaient la jeune fille avec une expression curieuse. Les coins de sa bouche se relevèrent.

— Dix-huit ans ! répéta-t-elle sur un ton pénétré. Heureuse Adrienne ! Avec un visage comme le vôtre...

Elle eut un rire profond.

— Voulez-vous ne pas baisser le nez, dit-elle d'une voix plus sourde. Avec des yeux comme ceux-là, on peut regarder le monde en face.

Il y avait dans sa manière de parler quelque chose d'insinuant en même temps que de confidentiel qui fit une étrange impression sur l'esprit d'Adrienne. Ces privautés de langage la déconcertèrent et elle sentit que tout le plaisir qu'elle avait eu à venir chez cette femme se dissipait à mesure qu'elle l'entendait parler. Peut-être Mme Legras s'aperçut-elle de ce changement.

— Allons, dit-elle en reprenant sa voix normale. (Elle se redressa un peu et sourit.) On n'est jamais plus jolie que lorsqu'on n'en sait rien, mais laissez-moi vous dire que vous avez été gâtée. Cela vous plairait-il que je lise dans votre main ?

Adrienne releva la tête ; son regard brillait :

— Vous savez lire dans les mains ?

— Vous allez voir, fit Mme Legras. Donnez.

Adrienne lui tendit la main droite.

— L'autre aussi.

Mme Legras prit ses deux mains qui reposaient sur la table et les retourna de façon à bien voir les paumes. Tout de suite elle palpa la chair au-dessous du pouce.

— Ha ! Ha ! fit-elle en regardant Adrienne. Vous allez avoir la vie intéressante...

Elle se pencha un peu et ajouta au bout d'un instant d'attention :

— ... et longue. De petites maladies, pas grand-chose.

Elle continua son examen. Adrienne sentit son souffle sur sa peau.

— Serai-je heureuse ? demanda-t-elle après un silence.

— Qu'entendez-vous par heureuse ? fit Mme Legras qui ne releva pas la tête.

Adrienne haussa les épaules.

— Je ne sais pas, dit-elle.

Elle hésita et dit enfin :

— Vous voyez un mariage ?

Mme Legras serra un peu les mains de la jeune fille, sans doute pour mieux en distinguer les lignes. Elle se penchait beaucoup. Adrienne put voir le grand peigne orné de boules d'or qu'elle avait planté dans son chignon. Il y eut un instant de silence.

— Oui, un mariage, dit pensivement Mme Legras.

164

Elle leva les yeux et sembla interroger du regard le visage attentif de la jeune fille. Mais Adrienne baissa les paupières.

— Quand, ce mariage ? demanda-t-elle avec une impatience qu'elle dissimulait mal.

— Imminent, mais cela dépend de vous.

Une violente émotion s'empara d'Adrienne. Elle tira sur ses mains qui commençaient à lui faire mal.

— Cela dépend de moi ? répéta-t-elle.

— Cela dépend de l'habileté que vous mettrez en jeu. Vous êtes jolie, cela ne suffit pas. L'homme est une bête qui ne se laisse bien prendre que si on l'assomme du premier coup. Une maladresse au début est irrémédiable. Êtes-vous riche ?

— Assez riche.

Mme Legras la regarda, la bouche légèrement entrouverte.

— Combien ? demanda-t-elle d'un ton bref.

Adrienne fit un geste d'ignorance.

— Mon père a des économies.

— Ne craignez rien, ma petite, conclut Mme Legras en frappant du plat des mains sur la table. Vous seriez faite comme une maritorne que je gagerais sur votre succès. Au lieu de quoi...

Elle leva un doigt puis l'autre, pour énumérer.

— Vous êtes jeune, vous êtes jolie, et riche ! Maintenant, un conseil. Vous avez le cou rond, dégagez-le ; les cheveux superbes, montrez-les.

Elle avait repris son ton impératif devant la confusion et la joie que trahissait le visage de la jeune fille.

— N'ayez plus cet air grave, vous froncez trop les sourcils. Une mine réservée sans plus, un sourire de temps en temps. Et puis soignez la toilette, des vêtements plus ajustés. Pas de gants de coton, hein ? Ça compte, tout ça. Vous voulez plaire ? Apprenez donc que les hommes ne remarquent jamais les jolies choses, en revanche les vilaines leur sautent aux yeux. Bizarre mais vrai. Demandez-leur la couleur des jolis gants de suède que vous portiez le matin même, ils n'en sauront rien. Mais mettez donc des gants de fil et vous verrez la grimace.

Elle croisa les mains sur la table et prit un air fin.

— Et maintenant, je comprends, dit-elle, en baissant la voix jusqu'à n'en faire qu'un murmure. Votre père vous tient. Il veille sur vous. Je parie que vous êtes venue en cachette.

Adrienne sursauta ; elle se souvint des paroles qu'elle avait prononcées la veille et demeura confondue que Mme Legras eût si bien deviné pourquoi il ne fallait pas que son père fût tenu au courant. Elle en éprouva un profond dépit et à la fois un violent désir de se confier.

— Mon père n'aime pas que je sorte seule, dit-elle.

Elle s'arrêta. Il y avait en elle quelque chose qui l'empêchait de se livrer à cette femme.

— Et il n'aime pas que vous sortiez seule parce qu'il craint que vous n'alliez chez... chez ce monsieur, acheva Mme Legras. Comment est-il, votre ami ?

Adrienne devint écarlate. Ces questions la bouleversèrent. Elle eut l'impression qu'on lui arrachait ses vêtements. Entendre parler de son amour avec cette désinvolture, et par une étrangère, lui parut monstrueux. Elle se ressaisit pourtant à l'idée que Mme Legras pouvait lui être utile.

— Il a les yeux noirs, commença-t-elle douloureusement.

166

Elle réfléchit. C'était tout ce qu'elle pouvait se rappeler de ce visage qu'elle avait entrevu.

— Jeune ?

— Oui, répondit Adrienne après une courte hésitation.

— Et puis ? fit Mme Legras avec impatience. Est-il grand ?

Adrienne ne put répondre. Elle s'aperçut qu'elle n'avait jamais fait attention à ces choses et tout d'un coup elles prenaient à ses yeux une importance capitale. N'avait-elle donc jamais regardé le docteur Maurecourt ? Elle l'avait vu qui remontait la rue, le jour où elle avait passé les bras à travers la vitre. Pourquoi ne l'avait-elle pas mieux observé ? Maintenant elle ne parvenait pas à le décrire. Cette découverte l'atterra. Elle se demanda si elle n'était pas folle de souffrir pour un homme qu'elle ne reconnaîtrait sans doute pas si elle le rencontrait dans la rue. Presque aussitôt elle sentit un bourdonnement dans sa tête et s'appuya au dossier de la bergère. Un frisson la parcourut. Il faisait lourd dans cette pièce.

— Eh bien ? dit Mme Legras qui se leva vivement et fit le tour de la table. Vous voilà toute drôle.

Sa voix était inquiète. Elle prit les mains d'Adrienne et les tapota.

— Qu'est-ce qu'il y a ? demanda Mme Legras. Ce n'est pas ce que je vous ai dit ?

Adrienne fit un geste.

— J'ai mal à la tête, murmura-t-elle. Et elle ajouta presque aussitôt : La tête me tourne.

— La tête vous tourne ! s'écria Mme Legras. Mon enfant, vous allez vous étendre.

Elle la contraignit à se lever et, passant son bras sous celui de la jeune fille, elle la mena jusqu'à son lit. Adrienne s'assit. Une sensation de vertige lui fit fermer les yeux ; elle agrippa d'une main un des barreaux du lit.

— Maintenant, étendez-vous, insista Mme Legras que cette indisposition effrayait. Et elle répéta ces mots jusqu'à ce qu'Adrienne eût obéi.

— Allons, ce ne sera rien, reprit Mme Legras au bout d'un instant.

Elle se tenait indécise au milieu de la chambre quand elle parut frappée d'une idée soudaine.

— Restez tranquille un moment, dit-elle. Je vais vous chercher un cordial qui vous remettra sur pied.

Rapidement elle se dirigea vers la porte et sortit. Adrienne avait fermé les yeux et semblait dormir.

XIV

Elle revint chez elle à la nuit tombante, lasse et découragée. Mme Legras lui avait fait boire un verre de porto qui lui avait donné un violent mal de tête et ses jambes faiblissaient sous elle presque à chaque pas.

En poussant la grille de la villa des Charmes elle eut presque une nausée. Jamais elle ne s'était sentie aussi malade ni aussi malheureuse. Elle abomina le bruit de cette grille qu'elle refermait derrière elle. La pluie tombait toujours, grossissant les rigoles d'eau boueuse qui coulaient autour de la pelouse.

Rien n'était lugubre comme ce jardin ruisselant qui disparaissait dans l'ombre.

Elle gagna sa chambre aussi vite qu'elle put et après s'être débarrassée de ses vêtements mouillés elle se laissa tomber sur son lit et cacha son visage dans son oreiller. Tout était donc perpétuellement à recommencer. Il faudrait qu'elle parcourût sans cesse l'espèce de cycle dans lequel le désespoir succédait à l'espoir et la crainte à la joie. Elle avait tout attendu de cette visite à Mme Legras et voici qu'elle revenait de la villa Louise sans même avoir demandé à voir la chambre qui donnait sur la rue Carnot. Bien plus, elle avait refusé de se confier à cette femme qui pourtant paraissait prête à l'assister. Mais elle sen-

tait à l'égard de Mme Legras un dégoût insurmontable dont elle ne parvenait pas à démêler l'origine.
« Elle est ridicule, se disait-elle, c'est cela. Jamais je
ne pourrai lui dire qui j'aime. » Elle ne supportait
pas l'idée que ces lèvres épaisses pourraient se rapprocher et s'ouvrir pour prononcer le nom de Maurecourt. Il lui semblait qu'elle aimait mieux garder
son secret toute sa vie et en souffrir comme elle
faisait.

Puis elle se plut à imaginer une confidente idéale,
quelqu'un à qui sans honte et sans regret elle pût
raconter ses misères et demander conseil. Ne
connaissait-elle personne ? Sa sœur ? Elle étouffa un
cri en songeant que la vieille fille était au courant
de ce qui se passait en elle, et qu'elle en avait sans
doute informé son père ; et le souvenir de ses conversations avec Germaine l'humilia profondément.
Elle prit sa tête dans ses mains comme pour arrêter
le cours de ces pensées qui la déchiraient. Une espèce
d'affolement s'empara d'elle. Elle était seule, elle ne
pourrait jamais se livrer à personne. Elle fit la
réflexion que si le monde se dépeuplait tout d'un
coup et qu'elle demeurât la seule vivante sur terre,
sa vie morale ne changerait pas. De même, si on lui
coupait la langue, elle n'en serait pas moins bavarde.

Brusquement, une idée lui vint. Elle en fut comme
secouée et, se relevant un peu, elle s'appuya sur un
coude. Elle irait consulter Maurecourt pour une
maladie imaginaire et, dans le courant de la conversation, elle lui parlerait d'elle-même en feignant de
parler d'une de ses amies. Elle lui raconterait l'histoire de cette malheureuse, elle le toucherait, peut-
être devinerait-il ; en tout cas, le terrain serait préparé, et puis ce serait une occasion de le voir ; elle

sonnerait à la porte du pavillon blanc, elle pénétre-
rait dans le cabinet qu'elle apercevait de la chambre
de Germaine, elle foulerait le tapis rouge. Son imagination prit feu. Que ne pouvait-elle se rendre à l'instant même chez le docteur ! Mais pourquoi n'irait-elle
pas ? Si elle était réellement malade, hésiterait-elle ?
Dans un quart d'heure, elle pouvait être en tête à tête
avec Maurecourt ; un quart d'heure, le temps de
s'habiller et de traverser la rue. Cette pensée lui
donna le vertige, mais par un mouvement de lâcheté
elle recula cette visite. Il était trop tard aujourd'hui.
Demain elle irait sûrement.

Elle en était là dans sa méditation lorsqu'elle
entendit la grille du jardin qui s'ouvrait et se refermait, et elle reconnut le pas de son père qui s'engageait dans l'allée centrale, puis montait jusqu'au
perron. Il entra. Elle éprouva une terreur subite et
eut l'idée de tourner la clef dans la serrure. Dans
cette journée pour elle si pleine d'événements, elle
n'avait presque pas pensé à son père, elle ignorait
ce qu'il avait fait, mais elle n'augurait que du mal
de son absence et redouta l'heure où il lui faudrait
descendre à la salle à manger et affronter le vieillard. Elle réfléchit que pour la première fois elle
aurait à passer la nuit seule dans la maison avec cet
homme dont la violence confinait à une sorte de folie.
Et elle en vint presque à regretter le départ de Germaine. La bonne ne couchait pas à la villa des Charmes ; elle était mariée et avait une chambre en ville.

Elle se rhabilla et attendit. Un long quart d'heure
passa, puis elle entendit son père qui l'appelait
comme tous les soirs à l'heure du dîner. Elle se sentit aussitôt moins inquiète, presque soulagée et
répondit d'une voix qui ressemblait à un cri. Son

cœur se gonfla d'espoir, et elle souhaita ardemment qu'il ne fût jamais question entre elle et son père de l'absence de Germaine. Peut-être allait-il faire comme si rien n'était arrivé. Il lui semblait que si une scène éclatait ce soir, elle en mourrait ; l'émotion la brisait et sa faiblesse était telle qu'elle dut s'appuyer à la rampe en descendant l'escalier.

Elle n'osa regarder son père qui lisait un journal du soir en mangeant sa soupe. Silencieusement elle s'assit à sa place et commença son repas, mais la frayeur et de vives douleurs dans la tête lui ôtaient tout appétit. Elle avala quelques cuillerées de soupe, mais dut laisser remporter son assiette à peu près pleine. Le repas s'acheva lentement. Derrière son journal, M. Mesurat mangeait sans faire attention à sa fille et se leva dès qu'il eut achevé son dessert.

Sans dire un mot, il se rendit au salon alluma une lampe et, s'asseyant dans son fauteuil, déplia *le Temps* pour la vingtième fois et reprit la minutieuse lecture qu'il faisait de ce journal. Adrienne l'avait suivi et s'était assise dans un autre coin de la pièce. Elle espérait qu'un peu plus tard elle pourrait quitter le salon et regagner sa chambre, quand elle s'aperçut que son père l'observait du coin de l'œil. Qui attendait-il ? Elle le sut bientôt.

Lorsque Désirée fut partie, il se leva et s'en fut fermer derrière elle la grille du jardin et la porte d'entrée. Ces précautions n'avaient rien d'extraordinaire et huit ans d'habitude les avaient consacrées, mais elles n'en effrayèrent pas moins la jeune fille qui frémit au bruit des clefs dans les serrures. Elle eut l'idée d'appeler au secours, d'appeler Mme Legras, mais sa raison fit taire son instinct. Si l'on venait, que trouverait-elle à dire ?

Elle se leva et fit quelques pas dans le salon, le cœur battant, sans s'expliquer d'où lui venait cette crainte subite. Son père remontait le couloir. Elle avait encore le temps de s'enfuir de cette pièce et de s'enfermer dans sa chambre, mais l'impossibilité de trouver une raison à cette manière d'agir la fit hésiter : elle ne voulait pas non plus sembler ridicule.

Lorsque M. Mesurat reparut, elle fut frappée de la lassitude qui se lisait dans ses traits. Il lui donna l'impression d'être un peu plus petit que d'ordinaire. Peut-être était-ce qu'il se tenait mal et que ses épaules étaient arrondies. Il traversa le salon et vint se placer devant elle. Elle remarqua deux gros traits noirs qui cernaient ses yeux ; son front se plissait. Il saisit les revers de son veston dans ses poings et regarda sa fille qui détourna la tête.

— Tu es sortie, cet après-midi ? demanda-t-il.

— Oui.

— Où as-tu été ?

Elle appuya ses mains sur le guéridon derrière elle et souffla :

— Voir une amie.

— Qui ?

Elle n'eut pas la force de mentir et répondit d'un trait :

— Mme Legras.

Il haussa une épaule.

— Tu ne sais pas ce que c'est que cette femme ?

Elle ne répondit pas et devint blanche. Il prit une lampe sur le guéridon.

— Monte à ta chambre, commanda-t-il.

Adrienne sortit du salon, accompagnée de son père qui marchait derrière elle et tenait la lampe un peu au-dessus de sa tête. Tous deux montèrent. Dans

173

cette maison où l'architecte avait voulu tirer tout le
parti possible d'un petit espace, l'escalier était assez
raide, ce qui en rendait la montée désagréable.
Adrienne s'arrêta à mi-chemin et s'appuya à la
rampe. Il lui sembla que ses genoux allaient tout d'un
coup plier sous elle, et elle se demanda si une chute
jusque sur le marbre du corridor suffirait pour la
tuer. « Pas assez haut », pensa-t-elle.

— Va donc, lui dit M. Mesurat, comme s'il avait
voulu seconder le projet qui traversait l'esprit de sa
fille.

Elle appuya sur la rampe et continua de monter.
Arrivée au palier de sa chambre, elle s'arrêta devant
la porte et regarda son père.

— Bonsoir, fit-elle.

Elle espérait qu'il allait la quitter là.

— Entre, dit M. Mesurat avec un geste du doigt.

— Tu ne te couches pas ? demanda-t-elle d'une voix
défaillante.

Alors, sans répondre, il la poussa un peu de côté,
ouvrit la porte et entra ; puis il posa la lampe sur une
table et mit les poings sur ses hanches.

— Je t'attends, dit-il.

Elle entra et se tint près de la porte.

— Donne-moi la clef de cette armoire, dit M. Mesurat.

Adrienne se mit à trembler de tous ses membres ;
elle hésita un instant, puis, devant le regard de son
père, fouilla dans le tiroir de la table de nuit et en
tira la clef. Il la prit d'un geste brusque et ouvrit
l'armoire ; dans le silence, la porte tourna sur ses
gonds avec une sorte de miaulement et la glace
refléta la lumière de la lampe qu'elle renvoya comme
un éclair. M. Mesurat enfonça ses poings dans les

piles de linge et finit par trouver la petite boîte d'olivier.

— Ouvre-moi cela, dit-il brièvement.

— Pourquoi, papa ? demanda la jeune fille d'un ton implorant.

Elle appliqua le revers de sa main sur son front. Une subite envie lui vint de se jeter aux genoux de son père. Elle se sentit si lâche tout d'un coup que le degré d'abaissement où sa peur pouvait la faire tomber lui parut sans importance. Elle appuya une main contre le pied du lit, son poignet plia.

— Combien as-tu donné à ta sœur ? demanda M. Mesurat.

— Cinq cents francs.

— Cinq cents francs !

Il répéta ce chiffre encore une fois, comme s'il avait peine à y croire, puis il parut sur le point de dire quelque chose et se ravisa.

— Ouvre cette boîte, dit-il.

Adrienne tira sa montre de sa ceinture et en détacha une petite clef. Lorsque la boîte fut ouverte, M. Mesurat y jeta un coup d'œil et s'assura qu'un des rouleaux de vingt-cinq pièces manquait. Il se tourna vers la jeune fille.

— C'est donc vrai, lui dit-il.

Et brusquement il cria :

— Imbécile ! Tu ne le reverras jamais cet argent, jamais, tu entends ? Avec quoi veux-tu que ta sœur te le rende ?

Il s'arrêta et sembla frappé d'une idée soudaine.

— C'est autant de pris sur ta dot. Tu te crois donc riche, tu crois donc qu'on se marie sans argent, hein ?

Adrienne recula devant le vieillard qui avançait vers elle. Quelque chose tournoyait dans sa tête et

175

elle se souvint confusément des paroles de Mme Legras à propos de mariage et d'argent. Par quelle fatalité tout s'enchaînait-il comme dans un cauchemar ? On eût dit que M. Mesurat s'était entendu avec cette femme pour porter le désespoir dans le cœur de la jeune fille. Elle ne put rien répondre. Son regard était attaché sur le visage de son père sans qu'elle parvînt à en détourner la vue ; ces yeux où le sang dessinait de minces réseaux la fascinaient. Elle recula encore et rencontra le mur sous ses paumes ouvertes ; et elle eut la sensation qu'on l'y clouait.

— Tu l'as aidée à partir, reprit son père d'une voix sourde. Vous vous êtes concertées toutes les deux pour tromper le vieux Mesurat, n'est-ce pas ?

Elle fit non de la tête. Le vieillard sortit un papier de sa poche.

— Alors, qu'est-ce que c'est que ça ? demanda-t-il.

C'était la lettre qu'elle avait écrite au loueur de voitures et qu'elle reconnut avec horreur.

— Allons, fit M. Mesurat, en remettant le papier dans sa poche et en s'éloignant un peu, tu vois bien qu'il est inutile de mentir. Veux-tu que je te raconte ma journée ?

Il se promena dans la chambre, affectant un calme plus répugnant que sa colère, parce qu'on sentait qu'il en jouissait.

— Voilà. Je me rends d'abord chez le loueur de voitures. Vous n'êtes pas malignes si vous croyez que ce n'est pas le premier qui me fournira les renseignements qu'il me faut. Car tu penses bien que je ne suis pas assez niais pour m'imaginer qu'avec ses habitudes de paresse, ta sœur irait à pied à la gare. Et, en effet, qu'est-ce que j'apprends ? Que vous aviez commandé une voiture pour six heures et quart...

Enfin on me montre la lettre, ta lettre, imbécile ! Deuxième étape, la gare. Je n'ai peut-être pas d'amis à la gare, moi qui m'y rends deux fois par jour et qui cause avec tout le monde ? Que me dit-on ? Mlle Mesurat a pris le train de six heures cinquante-cinq pour Paris. Hein ?

Il s'arrêta et regarda sa fille avec une sorte de haut-le-corps triomphal, les mains derrière le dos. Elle ne bougea pas.

— Ce n'est pas tout, continua-t-il en s'échauffant. Je reviens ici, tu es sortie !

Il répéta : « Sortie ! » avec une emphase qui eût paru comique en tout autre moment.

— Tu te crois libre, tu vas en face voir cette... cette Legras. Ah ! j'ai aussi des renseignements sur elle, sur ta Léontine Legras. Nous y viendrons. Enfin, je monte à la chambre de Germaine. Une odeur de soufre épouvantable. J'ai compris. Tu veux sa chambre. Tu la désinfectes, tu te réjouis à l'idée que tu pourras te pencher à la fenêtre toute la journée. Erreur. Germaine m'a tout expliqué.

Adrienne demeura immobile. Il la toisa furieusement et reprit :

— Oui. Eh bien, tu ne l'auras pas cette chambre. Dès aujourd'hui je la condamne. Et la clef... (il frappa sa poitrine à la hauteur de la poche supérieure de son gilet) la clef en est là. Celle-là tu ne me la voleras pas comme l'autre. Il me restait à apprendre à me méfier de toi.

Ces paroles furent accompagnées d'un rire amer. On devinait qu'il avait soigneusement préparé cette scène, derrière son journal, avec ces gestes, ces éclats de voix. Mais bientôt la colère fut plus forte et il se laissa aller à toute sa rancune avec une

177

fureur qui emporta le souci qu'il avait de produire des effets.

— Tu vas voir, cria-t-il tout d'un coup. Tu as voulu changer tout dans cette maison, tu seras la première à en souffrir. Je t'enfermerai ici de telle heure à telle heure. Tu ne sortiras qu'avec moi. Je te ferai faire ce qu'il me plaira jusqu'à ta majorité.

Il eut une phrase qui était un souvenir de son ancienne profession et qu'il prononçait quelquefois :
— Je te ferai respecter le règlement dans toute sa rigueur.

Il souffla et donna sur la table un coup de poing qui fit trembler la lampe.

— Alors n'espère plus courir comme tu faisais. Finies les promenades nocturnes. Hein ? Germaine m'a raconté ça. Je la ferai revenir, ta sœur. Elle te surveillera.

Brusquement, il cria :
— Donne-moi son adresse !

Adrienne ne répondit pas.

— Donne-moi son adresse ou je te tue ! hurla le vieillard qui devint écarlate; mais la jeune fille secoua la tête. Il fit quelques pas vers elle. Elle contint sa respiration et serra les dents. Son cœur battait si fort qu'elle en entendait le son comme le bruit de quelqu'un qui aurait frappé le sol de son talon. Il la regarda et haussa deux fois les épaules.

— Imbécile ! lui dit-il d'une voix sourde. Tu veux être libre ici, tu veux pouvoir le retrouver comme il te plaît, aller chez lui, tous les soirs, comme autrefois. Tu comptes sans moi. Qu'est-ce que tu ne donnerais pas pour me voir mourir, hein ? N'aie pas peur, je suis solide !

Il frappa sa poitrine à deux reprises. Et, brusquement, il la gifla. Elle ne bougea pas. Il vit sa joue blême se colorer un peu sous le coup. Ses yeux immobiles que l'horreur avait agrandis, ce regard de haine impuissante l'excitèrent. Il la gifla de nouveau de toutes ses forces. Elle chancela et poussa un soupir qui ressemblait à un râle.

Il s'écarta d'elle et, tremblant de fureur, il cria :

— Attends un peu ! Je vais aller le voir ton docteur, je lui apprendrai à toucher à une Mesurat ! C'est à ton argent qu'il en a. Je commence par te déshériter. Tu n'auras pas un sou. Tu n'épouseras personne. Tout mon argent passera à l'État. Ah ! tu vas voir ! Demain matin je vais chez Maurecourt d'abord, chez mon notaire ensuite. Vous êtes-vous assez moquées de moi ici ! L'une se sauve avec mes bijoux, l'autre déshonore mon nom avec un misérable qui convoite sa fortune, et moi, l'idiot, le gâteux, je ne suis pas censé comprendre, hein ?

Il s'arrêta et dit soudain en la voyant immobile :

— Tu ne me crois pas peut-être ? Tiens, j'y vais ce soir, chez ton Maurecourt !

Il franchit le seuil de la chambre et gagna le palier d'un pas rapide. Adrienne le suivit des yeux, puis il sembla que tout d'un coup son corps entier se détendît. Elle s'élança hors de la chambre et ferma la porte derrière elle à toute volée. Dans l'obscurité elle entendit son père qui prononçait son nom d'une voix changée. Une seconde passa. Elle crut voir une lumière qui tournait autour de la tête du vieillard. Une horrible frayeur la saisit et, sans savoir comment, à peu près comme si elle eût été jetée dans le noir par une force irrésistible, elle se rua vers l'escalier ; tout son poids porta sur les épaules de son père qui perdit l'équilibre et tomba en avant, tandis qu'elle se retenait à la rampe. Elle l'entendit crier : « Ho ! » comme

179

quelqu'un à qui la respiration est coupée. Il dut tomber tout de son long, le front sur une marche, puis rebondir de là jusqu'en bas en deux énormes culbutes : les pieds heurtèrent les barreaux et les firent trembler; elle perçut le frémissement de la rampe sous sa main et entendit en même temps un second choc d'un son plus mat que le premier.

Elle se pencha par-dessus la rampe, de toutes ses forces, le ventre coupé par cette barre de bois. La sueur coulait dans ses sourcils et le long de ses tempes. A mi-voix elle appela :

— Papa !

Au bout d'un instant elle s'assit sur la première marche de l'escalier et attendit.

XV

Du temps passa. Elle se demanda si elle n'avait pas dormi et quelle heure il pouvait être. Des douleurs la contraignaient à courber le dos et elle fit une ou deux fois un effort pour se lever, mais une fatigue abominable l'écrasait, et elle demeura là, les reins appuyés contre les barreaux de la rampe. Elle grelottait. Il lui semblait que sa tête était vide. A un moment, elle s'imagina qu'elle était dans son lit en train de rêver : elle rêvait qu'elle était assise dans l'escalier et qu'elle se souvenait d'une scène avec son père et cette illusion lui donnait une espèce de tranquillité. Elle ne se débattait pas contre le sommeil, mais le mince filet de lumière qui passait sous la porte de sa chambre la tenait éveillée. Elle eut l'impression que cette ligne brillante, tendue dans l'ombre, l'empêchait de laisser retomber ses paupières pesantes. D'autre part elle se croyait endormie et rêvant.

Elle trouva un peu de repos dans cet état de torpeur et se réveilla enfin. La conscience de ce qui s'était passé lui revint peu à peu, mais elle n'y crut pas. Que faisait-elle donc là ? « Peut-être que je suis somnambule », pensa-t-elle. Elle rit tout bas et, agrippant les barreaux, se releva. Elle s'aperçut alors qu'elle était habillée ; le bruit de ses talons sur le parquet la fit revenir à elle tout à fait et elle se précipita dans sa chambre.

La fenêtre était fermée. Une lourde odeur d'huile remplissait la pièce. Il devait y avoir longtemps que la lampe brûlait. Elle consulta sa montre. Deux heures. Elle avait dormi, non pas dans son lit, il n'était pas défait, mais dehors.

Tout d'un coup, tandis qu'elle replaçait sa montre dans le tiroir de la table de nuit, elle crut entendre son père. Il criait comme tout à l'heure. Elle se retourna et ne vit rien. Sa tête bourdonnait. « Comment peut-il crier, pensa-t-elle, puisqu'il est couché ? » Et elle ôta son corsage et déroula ses cheveux, mais elle se rendit compte que ses doigts tremblaient et cela lui fit peur. « Je vais monter chez papa », dit-elle tout haut d'une voix ferme.

Elle prit la lampe à deux mains et sortit de sa chambre, les yeux fixés sur l'escalier qui montait au deuxième étage. Il lui parut qu'un temps interminable s'écoulait et qu'elle ne marchait pas droit. Elle gagna l'escalier et monta trois marches péniblement. Un profond soupir s'échappa de sa poitrine et elle s'arrêta. « Je l'entends qui ronfle », dit-elle à mi-voix, mais elle savait qu'elle n'entendait rien. Elle agrippa la rampe de sa main droite et tint la lampe un peu au-dessus de sa tête, puis elle monta pas à pas comme une enfant et arriva au palier du second étage.

La chambre de son père était située juste au-dessus de la sienne. A gauche c'était celle de Germaine. Jamais elle n'allait chez son père, qui ne voulait pas qu'on fouillât chez lui, comme il disait. Elle marcha jusqu'à la porte et tendit l'oreille, puis elle mit la main sur le bouton et le tourna avec précaution, mais la porte était fermée à clef. Elle s'appuya au mur et attendit.

Dans son visage, l'effroi donnait aux traits quelque chose de théâtral. Tout à coup, elle se mit en mouvement et fit quelques pas devant elle, comme à contrecœur et en murmurant : « Non. » Elle alla ainsi jusqu'à la rampe et se pencha un peu au-dessus de la cage de l'escalier. Ses cheveux balayèrent ses joues. Elle regarda et ne vit rien. La lumière tombait mal. Elle tendit la lampe presque à bout de bras et vit un corps au bas de l'escalier. Son poing tremblait. Il y a une manière d'être couché à terre, d'être immobile qui ne peut tromper, qui ne ressemble en rien au sommeil ou à la syncope ; la mort ne se contrefait pas. Elle distingua la tête dans une tache sombre, puis les bras étendus n'importe comment au-dessus du crâne et les jambes pliées ; les deux pieds étaient couchés parallèlement sur la dernière marche. Elle retira son bras et la vision disparut.

Elle redescendit en s'appuyant au mur, d'un pas mesuré qui retentissait dans le silence et dont elle paraissait écouter le bruit monotone. A ce moment quelqu'un fût passé à côté d'elle sans qu'elle y prêtât attention, tant elle était occupée à suivre le cours de sa pensée. Elle posait un pied devant l'autre avec le soin que l'on apporte inconsciemment aux gestes les plus ordinaires lorsqu'un impérieux sujet de méditation s'est emparé de l'âme et en absorbe toutes les facultés. Ses yeux étaient vides, mais il y avait dans le fond de ce regard sans expression quelque chose comme le paroxysme de la surprise qui répandait une stupidité horrible sur le reste du visage.

Lorsqu'elle eut regagné sa chambre et fermé la porte, elle posa la lampe sur la table et regarda dans l'armoire. La boîte d'olivier était à moitié ouverte sur une pile de linge, telle que M. Mesurat l'avait lais-

183

sée, quand, la jetant au fond du meuble, il avait dit à sa fille qu'elle avait entamé sa dot. Elle compta l'argent, le remit en place, rabattit le couvercle de la boîte et donna un tour à la petite clef qui était restée dans la serrure. Puis elle ferma l'armoire et se mit à se déshabiller sans hâte.

Il faisait chaud dans cette chambre. Elle ouvrit la fenêtre et respira un instant l'air froid qui frôla ses épaules nues comme des mains glacées. Des chiens aboyaient du côté de la route nationale ; il y en avait deux qui paraissaient se répondre et s'encourager de leurs voix rauques. La lune brillait doucement. Le jeune arbre au-dessus du pavillon se balançait au gré d'une brise qui chassait peu à peu les nuages du ciel. Tout était calme. Elle se frotta les épaules du plat des mains et courut frileusement à son lit. Ce qu'elle faisait, ces gestes familiers qu'elle retrouvait lui procuraient une joie animale, une joie qu'elle ne raisonnait pas mais qu'elle eût pu traduire par ces mots : « Tout est bien, rien n'est changé, puisque je me couche comme à l'ordinaire, que j'ouvre la fenêtre, que je me frotte les épaules. » Elle souffla la lampe et s'enfonça sous les couvertures.

Dans le noir, elle bâilla et ferma les yeux, mais un bourdonnement continu l'empêchait de dormir. C'était un son qui, tour à tour, paraissait très proche et très lointain, et il suffisait d'un bruit très léger pour le faire cesser. Elle eut l'idée de chantonner, mais aux premières notes elle s'arrêta, reconnaissant dans l'air qu'elle murmurait la marche préférée de son père. Le bourdonnement reprit. Elle frappa dans ses mains : ce bruit lui fit peur. Elle se boucha les oreilles mais entendit aussitôt une sorte de mugissement sourd comme celui d'un fleuve au cours rapide.

D'un geste violent elle rejeta la couverture loin d'elle et se leva. C'est alors que la terreur la prit. Elle fut épouvantée de se voir debout. Si elle était debout, c'était qu'il y avait quelque chose. Que voulait-elle faire ? Trouver la lampe et l'allumer, parce qu'elle avait peur. Elle bégaya : « C'est stupide, c'est stupide. » Sa mâchoire inférieure retombait sans qu'elle pût refermer sa bouche. Elle trouva les allumettes, en frotta une qui s'éteignit, puis une autre dont la flamme hésita dans la brise qui soufflait de la fenêtre. Enfin elle put allumer la lampe.

Elle soupira profondément. Dans la lumière, elle ne pouvait avoir peur. On n'a pas peur lorsqu'on peut y voir. Ainsi, elle se recouchait sans souffler la lampe. L'horloge de l'église sonna trois heures. Elle compta tout haut et retourna dans son lit.

Lorsqu'elle fermait les yeux, elle voyait la lumière rougeoyante à travers la peau fine de ses paupières. Elle prit son parti de ne pouvoir dormir et, croisant les mains sur le drap, elle demeura immobile, le regard dirigé devant elle. Son bourdonnement recommençait mais, avec la lampe allumée, cela ne lui faisait rien. Elle se contraignit à penser à son enfance, à se rappeler des détails précis sur la manière dont ses camarades s'habillaient, leurs noms, leurs visages. Il lui semblait que dans le silence de la nuit tout ce monde ressuscitait, avec ses voix, avec ses rires, mais elle ne trouvait pas de plaisir à ce jeu : il la fatiguait ; et puis, dans les souvenirs qu'elle forçait, pour ainsi dire, à surgir du passé, il fallait qu'elle fît un choix. Il y avait certains visages qu'elle écartait de sa mémoire. Elle voulait s'en tenir à des scènes d'école. Elle ne voulait pas se revoir dans la rue Thiers, rentrant chez elle après la classe, fermant la grille derrière elle, suivant le couloir, montant l'escalier jusqu'à sa chambre, ici, dans cette maison.

Quelque chose l'oppressait horriblement. C'était comme si l'on eût mêlé un poison à l'air qu'elle respirait. Elle porta les mains à sa poitrine. Elle avait besoin de toute sa force pour dominer la terreur qui montait en elle. Dans le désarroi de son esprit qui luttait désespérément, elle se souvint d'une parole qu'elle avait entendu prononcer à une camarade du cours Sainte-Cécile : « Il paraît que lorsqu'on est en danger il faut dire : Jésus, Marie, Joseph ! » mais elle ne put desserrer les dents et se contenta d'essuyer avec ses cheveux des gouttes de sueur qui perlaient à ses tempes.

Tout d'un coup elle ouvrit la bouche et poussa un cri. Elle entendit cette voix et eut de la peine à y reconnaître la sienne ; c'était le cri bref de la peur. Elle sauta hors de son lit et courut à la fenêtre dans l'espoir qu'elle verrait passer quelqu'un ou tout au moins qu'un bruit viendrait la distraire et lui prouver qu'il y avait des êtres vivants non loin d'elle, mais le silence de l'aube pesait sur toutes les villas avoisinantes et leurs jardins déserts. Il lui sembla qu'elle était traquée dans ce coin de la chambre et qu'elle ne pourrait plus regagner son lit. Son imagination se libérait avec une sorte de fureur et se vengeait, en quelque sorte, de la contrainte qu'elle avait eu à subir. La jeune fille étendit le bras vers un fauteuil où elle avait posé son peignoir et, s'étant enveloppée de ce vêtement, s'assit sur le rebord de la fenêtre. Un instant, elle eut le sentiment d'une espèce de sécurité. Elle n'aurait qu'à appeler, on viendrait. Mais elle réfléchit qu'elle ne pouvait pas rester là jusqu'à ce qu'il fît jour. Il n'était pas quatre heures et le ciel

186

était noir. Elle redoutait d'attraper froid, de tomber malade comme sa sœur ; d'autre part, l'idée de fermer la fenêtre, de mettre entre elle et le monde ces quatre vitres qui suffisaient à étouffer ses cris, cela, elle ne le supportait pas.

Ses bourdonnements l'avaient prise de nouveau. Elle écouta cette espèce de flux et de reflux dans sa tête. Un moment, elle eut l'impression qu'il provenait de l'extérieur, d'un autre coin de la chambre et qu'il augmentait. Quelquefois, ce bruit était à peine perceptible et c'était en même temps, et d'une façon inexplicable, un rugissement énorme et continu. Elle sentit qu'elle avait la fièvre et qu'elle allait peut-être tomber dans le délire. Alors que ferait-elle ? Qui l'empêcherait, par exemple, de se jeter par la fenêtre ? Mille craintes l'assaillirent. La lampe allait s'éteindre et elle allait se trouver seule dans l'obscurité. Elle allait prendre froid, attraper une pneumonie. Elle allait devenir folle. Brusquement elle fit un bond vers la table et saisit la lampe dans son poing pour l'avoir tout près d'elle, parce que cette lumière et cette chaleur la rassuraient, et puis cette lampe était une arme ; elle pouvait la jeter à la tête d'un agresseur. A la tête de qui ? Elle se tourna vers la porte de sa chambre et regretta de ne pas l'avoir fermée à clef. Maintenant il était trop tard. Jamais elle ne pourrait franchir l'espace qui l'en séparait. Sa force diminuait. Par une sorte de dédoublement, elle se vit, à peine vêtue, appuyée contre le montant de la fenêtre, la lampe à la main. Que faisait-elle ainsi ? Qu'attendait-elle ? Et, tout à coup, elle fut pénétrée d'une épouvante sans nom. Ce n'était pas, comme tout à l'heure, l'horreur de quelque chose qui rôdait autour d'elle, le sentiment d'être guettée, c'était un ignoble effroi d'elle-même, de ses moindres gestes, de son ombre, et jusqu'à ses pensées où elle croyait deviner les symptômes de la démence. Et, presque malgré elle, un cri s'échappa de sa poitrine, puis un autre. Cela la soulagea. Elle cria : « Au secours ! » Cette voix qui partait d'elle la surprenait. Elle fut étonnée de la facilité avec laquelle elle criait, et peu à peu son angoisse diminua.

Des chiens aboyèrent dans le voisinage, çà et là. Elle se tut un instant, heureuse de ce vacarme dont elle était la cause, puis elle reprit d'une voix plus assurée et plus aiguë, et comme on ne répondait pas elle rassembla toutes ses forces et appela : « Mme Legras ! »

Il se passa un long moment sans qu'elle entendît autre chose que les aboiements éperdus des chiens et le bruit des chaînes sur lesquelles ces bêtes surexcitées tiraient en vain. Mais maintenant elle allait mieux. Elle retrouva ses forces, posa la lampe sur la table et, traversant sa chambre à grands pas, elle alla donner un tour à la clef de sa porte.

Assise sur son lit, elle regarda le ciel qui changeait lentement de couleur ; les étoiles semblaient reculer et s'évanouir. Elle demeura longtemps immobile, puis un frisson la traversa, et elle bâilla. Presque sans le savoir, elle se laissa tomber sur son oreiller et, ramenant les couvertures sur elle, s'endormit en boule au fond du lit.

XVI

Elle fut réveillée trois heures plus tard par des éclats de voix qui partaient du rez-de-chaussée. Immédiatement elle se rappela tout ce qui s'était passé la veille et se dressa sur son séant. Elle écouta une minute, reconnut la voix de Désirée qui parlait à quelqu'un, mais ne put comprendre ce qu'elle disait. Son cœur se mit à battre. Elle se leva, donna un tour à la clef pour ouvrir la porte, alla fermer la fenêtre et attendit. En bas, Désirée continuait à parler, entrecoupant ses propos de clameurs. Tout d'un coup Adrienne l'entendit qui l'appelait mais ne répondit pas et demeura au milieu de la chambre, sans bouger. Pour la première fois, elle songea à la police, à l'enquête. Quelle attitude aurait-elle ? Que dirait-elle ? La croirait-on si elle parlait d'accident ? L'avait-on entendue crier dans la nuit ? Mais, au prix des terreurs qu'elle avait ressenties, son inquiétude présente n'était rien. Dans le grand jour elle se sentait plus sûre d'elle-même. « Il n'y a pas de preuves », pensa-t-elle.

Au même instant, Désirée l'appela de nouveau. Elle répondit : « Oui » assez faiblement et entrouvrit la porte. Au pied de l'escalier, la servante criait :

— Un malheur, mademoiselle !

— Qu'est-ce qui est arrivé ? demanda Adrienne d'une voix brusque.

— Monsieur est tombé dans l'escalier.

— Monsieur, s'écria la jeune fille, où est-il ?

Désirée ne répondit pas tout de suite, puis elle finit par dire :

— Hélas, mademoiselle !

Il y eut un silence. Adrienne se raidit contre la terrible émotion qui la gagnait et, traversant le palier, elle vint s'appuyer sur la rampe mais ne put regarder en bas. Elle entendit sangloter d'effroi la personne à qui Désirée parlait tout à l'heure, une vieille femme qui allait vendre ses herbes au marché et qui était entrée dans la villa peu après Désirée, pour proposer sa marchandise. Adrienne perdit patience.

— Voyons, dit-elle durement, qu'y a-t-il ?

Une soudaine et monstrueuse curiosité la contraignit à baisser les yeux. Elle reconnut alors ce qu'elle avait vu quelques heures auparavant à la lumière de la lampe. Sur la mosaïque aux couleurs pâles le corps se dessinait nettement. La tache noire qui s'épandait autour de la tête lui parut plus petite. Elle la regarda longtemps et ne put croire qu'il s'agissait de son père. Elle l'avait cru un instant la nuit passée, alors que, penchée par-dessus la rampe du deuxième étage, elle promenait sa lumière dans le vide jusqu'à ce qu'elle réussît à en faire tomber les rayons sur le pavé de l'antichambre. Maintenant qu'il n'y avait plus cet épouvantable silence de minuit et cette obscurité profonde qui remplissait d'horreur la maison entière, elle ne comprenait plus. C'était comme si l'on avait substitué un mannequin de son au corps qu'elle avait vu d'abord. Elle sentit les regards des deux femmes qui guettaient l'émotion sur son visage et devint pâle.

— Comment cela est-il arrivé ? balbutia-t-elle.

190

— Mademoiselle n'a rien entendu ? demanda Désirée, une petite femme noiraude, vêtue d'une camisole et d'un jupon gris.

Adrienne secoua la tête et, quittant la rampe, elle se dirigea en chancelant vers sa chambre.

Une idée lui vint.

— Appelez Mme Legras, commanda-t-elle.

Et elle rentra dans sa chambre dont elle referma la porte, puis elle entendit Désirée et la vieille qui sortaient de la maison en courant et traversaient le jardin.

Un long quart d'heure s'écoula. Elle attendait, assise sur le lit, réfléchissant à la conduite qu'elle aurait à suivre. Ce qui la surprenait, c'était de n'être pas plus émue. On eût dit que la nuit précédente avait épuisé en elle toute la terreur dont elle était capable. Rien ne se passait comme elle l'avait prévu. Peut-être aurait-elle dû paraître plus agitée devant ces deux femmes, tout à l'heure. Elle résolut de feindre une douleur muette et de rester où elle était sans bouger.

Enfin la grille se rouvrit et quatre ou cinq personnes traversèrent le jardin. Elle crut entendre une voix d'homme et sentit son sang refluer vers son cœur. Était-ce le commissaire de police ? Elle en oublia ses résolutions et se leva brusquement mais n'eut pas le courage de regarder par la fenêtre. La glace de son armoire lui renvoya l'image d'une femme aux yeux cernés, aux joues blêmes et dont les cheveux dénoués flottaient librement sur son peignoir rose. Ses mains étaient froides.

Presque au même instant, elle entendit dans l'antichambre le bruit de pas et de voix qu'elle redoutait. Des cris s'élevèrent. Elle distingua les exclamations de Mme Legras et fut frappée de ce qu'il y avait de vulgaire dans le timbre de cette voix un peu forte ; peut-être était-ce celle-là qu'elle avait prise pour une voix d'homme. Son premier mouvement fut de tourner la clef dans la serrure, mais elle réfléchit à ce que cela aurait d'imprudent et fit le geste contraire ; elle ouvrit la porte.

— Ma pauvre enfant, fit Mme Legras, au bas de l'escalier, vous êtes là ? Ne descendez pas, je monte vous voir.

Et, s'adressant aux personnes qui l'entouraient, elle donna un ordre qui bouleversa la jeune fille.

— Allez chercher le docteur pour le permis.

Le docteur, Maurecourt ! Pas un instant Adrienne n'avait songé à cette éventualité. Elle allait enfin voir cet homme et le voir chez elle ; sans doute serait-elle contrainte de lui parler. Ainsi ses projets de la veille se réalisaient. Une joie sauvage envahit son cœur. Les choses s'accomplissaient malgré elle, semblait-il. Elle fit la réflexion qu'elle serait d'autant plus à l'aise pour lui parler qu'il mettrait son trouble sur le compte de l'événement qui l'amenait à la villa des Charmes. Dans la confusion où elle se trouvait, elle se prit à murmurer : « Pourvu que papa lui parle poliment ! » et s'arrêta, stupéfaite des mots qu'elle prononçait.

Un moment plus tard, Mme Legras était auprès d'elle. Elle s'était vêtue à la hâte et portait un ample manteau de voyage brun par-dessus un peignoir dont les bords dépassaient, battant ses chevilles d'une ruche de crépon blanc. Une voilette noire tombait de son chapeau et lui cachait le visage.

— C'est épouvantable, dit-elle en fermant la porte derrière elle. Comment cela est-il arrivé ?

192

Adrienne haussa les épaules et baissa la tête.

— Ma pauvre enfant, reprit Mme Legras, vous voilà seule.

Elle s'assit sur le lit à côté d'elle et lui prit la main.

— N'oubliez pas que je suis là, hein ?

Une minute passa. Mme Legras tenait les yeux fixés sur la jeune fille.

— Ma pauvre enfant, répéta-t-elle.

Et, comme si elle se parlait à elle-même, elle reprit :

— Ce pauvre monsieur ! Il a voulu descendre dans le noir. C'est imprudent à son âge. Mais, pourtant, il y avait la rampe. Et vous n'avez pas songé à l'éclairer ?

— Je ne l'ai pas entendu descendre, dit Adrienne d'une voix brève.

— Vous dormiez profondément, fit Mme Legras avec un soupir.

Adrienne souhaita que cette femme partît et regretta de l'avoir appelée. Elle n'aimait pas la manière dont Mme Legras insistait sur les circonstances de l'accident.

— Il est donc mort sans un cri, poursuivit cette dernière. Effrayant. Il y aura sans doute une enquête de la police.

Adrienne sursauta.

— Cela vous ennuie ? demanda Mme Legras. Pure formalité, mon enfant.

A ce moment quelqu'un frappa à la porte.

— Entrez ! fit Mme Legras sans lâcher la main de la jeune fille.

C'était Désirée.

— Le docteur vient dans dix minutes, fit-elle doucement, et elle ajouta : Il paraît qu'on a entendu crier dans la nuit...

193

— Je l'aurais sûrement entendu, interrompit vivement Mme Legras. Je dors mal, un rien me réveille.

Elle fit un geste pour congédier la domestique, mais celle-ci ne paraissait pas décidée à partir.

— Mademoiselle n'a besoin de rien ? demanda-t-elle.

Adrienne secoua la tête. Désirée regarda autour d'elle. Tout à coup son regard s'attacha sur la lampe. Adrienne suivit ce regard et trembla. Toute l'huile était consumée.

— Tiens, fit Désirée à mi-voix, la lampe de mademoiselle est vide. Je l'avais pourtant remplie avant-hier.

Elle passa rapidement devant Adrienne et Mme Legras et prit la lampe qu'elle examina d'un air curieux ; presque aussitôt, elle sortit sur la pointe des pieds comme de la chambre d'un malade.

Mme Legras pressa la main de la jeune fille.

— Que pensez-vous de cette femme ? demanda-t-elle.

Adrienne tourna vers Mme Legras un regard épouvanté.

— Pourquoi ? fit-elle d'une voix qui s'étranglait dans sa gorge.

— Parce qu'elle m'a paru vous parler d'une manière étrange, dit Mme Legras. J'aurais juré qu'elle avait des idées. Cette lampe. Qu'est-ce que cela avait d'extraordinaire qu'elle fût vide ?

Elle releva sa voilette tout autour de son chapeau et posa son regard sur les yeux d'Adrienne.

— Vous avez passé la nuit à veiller, voilà tout. N'est-ce pas ? C'est comme ces cris dont elle parle. Mettons que vous avez crié dans vos rêves, que vous avez appelé au secours.

Adrienne ne bougea pas. Elle n'osait dire un mot

ni faire un mouvement, comme ces animaux pris au piège qui demeurent immobiles un instant avant de se débattre jusqu'à la mort. Elle sentit les doigts de Mme Legras qui se logeaient impérieusement entre les siens, comme pour mieux la tenir.

— Ma petite Adrienne, dit celle-ci doucement, voulez-vous que je voie le docteur et le commissaire de police ?

Il sembla à la jeune fille que la chambre s'obscurcissait. Sans répondre, elle se laissa tomber sur la poitrine de cette femme qu'elle haïssait et qui lui caressa la tête avec un geste délicat en lui murmurant des paroles qu'Adrienne n'entendit pas.

DEUXIÈME PARTIE

I

— Vous voyez que tout s'est très bien passé, si l'on peut dire. Pourquoi donc aurait-on fait des difficultés pour l'enterrer, ce pauvre monsieur ? Ce docteur Maurecourt a été parfait. Il a l'air si gentil. Il faudra faire sa connaissance, voir un peu plus de monde, ne pas rester seule comme vous faites. C'est très mauvais. Savez-vous ce qui m'a choquée un peu, un tout petit peu ? Vous me permettez de vous le dire ? C'est qu'on n'ait pas été à l'église.

— Oh ! vous me direz que chacun pense comme il l'entend, mais il me semble qu'un petit bout de cérémonie n'aurait pas fait mal. Je suis croyante, moi. N'allez pas me prendre pour une exaltée, une mystique, mais j'ai été élevée dans des principes d'il y a trente ans. Je suis bourgeoise, je vais à la messe. Votre pauvre papa ne croyait pas ?

C'était Mme Legras qui parlait. Elle était vêtue d'une robe lilas et coiffée d'un vaste chapeau de paille et, assise sous un arbre de son jardin, elle brodait un mouchoir. De temps à autre, elle levait les yeux et, sous le bord de son chapeau, lançait un regard dans la direction d'Adrienne qui s'était assise à côté d'elle et l'écoutait. La jeune fille était en deuil. Elle secoua la tête.

— Non, fit-elle.

199

ADRIENNE MESURAT

Ce babil de Mme Legras ne lui plaisait pas. Elle croyait deviner dans certaines de ses phrases une intention perfide qui lui donnait à réfléchir, et pourtant elle ne se défendait pas de prêter l'oreille aux propos sans suite que débitait cette femme. Tous les matins, depuis l'enterrement de son père, elle venait la voir et demeurait avec elle jusqu'à l'heure des repas. L'après-midi, il n'était pas rare qu'elles fissent ensemble une promenade, à pied ou en voiture. Une ou deux fois elles dînèrent tête à tête. Ce n'était pas qu'Adrienne eût changé à son égard. Bien au contraire, elle la détestait plus que jamais, mais on eût dit que quelque chose la liait à Mme Legras sans qu'elle eût le pouvoir de se libérer de cette odieuse compagnie. Elle était certaine que Mme Legras avait pénétré tout ce qu'il y avait de mystérieux dans la mort de son père. Cela seul aurait dû l'écarter d'une personne aussi dangereuse, mais, dès qu'elle n'était plus avec elle, Adrienne se sentait prise d'une inquiétude qu'elle ne s'expliquait pas. Le cailletage de sa voisine lui manquait. Il fallait qu'elle entendît cette voix bavarde et indiscrète qui lui rappelait sans cesse la fin tragique de M. Mesurat. Elle éprouvait alors une répugnance pénible et, à la fois, une espèce de soulagement. Sans rien dire, les mains croisées sur ses genoux, elle écoutait ces réflexions banales mêlées d'hypothèses qui la faisaient frémir. Parfois le nom de Maurecourt était jeté dans ce monologue et donnait à la jeune fille l'impression d'un coup qu'on lui aurait porté. Elle s'efforçait de dissimuler ces émotions sous un visage impassible et ne répondait que très brièvement aux questions de Mme Legras.

— Vous m'avez laissé entendre qu'il vous empêchait de sortir, reprit celle-ci en s'appliquant aux petites

feuilles qu'elle brodait dans le coin de son mouchoir.
Pauvre monsieur ! Il avait l'air si gentil, si timide. Ne
m'aviez-vous pas dit qu'il était timide ?

— Oui.

— Vous voilà libre, dit Mme Legras doucement.
Qu'allez-vous faire de votre temps ?

Adrienne haussa les épaules en un geste d'ignorance.

— Il faut essayer d'oublier un peu, reprit Mme Legras. Sapristi, quand on est jeune comme vous, on
a la vie entière devant soi. Vous n'avez pas été étonnée de vous savoir aussi riche lorsque le notaire a
lu le testament de votre papa ?

— Je ne suis pas si riche que ça, fit Adrienne.

— Allons donc ! Vous avez toute sa fortune.

— D'abord, je partage avec ma sœur, ensuite je ne
toucherai toute ma part qu'à ma majorité.

Mme Legras poussa un soupir. Elle n'ignorait pas
que Germaine était fort mal en point.

— Dieu vous garde votre sœur ! dit-elle.

Elles se turent un instant. Il faisait une journée
radieuse et le jardin embaumait. Une profusion de
lilas répandaient dans l'air immobile leur lourd et
triste parfum. Sur la grande pelouse ronde qui séparait les deux femmes de la maison, le basset jaune
courait ventre à terre et poursuivait les papillons de
ses jappements aigus. Des oiseaux s'appelaient dans
les tilleuls.

— Là, fit Mme Legras en ôtant son dé à coudre. Fini
pour aujourd'hui.

Elle roula les ciseaux, le dé et le fil dans le mouchoir. Adrienne connaissait bien cette espèce de
signal qui chaque jour l'avertissait du moment où
Mme Legras avait assez d'elle. Elle en éprouvait une

telle humiliation qu'elle se jurait de ne plus revenir ou de partir une demi-heure plus tôt, quoiqu'elle s'en sût bien incapable. Elle tira sa montre et feignit l'étonnement.

— Onze heures trois quarts ! s'exclama-t-elle.

— Oh ! ce n'est pas pour que vous partiez, répondit Mme Legras comme à l'ordinaire.

— Mais j'ai mon déjeuner, répondit Adrienne.

— Alors..., dit Mme Legras avec un sourire.

Elles se levèrent et se dirent au revoir.

— Revenez tantôt, cria Mme Legras, comme Adrienne sortait du jardin.

Chez elle, Adrienne se tenait presque toujours au salon en attendant qu'on lui servît son repas et s'occupait de son mieux. Souvent, elle mettait son tablier par-dessus sa jupe de serge noire comme autrefois et nettoyait les meubles où elle était sûre que le chiffon de Désirée ne passait jamais. Elle s'amusait aussi à retirer les livres de leurs rayons, à en enlever la poussière de la tranche avec une brosse à habits et les replaçait ensuite dans la bibliothèque par ordre de grandeur. Jamais il ne lui venait à l'esprit d'en lire un. Ainsi que beaucoup de femmes dont l'enfance a été maussade et qui n'ont de leurs classes que de mauvais souvenirs, il lui répugnait d'entreprendre une lecture un peu longue comme s'il se fût agi d'une corvée désagréable, d'un *devoir*.

Il était extrêmement rare qu'elle se rendît à sa chambre, à moins que ce ne fût pour s'y coucher. En bas, dans les pièces du rez-de-chaussée, elle se sentait moins seule parce que la salle à manger communiquait avec la cuisine par un couloir. C'était la solitude qu'elle redoutait. Un jour, en entendant aboyer Pyrame, le basset, elle eut l'idée de s'acheter un chien, mais elle n'aimait pas ces bêtes et les chats lui semblaient l'apanage des vieilles filles, elle n'en voulait pas non plus.

Si Mme Legras lui avait proposé de venir s'installer à la villa Louise, elle sentait qu'elle eût accepté avec joie, malgré tout ce qu'il y avait pour elle de pénible dans la camaraderie de cette femme. Un peu de réflexion lui fit comprendre un jour que Mme Legras n'était pas seulement une personne qui pouvait lui parler et la distraire, mais le seul être au monde avec qui elle désirât de se trouver.

Quelque étrange que cela paraisse, elle ne concevait plus la plus simple conversation avec le docteur. Elle s'efforçait même de ne pas trop penser à lui, effrayée de l'excès de tristesse qui en résulterait pour elle. L'idée seule qu'il était venu dans la maison lui semblait étrange et presque terrible. Au lieu de la rapprocher de lui, ce souvenir l'en éloignait. Elle n'avait pas osé le voir lorsqu'il était venu et elle n'arrivait pas à croire qu'il s'était tenu un moment dans le salon où elle s'asseyait. Cela la choquait comme une espèce de sacrilège, comme si la maison eût été par trop indigne de cette visite, de cette faveur. Elle ne regardait presque plus par la fenêtre. Bien loin de se sentir libre d'agir comme elle voulait, elle avait l'impression que quelque chose d'irréparable s'était accompli et qu'il était vain maintenant de tourner la vue vers le pavillon blanc et de se laisser aller à ses rêves ; et si, cédant à la tentation qui la poussait vers la fenêtre, elle embrassait du regard cette maison au toit bleu dominé d'un arbre tremblant, elle s'en repentait si fort qu'il n'y avait aucune proportion entre le plaisir qu'elle avait pris et la peine qui en était l'effet ordinaire.

203

Mais l'important pour elle était d'entendre parler Mme Legras. « C'est une bonne femme, au fond », se disait-elle, comme pour s'excuser du besoin continuel qu'elle avait des niais et perfides monologues de sa voisine, mais elle n'en croyait rien. Elle craignait Mme Legras, elle redoutait son sourire, ses longues poignées de main et surtout cette voix bavarde qui disait tant de choses étranges. Plusieurs fois Adrienne s'était crue sur le point de défaillir en l'entendant parler de la mort de son père. Ce qui l'alarmait le plus, c'était le ton placide et posé que prenait la grosse dame pour exprimer les opinions les plus inquiétantes. « Voyez-vous, disait Mme Legras, sans lever la tête, si l'on me disait que votre pauvre père avait été assassiné, je n'en serais pas autrement surprise. » Adrienne ne répondait pas, mais le bout de ses doigts qu'elle avait croisés sur ses genoux se glaçait. Il lui venait une envie de se lever tout d'un coup, de courir à la gare, de prendre le train comme avait fait Germaine et de s'enfuir. Au lieu de quoi elle demeurait immobile sur sa chaise, les yeux fixés sur les mains adroites de Mme Legras qui brodaient une branche de rosier dans le coin d'un mouchoir. Rien ne pouvait faire que la jeune fille s'en allât avant onze heures et demie. Il fallait qu'elle attendît le moment pénible où Mme Legras roulait son ouvrage, où elle-même tirait sa montre de son corsage avec une mine étonnée. Et elle partait alors avec un regret intraduisible, désespérée à l'idée qu'elle allait se retrouver seule dans cette villa des Charmes qu'elle détestait plus encore qu'autrefois. Elle en venait à se boucher les oreilles lorsque, étant rentrée dans le jardin, elle refermait la grille à toute volée ; elle ne pouvait souffrir ce bruit qu'elle connaissait si bien et qui lui rappelait tant de choses.

Un jour, elle ne rentra pas tout de suite et conçut le projet d'aller déjeuner en ville ; mais la crainte que cela ne se sût et ne parût étrange l'en empêcha. Que dirait Désirée si elle ne rentrait pas ? Elle était sûre qu'elle ne la soupçonnait de rien, malgré ce que Mme Legras avait paru croire, mais elle était résolue de tout faire pour ne pas donner le moindre prétexte à parler d'elle. Pour la même raison, elle ne sortait pas la nuit. Elle pouvait rencontrer quelqu'un. Mieux valait rester chez soi. Et elle s'asseyait près d'une lampe dans le grand salon et feuilletait des albums d'images. A demi appuyée sur le guéridon, elle écoutait les bruits de vaisselle qui lui parvenaient de la cuisine et tournait les pages assez distraitement. Mais dès qu'elle entendait Désirée quitter le fond de l'appartement et s'engager dans le couloir pour s'en aller, elle se sentait mal à l'aise. Elle guettait le bruit de la porte qui s'ouvrait et des pas qui s'éloignaient dans l'allée, puis le son odieux de la grille qui ne se fermait qu'à la volée. Il lui semblait ensuite que le silence grandissait autour d'elle comme une ombre et qu'au fond de ce silence elle percevait une rumeur faite d'une multitude de voix. Alors il lui devenait pénible de tourner les feuilles de son album, et le son même de sa respiration la gênait. Et en vertu d'une étrange déformation de sa mémoire elle en venait presque à regretter le temps où deux personnes, assises à ce même guéridon, la forçaient à jouer aux cartes.

II

Il y avait trois semaines que M. Mesurat était mort. Germaine, hâtivement prévenue, n'était pas revenue à La Tour-l'Évêque pour l'enterrement de son père et avait donné comme raison l'état critique de sa santé. Cependant, elle avait tenu à se faire communiquer un double du testament paternel et avait envoyé à La Tour-l'Évêque un notaire de Saint-Blaise dont la mission était de veiller à ses intérêts.

Il résultait de la lecture du testament que la petite fortune de M. Mesurat devait être également partagée entre ses deux filles ; mais il n'apparaissait pas que le défunt eût prévu qu'il dût mourir avant que sa fille cadette n'atteignît sa majorité et il avait fallu nommer un tuteur. Les seuls parents de M. Mesurat, une vieille fille de Rennes et un célibataire qui vivait à Paris, s'étaient brouillés avec leur cousin Antoine depuis de longues années et savaient fort bien qu'ils n'avaient pas un sou à attendre de lui. Ce fut donc en vain qu'on leur envoya des convocations : ils n'allaient pas se déranger pour rien. Alors, en l'absence d'un conseil de famille et devant le refus des parents d'Adrienne de s'occuper d'elle, le juge de paix de La Tour-l'Évêque nomma Me Biraud, notaire à La Tour-l'Évêque, tuteur de Mlle Adrienne Mesurat jusqu'au jour de sa majorité. Toutefois, Ger-

maine Mesurat avait droit de conseil et pouvait proposer à Mᵉ Biraud telle ou telle modification dans
la manière de gérer la fortune d'Adrienne. Il était
entendu qu'Adrienne devait toucher chaque mois une
somme fixée par le notaire et Germaine, et qui serait,
bien entendu, déduite de sa part d'héritage. Germaine, majeure, pouvait toucher son argent comme
il lui plaisait. En trois semaines tout cela fut réglé.

Avec le temps, Adrienne finissait par s'habituer
aux nouvelles circonstances de sa vie, à sa solitude
et même à cette tristesse qui ne la quittait plus. Il
lui semblait qu'elle souffrait moins. Elle n'avait plus,
en s'éveillant, cette surprise douloureuse d'autrefois
à la pensée que la journée qui commençait ne lui
apporterait rien ; au contraire, cette certitude lui
semblait une bonne chose parce que, se sachant en
garde contre l'espoir, elle se sentait en quelque sorte
à l'abri d'un malheur. Que pouvait-il lui arriver qui
pût vraiment la consterner ? N'avait-elle pas épuisé
les sources de sa mélancolie ? Si Maurecourt mourait, par exemple, en quoi cela changerait-il la vie de
la jeune fille, puisqu'elle ne conservait plus aucune
illusion de ce côté ?

En attendant l'heure où elle pourrait sortir avec
Mme Legras ou aller la regarder coudre dans son jardin, elle s'efforçait de s'occuper le plus possible et
mettait à exécution des projets qu'elle nourrissait
depuis assez longtemps. Il s'agissait de modifier
l'arrangement de toutes les pièces de la maison. Déjà
elle avait déplacé les meubles du salon, brisant la
symétrie qui existait dans la disposition des fauteuils, les plaçant contre les murs au lieu de les laisser en rond au milieu du tapis, de façon à dégager
un peu le centre de la pièce et à la faire paraître plus

grande. Elle changea également la place de plusieurs tableaux. Le canapé où s'étendait Germaine fut poussé dans un coin, entre deux portes, et elle en retira la peau de panthère pour le recouvrir d'un châle breton. Ces petites transformations altéraient tellement l'aspect de la pièce qu'Adrienne feignait de ne plus s'y reconnaître et souriait à son œuvre.

Un matin, elle eut l'idée de monter au troisième étage et d'examiner la chambre de Germaine. Quelque chose l'avait retenue de le faire plus tôt. D'abord, le vague effroi d'une contagion possible. Désirée avait ordre de bien nettoyer cette pièce et de l'aérer tous les jours et il y avait longtemps que tout ce qui restait de la garde-robe de Germaine avait été distribué aux pauvres, mais il semblait à la jeune fille que, plus elle attendait, mieux cela valait. N'avait-elle pas toute la vie pour monter là-haut ? Ensuite, puisqu'elle désirait ne plus penser au docteur, il était au moins inutile de se placer à la seule fenêtre d'où elle avait la chance de l'apercevoir. Mais, ce matin, elle se sentait plus forte que de coutume, presque indifférente. « Peut-être que je l'aime déjà moins », se dit-elle avec une fausse joie. Elle s'en félicita comme d'une victoire et pensa combien elle pourrait être heureuse si elle arrivait à se défaire complètement de cet amour.

Elle monta. Sa main trembla un peu lorsqu'elle ouvrit la porte de cette chambre et un sentiment indéfinissable la retint sur le seuil. La dernière fois qu'elle y avait vu sa sœur, c'était le jour où Germaine l'avait appelée pour lui dire qu'elle allait mourir. Il y avait dans cette pièce plus que le danger de la contagion, il y avait le souvenir d'une moribonde qui avait passé là de longues années de souffrances sans

208

objet. Le lit, les chaises, la petite armoire aux médicaments, tout parlait à sa mémoire un éloquent et
terrible langage et il lui vint à l'esprit que cette chambre portait malheur. Un moment elle crut qu'elle
refermerait la porte sans entrer, mais son hésitation
dura peu. Quelque chose la poussait irrésistiblement
vers la fenêtre que l'on avait dépouillée de ses
rideaux. Elle contint sa respiration et franchit la
pièce à grands pas. Son cœur battait, elle avait monté
trop vite. Lorsqu'elle eut ouvert la fenêtre elle aspira
de toutes ses forces l'air du dehors et, se penchant
au-dessus de la gouttière, elle regarda devant elle.
Entre les tilleuls de la villa Louise, elle aperçut
Mme Legras qui se promenait le long des plates-
bandes, un sécateur à la main. Un peu derrière elle,
le basset marchait le nez contre terre en flairant les
cailloux. Adrienne eut envie de lancer un appel à sa
voisine, mais se retint. Elle observa la grosse dame
allant de son pas tranquille d'un plant de fleurs à
l'autre, le visage caché par un chapeau de paille.

Brusquement, Adrienne tourna la tête. Comme
autrefois elle agrippa de ses poings le bord de la gouttière et se pencha en avant le plus possible pour voir
le pavillon. C'était pour cela qu'elle était venue, elle
s'en rendait compte et se sentit subitement transportée à l'idée de goûter cette joie qu'elle s'était interdite pendant des semaines. Avec une sorte d'avidité
elle regarda. Le soleil frappait le toit qui renvoyait
la lumière avec un éclat aveuglant Elle vit cela
d'abord, puis son regard s'abaissa et chercha la fenêtre qui était ouverte comme d'habitude. Adrienne eut
l'impression qu'elle était ramenée un mois en arrière.
Elle fut presque choquée de voir à quel point les choses avaient peu changé, comme si elle se fût atten-

209

due à un spectacle différent ; et aussitôt elle reconnut en elle la langueur qu'elle éprouvait il y avait un mois, à cette même place, cette espèce de ralentissement de la vie dans son être. Ses poignets lui faisaient mal. Elle se pencha encore et aperçut l'intérieur de cette pièce qui l'intriguait tant et où elle supposait que le docteur avait installé son bureau. Le tapis grenat et l'angle du secrétaire étaient éclairés par un rayon de soleil.

Tout à coup, elle se redressa et porta les mains à sa bouche. Quelqu'un avait paru à la fenêtre. Assurément ce n'était pas le docteur ; il lui avait suffi d'une seconde pour s'en rendre compte. Elle se tint debout un instant, le dos tourné au pavillon, la tête appuyée au chambranle de la fenêtre. Une sorte de gémissement s'échappa de sa poitrine. Elle murmura : « Qui est-ce ? Qui est-ce ? » et n'osa pas se retourner pour voir. Il lui sembla que le sort de sa vie entière se jouait à cette minute, qu'elle était sur le point d'apprendre quelque chose de capital et de redoutable qui entraînerait son bonheur ou son malheur. Un silence profond pesait sur la rue. Les oiseaux s'étaient tus. Tout paraissait immobile et muet pour toujours comme sous la force d'un enchantement. Enfin elle n'y tint plus et, se penchant en avant, elle appuya ses mains tremblantes sur le bord de la gouttière. La fenêtre était vide.

Adrienne se retira vivement en arrière et poussa un soupir. « Je me suis trompée, pensa-t-elle. Il n'y avait personne. »

Elle s'enfuit de la chambre en courant.

L'après-midi, comme elle s'apprêtait à sortir pour aller chez Mme Legras, le facteur lui tendit une lettre. Elle l'ouvrit et la lut dans la rue. C'était la supérieure de l'hospice où se trouvait Germaine qui lui écrivait.

« *Mademoiselle. Nous compatissons bien sincèrement à la profonde douleur qui doit être la vôtre et souhaitons que la pensée de la divine sollicitude vous soutienne en ces jours difficiles. Nous avions craint, comme vous sans doute, que la triste nouvelle ne produisît un fâcheux effet sur l'état si précaire de votre sœur, mais elle paraît résignée à toutes les souffrances qui forment son lot sur cette terre. Ne vous tourmentez donc pas trop à son sujet. Il n'est pas tout à fait téméraire de dire qu'elle va mieux. L'air de cette région...* »

Adrienne sauta dix lignes et lut au bas de la lettre :

« *... trop faible pour vous écrire elle-même, vous prie de faire verser à son nom la somme de cinq cents francs à la banque de Saint-Blaise, versement qui devra être renouvelé tous les mois...* »

Elle froissa la lettre et la jeta au ruisseau. Pas une fois elle n'avait écrit à sa sœur et c'était Mme Legras qui s'était chargée d'annoncer à Germaine la mort de M. Mesurat. L'idée seule d'établir de nouveaux rapports avec la malade ne pouvait, en effet, que déplaire à Adrienne ; bien plus encore la perspective d'avoir à faire une démarche pour elle. Ce n'était pas qu'elle lui enviât sa portion de l'héritage paternel, c'était l'obligation de penser à elle une fois par mois qui l'ennuyait, d'aller voir le notaire, de passer à la poste et de prononcer son nom. Elle mettait cela sur le compte de la haine qu'elle avait toujours nourrie à l'endroit de Germaine, mais c'était quelque chose de beaucoup plus fort et qu'elle ne pouvait comprendre parce qu'elle n'avait pas le courage de se l'avouer. Deux soucis avaient pris dans sa vie une place prépondérante : il fallait qu'elle pensât au docteur ou qu'elle fît effort pour ne pas songer à lui, ce qui était une autre manière de s'occuper de cet homme, et il fallait qu'elle entendît Mme Legras lui parler de la mort de son père et l'accuser sournoisement de l'avoir assassiné. Tout ce qui la distrayait de son amour mal combattu et de ses remords inavoués lui était insupportable.

Elle traversa la rue et regretta de ne pas avoir eu ses gants aux mains pour lire cette lettre que la malade avait peut-être lue, sur laquelle, peut-être, elle avait soufflé.

— Pourquoi vit-elle donc ? se demanda-t-elle durement. Qu'a-t-elle pour remplir sa vie ?

Un instant plus tard elle était dans le jardin de la villa Louise. Mme Legras sortait de la maison. Elle descendit les marches du perron et vint vers Adrienne en agitant un bâton bleu qu'elle tenait dans sa main gauche, tandis que de son bras droit elle serrait contre elle un paquet enveloppé de papier brun.

— Qu'est-ce que c'est que cela ? demanda la jeune fille.

— Vous allez voir, fit Mme Legras.

Elle lui tendit son bâton comme une main et s'assit sous un tilleul. Adrienne prit place à côté d'elle.

— Ma belle, commença Mme Legras en s'attaquant à la ficelle qui entourait son paquet, j'ai une petite nouvelle à vous annoncer qui, j'espère, vous ennuiera...

— Une nouvelle ?

— Je m'en vais...

Elle posa ses mains courtes sur son paquet et regarda la jeune fille pour juger de l'effet de ses paroles. Adrienne baissa les yeux.

— ... et je reviens trois jours après, ajouta Mme Legras en éclatant de rire. Mon mari a besoin de moi, continua-t-elle d'un air sérieux. Rien de bien grave, mais ses affaires le prennent, il ne peut jamais venir ici, alors vous comprenez... Vous ai-je dit son occupation ?

Adrienne secoua la tête négativement.

— Laine, coton, soie, proclama Mme Legras. Je le dis sans honte, je suis une vraie bourgeoise. Tenez, une preuve de plus...

Elle ouvrit son paquet : il contenait une pièce d'étoffe bleu vif. Mais Mme Legras se leva et, avec une espèce de solennité, déroula complètement l'étoffe et la tint devant elle à bout de bras : c'était un drapeau tricolore de la grandeur d'une serviette.

— Je vois, dit Adrienne.

Cette figure blanche et fardée au-dessus du drapeau lui parut drôle et elle dut se contenir pour ne pas rire.

— C'est mon mari qui m'a envoyé ça pour le quatorze juillet. L'autre était trop déteint. Je l'ai arraché de sa hampe que j'ai conservée, expliqua Mme Legras. Première qualité de soie. Vous pouvez toucher.

Adrienne tâta l'étoffe entre ses deux doigts.

— C'est après-demain, le quatorze, dit Mme Legras en s'asseyant. Il faut que je couse ce drapeau à sa hampe. Savez-vous que ça m'attendrit ? Oui, je vous dirai qu'on m'a élevée dans les principes d'il y a trente ans. Bonne Française, bonne chrétienne. Je ne dis pas cela pour vous. Mais je vous parlais de mon mari. Il faudra que je vous fasse faire sa connaissance. Voulez-vous tenir la hampe ? Pendant ce temps je vais coudre. Malheureusement, ses affaires vont moins bien depuis quelque temps. Il y a une terrible concurrence à l'étranger, en Angleterre surtout. Si vous voulez tenir la hampe bien solidement, ma belle. En conséquence, des ennuis sans nombre, des ennuis d'argent, bien entendu. Rendez grâces au Ciel d'avoir été préservée d'ennuis d'argent ! Vous avez eu un bon papa qui à tout fait pour vous assurer un avenir agréable.

Elle se pencha sur l'étoffe et commença son point.

— Je parlais de lui l'autre jour, dit-elle d'un air absorbé.

— De qui, madame ? demanda la jeune fille après une seconde.

— De votre papa, tiens. Vous n'allez jamais en ville. Vous ne savez pas, je parie, ce que c'est que la province. Il faut être une Parisienne comme moi pour sentir ça. On parle, on parle. Moi, je me borne à écouter, mais hier une demoiselle Grand... vous la connaissez ?

— La mercière, fit Adrienne qui devenait pâle.

— C'est cela. J'achetais une bobine de coton bleu pour ce drapeau. Mlle Grand me sert, enveloppe la bobine dans du papier, et vous ne savez pas ce qu'elle me dit ?

— Non, madame.

— Je vous en prie, tenez la hampe bien solidement, autrement je vais me piquer. Elle me dit : « Vous habitez en face de la villa des Charmes ? Vous devez connaître Mlle Mesurat. Son père est mort d'une façon bien tragique. Tout cela n'est pas naturel. » C'est toujours Mlle Grand qui parle, vous comprenez ?

— Oui, souffla la jeune fille.

— Bien entendu, continua Mme Legras sans lever les yeux de sa couture, je n'ai pas d'opinion à émettre. Mais enfin, puisque vous m'avez appelée le jour de la catastrophe, je peux bien vous dire, à vous, ce que j'en pense, quitte à me taire devant les autres. Eh bien, je trouve cela bizarre. J'y réfléchis souvent. Et puis, je suis intuitive, je devine. Votre père aurait dû s'éclairer pour descendre.

Il y eut un court silence.

— J'ai donc dit à Mlle Grand : « Oui, cela ne paraît pas naturel. » Mais vous comprenez bien que je n'allais pas engager une conversation avec cette femme à votre sujet. D'abord, cela vous aurait déplu, n'est-ce pas ?

— Oui.

— J'en étais sûre, ma belle, dit Mme Legras avec douceur.

Elle finit son ourlet sans ajouter un mot. Les mains serrées sur la hampe, Adrienne regarda cette nuque blanche et forte sous le chapeau de paille fine, cette tête qui se penchait avec application. Elle se sentit gagnée par une sorte de fureur muette. Il lui semblait injuste que Mme Legras pût mûrir tous les projets qu'il lui plaisait, qu'elle pût porter dans son cerveau les pensées les plus malfaisantes, sans qu'elle, Adrienne, l'objet même de ces méditations criminelles, en sût rien. Et elle eut envie de la frapper, de la renverser de sa chaise, de tout faire pour l'empêcher de réfléchir. « Quel droit a-t-elle de m'interroger ainsi ? pensait-elle. Sans doute veut-elle se servir contre moi de tout ce que je lui dis. Je ne répondrai plus.

— Voilà, fit Mme Legras, en faisant un nœud à son fil. J'ai fini. Donnez, mais donnez donc.

Elle arracha presque le drapeau des mains d'Adrienne qui le serrait de toutes ses forces et ne le lâcha pas tout de suite.

— Bien entendu, vous pavoisez aussi, fit Mme Legras en tenant son drapeau à bout de bras pour le contempler.

— Mais oui, mais oui, dit Adrienne.

— Vous paraissez triste, distraite. Ce n'est pas ce que je vous ai dit qui vous rend ainsi ?

— Non.

Mme Legras pencha la tête de côté.

— C'est votre amoureux ? demanda-t-elle à mi-voix. Vous ne voulez jamais me parler de lui, vous avez tort. J'ai plus d'expérience que vous, je m'entends à ces questions.

— Je n'ai pas d'amoureux, dit Adrienne d'une voix rauque.

— Alors, vous avez tout à fait tort, reprit Mme Legras en posant son drapeau sur ses genoux. Une belle fille comme vous...

Adrienne haussa les épaules.

— Cela ne sert à rien d'être belle, murmura-t-elle, je n'en suis pas plus heureuse.

— Cela ne sert à rien lorsqu'on est sans le sou, dit Mme Legras.

La jeune fille allait répondre, mais elle se contint. Elle regrettait d'avoir dit le peu qui lui était échappé. Entendre parler cette femme de son amour lui semblait odieux. Brusquement elle se rappela la fenêtre ouverte du docteur et la personne qu'elle avait cru y voir, le matin même. Par quel moyen pouvait-elle amener Mme Legras à lui faire visiter sa villa ? Certainement, il devait y avoir des pièces d'où la vue pouvait plonger dans le pavillon blanc. Mais désirait-elle vraiment revoir cette fenêtre, revoir peut-être cette personne inconnue qui s'y était penchée un instant ? Elle demanda étourdiment :

216

— Y a-t-il longtemps que vous avez acheté cette villa ?

Mme Legras la regarda et fit la moue.

— Mon Dieu, vous rêvez. Vous savez très bien que je n'étais pas ici l'an passé. Et puis je n'ai pas acheté cette villa, je l'ai louée. Mon mari l'a louée.

Elle joignit les mains sur l'étoffe du drapeau et reprit d'un ton un peu froid :

— Si vous trouvez que ce que je vous disais n'était pas discret, il ne fallait pas vous exposer à m'entendre.

— Je n'ai jamais pensé que vous n'étiez pas discrète, répondit Adrienne qui devint rouge.

— Bon, ne nous emportons pas, fit Mme Legras en roulant son drapeau. Vous tenez à vos secrets, c'est naturel.

Elle ajouta presque aussitôt :

— Moi, je n'ai pas de secrets, c'est encore plus simple. N'en parlons plus.

D'un geste de la main, elle parut effacer quelque chose de devant elle et se leva.

— Vous m'excusez, ma belle. J'ai ma valise à faire. Après goûter, il faut que je passe chez le vétérinaire. Je lui ai laissé mon chien. J'ai trouvé qu'il se grattait un peu trop. Voulez-vous venir avec moi ?

— Je vous remercie beaucoup, fit Adrienne, je ne pourrai pas.

— Alors, au revoir. Sans rancune ?

— Pourquoi, voyons ?

Elles se serrèrent la main. Adrienne rentra chez elle.

III

De bonne heure, le lendemain, la jeune fille fut attirée à la fenêtre par le bruit d'une voiture qui s'arrêtait à la grille de la villa Louise; puis elle vit
Mme Legras sortir de la maison et s'installer dans
le véhicule qui s'éloigna aussitôt. Cette vue lui serra
le cœur. Longtemps après que le silence se fut rétabli dans la rue, elle demeura immobile, les yeux fixés
sur l'endroit où sa voisine était montée en voiture,
comme si quelque chose d'irréparable venait de
s'accomplir et qu'elle n'eût pu croire à l'étendue de
son malheur. Un grand vide se fit en elle. Il fallait
qu'elle vît partir Mme Legras pour se rendre compte
à quel point la compagnie de cette femme odieuse
lui était nécessaire. Elle n'essayait même pas de
s'expliquer une contradiction monstrueuse, elle la
subissait comme on subit quelque chose que l'on ne
se sent pas la force de combattre. En quoi cela
pouvait-il l'aider de connaître l'origine et la nature
de sa servitude, de savoir ce qui l'obligeait à rendre
visite à Mme Legras tous les jours ? Elle préférait
ne pas s'interroger. Cette étrange peur d'elle-même
qu'elle avait éprouvée la nuit où son père était mort,
cette horreur de ce qu'elle pouvait penser et faire la
visitait encore. Seul, par une sorte de magie dont
elle ignorait le principe, le perfide bavardage de

Mme Legras lui donnait un semblant de paix intérieure. Si cette femme s'en allait, comment la jeune
fille pourrait-elle vivre ? Et elle était partie. Il faudrait attendre trois jours entiers avant de la revoir,
trois jours d'une solitude insupportable et d'un
silence où l'épouvante aurait beau jeu, contre lequel
il faudrait lutter sans cesse jusqu'à ce que la voix
monotone et rapide de Mme Legras vînt en rompre
le sinistre enchantement.

Elle s'habilla aussi vite qu'elle put et résolut de
sortir. Il y avait eu un violent orage pendant la nuit
et le temps était frais. Le ciel gris et menaçant semblait toucher les arbres. Il n'était pas huit heures.
A tout hasard elle prit un parapluie et, sans attendre que la cuisinière lui servît son café au lit, elle
sortit.

Dans la rue, elle tourna résolument le dos au pavillon blanc. Ce n'était pas dans cette direction qu'elle
voulait aller, ce n'était pas à cela qu'elle voulait penser surtout. Elle voulait se fatiguer, marcher jusqu'à
ce que ses jambes lui fissent mal, ne plus penser à
rien, ne plus réfléchir à rien, aller, aller à travers la
ville et dans la campagne, et puis revenir chez elle
et dormir. Elle remonta la rue Thiers, tourna à gauche, suivit le mur aux glycines qui sentaient si bon,
et continua tout droit devant elle. Trois minutes plus
tard, elle était sur la place de la petite ville. Des gens
la saluèrent. Elle répondit gauchement et pressa le
pas. Il lui importait peu d'avoir un but de promenade.
L'essentiel était d'être en mouvement. Pourtant elle
voulu éviter le marché où presque tout le monde la
reconnaîtrait. Elle s'engagea dans une ruelle qui longeait l'église et s'arrêta sous le porche d'une maison
pour souffler un instant. Sa peau était moite, elle

enleva ses gants qui lui tenaient chaud et passa son mouchoir sur son nez et ses joues. Elle avait été si vite qu'elle ne savait presque plus où elle était. Au bout de quelques minutes elle reprit sa route et sortit de la ruelle pour tomber dans l'artère principale de la ville. A cette heure-ci la rue était encore assez calme. Des commis ouvraient les boutiques et regardaient passer cette dame qui paraissait si pressée. Elle s'en aperçut et, prise d'une frayeur irraisonnée, rebroussa chemin. Tout se brouillait dans son esprit. Cette fille d'ordinaire si posée avait perdu la tête. Elle se serait mise à courir si elle n'avait pas cru que cela paraîtrait suspect, car au fond d'elle-même il y avait toujours la crainte de faire quelque chose qui pût sembler étrange. Comme elle s'apprêtait à traverser la rue, une voiture qu'elle n'avait pas entendue et qui venait à sa droite la surprit. Elle sauta en arrière et faillit tomber. Dans son émoi, elle regagna la partie du trottoir la plus éloignée de la chaussée et marcha le long des murs. Tout à coup elle leva les yeux et lut sur la porte vitrée d'un magasin le nom d'Ernestine Grand.

Elle s'arrêta. Le magasin était peint en noir avec une devanture assez mal tenue ou s'entassaient sans beaucoup d'ordre des vêtements tricotés en laines pâles, des pantoufles et, accrochés à des portemanteaux, de longs tabliers bleus et rouges. Adrienne se souvint de la mercerie dont lui avait parlé Mme Legras. Assurément, c'était la même. Il lui sembla que d'une manière inexplicable, à peu près comme cela se passerait dans un rêve, elle allait y retrouver sa voisine. Et puis c'était un bon moyen d'échapper à la curiosité des regards qu'elle croyait fixés sur elle. Elle entra.

Un timbre au son triste annonça son arrivée, mais il se passa un bon moment avant que personne ne vînt. C'était un petit magasin sombre avec un long comptoir qui en occupait la plus grande partie, et des tiroirs verts à poignées de cuivre qui recouvraient toute la surface d'une des parois. Une odeur indéfinissable d'étoffe et de moisi saisissait l'odorat. Tous les bruits du dehors arrivaient étouffés, transformés, et la rue dont on n'était séparé que par une épaisseur de verre paraissait infiniment lointaine.

Adrienne s'assit et remit ses gants. Dans le profond silence de la boutique, elle entendit le son de sa respiration en même temps qu'un bourdonnement confus emplissait sa tête, comme il arrivait chaque fois qu'elle se trouvait dans une pièce close, mais son cœur battait moins fort que dans la rue et elle se sentait plus calme.

Une porte s'ouvrit enfin au fond de la boutique et livra passage à une femme qui parut mécontente de voir une cliente de si bonne heure et lança un regard furtif sur le comptoir pour s'assurer que rien ne traînait. C'était une personne sèche et grande, qui marchait sans autre bruit qu'un léger froissement de sa robe noire ; elle salua et vint se placer en face d'Adrienne, de l'autre côté du comptoir.

— Mademoiselle ?

— Je voudrais une bobine de fil blanc, dit la jeune fille d'une voix rapide.

Elle ôta ses gants par contenance et suivit des yeux la mercière qui ouvrait silencieusement un tiroir. Adrienne joignit les mains sur le comptoir avec force comme pour se donner courage. Elle aurait voulu dire quelque chose qui pût amener Mlle Grand à parler de Mme Legras, mais ne trouvait rien. Brusquement, elle entendit la phrase suivante qui sortait de ses lèvres :

— Mme Legras est-elle venue ici hier ?

Elle se tut. Une mortelle seconde passa, puis la mercière referma le tiroir et dit en se retournant :

— Elle est venue avant-hier acheter du fil.

Mlle Grand avait un visage aux traits minces dont la chair semblait morte, comme celle des religieuses qui ne sortent jamais et respirent toute la journée le même air vicié. Elle posa sur le comptoir un tiroir qui contenait des bobines de différentes couleurs et se pencha un peu. Adrienne vit ses paupières blanches et la division de ses cheveux grisonnants qu'elle portait en bandeaux.

— Si Mademoiselle veut choisir..., dit la mercière d'une voix tranquille. Et elle ajouta sans changer de ton :

— Elle m'a dit qu'elle vous connaissait très bien.

— C'est vrai, dit Adrienne avec une sorte d'expansion qu'elle réprima aussitôt. Du bout des doigts elle dérangea plusieurs bobines sans en choisir aucune.

— Elle est partie pour quelques jours, continuat-elle d'un air absorbé. Je l'ai vue hier après-midi. Elle avait un drapeau à coudre. Je l'ai aidée.

— Mademoiselle a été bien éprouvée, reprit la mercière au bout d'un instant. C'est ce que je disais à Mme Legras...

Adrienne leva un peu les yeux et vit les deux mains de Mlle Grand appuyées sur le comptoir. C'étaient de longues mains dont la peau tachetée de brun se ridait sur les phalanges, des mains dures. Elle soupira et prit une bobine qu'elle examina de très près.

— Le mari de Mme Legras est dans le commerce ? demanda-t-elle tout d'un coup en reposant la bobine.

— M. Legras ? fit la mercière.

Elle eut un petit rire tranquille qu'on entendit à peine. Adrienne la regarda.

— Il n'est pas dans le commerce de la soie et du coton ? demanda-t-elle avec une inquiétude dans la voix.

Mlle Grand haussa legèrement les épaules et sourit.

— Je ne connais pas de M. Legras, dit-elle.

— Mais elle m'a parlé de lui hier, elle m'a dit qu'il était dans le commerce de la soie et du coton.

— Je ne vous dis pas qu'elle ne connaît pas quelqu'un dans les filatures...

Adrienne eut un rire nerveux.

— Et alors son mari..., fit-elle.

La mercière inclina la tête de côté et gratta le bord de la boîte du bout du doigt.

— Je ne veux pas être indiscrète, dit-elle enfin.

— Il ne peut pas être question de cela, répliqua la jeune fille en se penchant sur le comptoir. Tout restera entre nous, je vous en donne ma parole.

Pour la première fois, Mlle Grand leva les paupières et attacha ses yeux pâles sur Adrienne. Les deux femmes se regardèrent un instant.

— Il paraît que ce monsieur est assez généreux avec elle, dit la mercière en baissant de nouveau la tête.

— C'est elle qui vous l'a dit ?

— Oui, chuchota Mlle Grand d'une voix à peine perceptible.

On eût dit qu'elle avouait une faute.

— Bien entendu, reprit-elle, elle ne m'a jamais dit que ce monsieur n'était pas son mari, vous pensez bien. Mais enfin, cela se sait, quoiqu'elle ne s'en doute pas. Ici tout le monde est au courant.

223

Adrienne fut atterrée. Elle se souvint de ce que son père lui avait dit de Mme Legras. Vingt petits détails dont elle n'avait pas compris le sens lui revinrent à l'esprit : le fard un peu voyant dont se servait cette femme, ces façons trop vite familières et cette voix, tout ce qui en elle l'avait choquée elle se l'expliquait par ce qu'elle venait d'apprendre. Comment n'avait-elle pas compris plus tôt ? Mais aussi pouvait-elle savoir jusqu'où allait l'impudence de ces créatures qui n'hésitaient pas à se montrer en public, au concert ? Car elle n'hésitait pas à mettre Mme Legras dans la catégorie la plus abjecte. Le front et les joues lui brûlèrent. Jamais elle n'avait été plus vivement atteinte dans son orgueil. Ainsi, elle s'était liée avec une femme des rues. Quelque chose frémit en elle, et elle eut conscience, tout d'un coup, d'être une Mesurat, mais une Mesurat presque déshonorée, presque souillée. Elle laissa retomber son voile sur son visage, prit ses gants et sa bobine et paya sans ajouter un mot.

Dehors, elle sortit la bobine du sac où elle l'avait mise et la jeta au ruisseau.

Il pleuvait doucement, c'était une pluie fine comme un brouillard et qui tombait sans bruit. Cependant Adrienne ouvrit son parapluie et se mit à courir. Il lui importait assez peu, maintenant, qu'on la vît, et elle voulait regagner sa maison par le plus court chemin.

Lorsqu'elle fut de retour chez elle, elle ne prit même pas la peine d'enlever son chapeau et sa jaquette et s'assit dans un coin du salon, le buste en avant et les bras sur les genoux, dans l'attitude d'une personne accablée. Ce qui lui déchirait le cœur, plus qu'autre chose, c'était d'avoir été dupe. Il lui sem-

blait que cette humiliation la tuerait. Sans doute
Mme Legras avait bavardé en ville comme les femmes de sa sorte en ont l'habitude. Elle avait dû exa-
gérer les rapports d'intimité qui existaient entre
elles, colporter mille choses qu'elle avait eu l'impar-
donnable naïveté de lui confier. Comme on avait dû
rire et se moquer d'elles !

Elle se rappela Mme Legras en train de lui dire la
bonne aventure, Mme Legras la questionnant sur les
revenus de son père. Tout cela cadrait si bien avec
l'idée qu'elle se faisait des femmes de cette profession qu'elle se demanda si elle n'était pas folle de
n'avoir pas compris plus tôt. Et chaque souvenir lui
arrachait un soupir d'indignation.

Mais des considérations plus sérieuses vinrent augmenter son alarme. A coup sûr, Mme Legras ne s'était
pas fait faute de parler de la mort de M. Mesurat.
Qu'en avait-elle dit ? Quel rôle avait-elle prêté à sa
fille dans cette histoire ?

Adrienne se leva et fit quelques pas dans la pièce.
Ces mines soupçonneuses de Mme Legras, ces phrases ambiguës dont elle se servait, qu'est-ce que cela
signifiait vraiment ? Ce n'était pas qu'Adrienne n'y
eût pas déjà pensé, mais jusque-là elle s'était bornée
à se dire mollement : « C'est une femme perfide, elle
mène un jeu double », s'interdisant d'aller plus loin
dans ses réflexions de peur de s'apercevoir qu'il faudrait absolument se priver de sa compagnie ; mais
à présent, elle se réveillait. Il fallait que tout cela
finît. Autrement cette femme ameuterait toute la ville
contre elle, la ferait arrêter comme une criminelle.
Et elle se prit à dire tout haut, d'un ton pénétré :
« Une criminelle, moi ! » Cette idée la choqua comme
si elle n'y avait jamais songé jusqu'à ce moment. Sans

doute, elle avait entendu Mme Legras insinuer des choses infâmes, et elle avait eu peur, mais avait-elle cru réellement que cette femme la soupçonnait d'un assassinat ? Si elle l'avait cru, serait-elle allée la voir tous les jours ? N'aurait-elle pas fui plutôt ? A présent, toutefois, il n'y avait plus de doutes à avoir. C'était une femme de mauvaise vie, elle était donc capable des calculs les plus atroces. Que faire ?

Elle s'appuya contre la cheminée et mit les doigts sur ses yeux ; dans la nuit qu'elle créait ainsi, elle vit passer des traits rouges. La pluie tombait plus fort. On l'entendait sur le rebord plombé de la fenêtre entrouverte. Au bout d'un instant Adrienne s'assit au guéridon, le torse penché sur le marbre, n'ayant plus la force de se tenir droite. Elle avait l'impression qu'elle vivait toute seule dans cette maison non pas depuis un mois mais depuis des années. Malgré elle, le visage de son père reparaissait devant ses yeux. Alors elle pensait : « Depuis la mort de mon père, la mort de mon père... » et c'était comme si elle eût jeté sur cet événement un voile qui l'empêchait d'y fixer son attention : cette expression banale la satisfaisait par l'aspect ordinaire qu'elle donnait à la fin terrible de M. Mesurat, refoulant dans sa mémoire une réalité sinistre.

Pour se défendre mieux, elle reporta sa pensée sur le docteur. De la place qu'elle occupait, elle voyait le pavillon blanc, et elle s'abandonna à la contemplation d'un pan de mur et d'un coin de toit avec la joie lasse et triste d'une personne qui est tentée longtemps et cède. Derrière ce mur vivait un homme qui, d'une parole, pouvait la rendre heureuse pour toujours. Elle refit mentalement son portrait. Pourquoi n'allait-elle pas le voir, lui parler ? Pourquoi ? Parce qu'elle avait attendu trop longtemps, et que le moment était passé. Avec la superstition des âmes que la solitude a rendues farouches, elle s'imaginait confusément que tous les actes de sa vie étaient prescrits d'avance par une volonté inconnue et qu'il n'y avait qu'un moment, un seul moment pour agir. Il fallait saisir ce moment au passage, car le temps l'emportait et ne le rapportait jamais. Il y avait une heure, une minute, à laquelle elle aurait dû mettre son chapeau, traverser la rue, aller sonner à la porte du pavillon blanc... Maintenant, elle n'avait plus qu'à vivre comme elle pouvait, avec ses regrets inutiles et son amour qu'elle n'avait pas su faire triompher.

Elle ne se débattait pas, elle laissait le souvenir des espoirs d'autrefois revenir en elle et la déchirer. Il lui semblait bien qu'ainsi elle allait jusqu'au fond de sa douleur comme on va vers un refuge. Là, plus rien ne l'atteindrait.

Et, par une résolution subite, elle se leva et monta à la chambre de Germaine. Cela lui serait, en quelque sorte, une preuve de sa force que d'aller se mettre à cette fenêtre et de regarder ; cela lui montrerait qu'elle n'avait plus peur, qu'elle était résignée, qu'il n'y avait plus en elle cette incertitude faite d'un douloureux espoir et d'une douloureuse appréhension.

Elle pénétra dans la chambre, ouvrit la fenêtre et se pencha, les mains agrippant la gouttière. Des gouttes de pluie tombèrent sur sa peau. Son cœur s'était mis à battre avec ce mouvement précipité qu'elle connaissait si bien et dont la répercussion semblait l'ébranler tout entière. Elle vovait le pavillon et, comme autrefois, son regard alla du toit brillant dans la pluie à l'arbre que le moindre souffle fait trembler ; elle ne voulait pas tout de suite regarder la fenêtre, elle se la réservait comme un plaisir et une épreuve, elle s'efforçait de ne pas la voir.

Il y avait quelqu'un à la fenêtre aujourd'hui. Elle le savait en regardant le toit et l'arbre, et c'était pour cela que son cœur battait, mais cette fois elle ne se retira pas, elle attendit un instant puis abaissa les yeux. C'était un enfant, un jeune garçon de douze ou treize ans qui se penchait par-dessus la barre d'appui et tâchait d'atteindre le bord d'une gouttière avec le bout d'un fouet à toupie. Elle retint sa respiration et suivit ce jeu. L'enfant avançait la main, tenait le manche du fouet du bout des doigts. Il avait les cheveux noirs. Elle ne pouvait voir que sa tête, son visage était baissé, sa bouche posait sans doute sur la barre d'appui. Un tablier à carreaux bleus le revêtait complètement et laissait juste paraître un col rabattu d'une blancheur qui contrastait avec ses cheveux.

Elle demeura immobile jusqu'à ce que l'enfant eût quitté la fenêtre, puis elle se redressa et fit quelques pas dans la chambre. La porte était restée entrouverte ; elle la ferma. Elle ferma aussi la fenêtre, puis elle s'assit sur une chaise. Elle accomplissait ces gestes lentement, comme si elle eût été soucieuse de leur faire suivre un ordre déterminé. Et tout d'un coup, dans le silence étouffant de cette petite pièce, elle s'abandonna à toute la tristesse qu'elle s'efforçait en vain de refouler et des larmes roulèrent sur ses joues.

IV

Quelques minutes plus tard, elle redescendit en courant. Il lui était impossible de rester plus longtemps dans cette maison, elle y avait été trop malheureuse pour qu'elle pût supporter la vue de ces murs et de ces meubles et de tous les témoins de sa souffrance qui la lui rappelaient et la ravivaient sans cesse dans son cœur. Elle s'arrêta dans sa chambre, emplit une petite valise de quelques effets qu'elle y jeta pêle-mêle, prit trois cents francs dans la boîte d'olivier et quitta la villa des Charmes après avoir prévenu Désirée qu'elle serait absente un jour ou deux.

Elle se félicita de cette façon d'agir. Il n'y avait pas cinq minutes qu'elle était en train de se lamenter dans une chambre close. Tout à coup elle s'était aperçue qu'il était stupide de pleurer ainsi, de se laisser accabler par la vie sans essayer de se défendre, et elle allait à présent vers la gare, d'un pas ferme et rapide qui la stimulait, la valise dans une main, son parapluie dans l'autre. Il pleuvait toujours. Tout en marchant, elle écoutait le bruit dur des gouttes sur la soie tendue, s'efforçant d'y reconnaître une sorte de rythme. Il lui semblait que de prêter attention à de petites choses lui montrait sa liberté d'esprit et l'élevait en quelque sorte au-dessus d'elle-même.

Peut-être cela lui avait-il fait du bien de pleurer, elle se sentait à la fois honteuse et plus forte.

En vue de la gare, elle se demanda où elle irait. Le train de Paris ne passait que dans deux heures et demie. Du reste, elle ne voulait pas aller à Paris, elle y avait été plusieurs fois et n'en avait rapporté qu'une sensation désagréable d'étourdissement et de fièvre. Elle entra dans la salle d'attente et consulta un horaire. Dans un quart d'heure elle avait un train pour Montfort-l'Amaury. Quelque chose dans l'aspect de ce nom lui plut et elle prit un billet de seconde à destination de la petite ville dont une affiche de couleur vantait l'intérêt historique. Cela fait, elle se mit à se promener dans la salle d'attente et sur le quai de la gare, tout entière aux projets qu'elle roulait dans sa tête. Une soudaine animation s'emparait d'elle et, lorsqu'elle se savait toute seule, elle prononçait tout haut des phrases qu'elle n'achevait pas et que l'on eût crues adressées à une personne faible et veule qu'il fallait encourager et bousculer un peu.

« Allons, disait-elle à mi-voix, allons vite. (Et elle regardait autour d'elle furtivement.) Il faut en finir. Je ne reste plus ici, je ne peux plus... »

Elle craignit d'avoir dit ces derniers mots un peu trop fort et toussa, mais il n'y avait personne assez près d'elle pour l'entendre. Alors elle eut une sorte de rire qu'elle étouffa dans son mouchoir. Presque au même moment, le train parut.

Les rares voyageurs qui attendaient avec elle sur le quai montèrent en troisième, et elle n'eut pas de peine à trouver un compartiment vide. Lorsqu'elle fut assise sur la banquette de drap bleu et qu'elle se sentit emportée lentement d'abord, puis de plus en plus vite, elle eut une envie de se lever et de chanter. C'était la première fois qu'elle voyageait seule et pour la première fois aussi elle eut l'impression qu'elle était libre. Elle était délivrée enfin de cette contrainte inexplicable dont elle souffrait tant à la villa des Charmes, elle n'avait plus à lutter avec elle-même pour ne pas penser à certaines choses. A mesure qu'elle voyait les arbres, les maisons, tout l'odieux paysage de La Tour-l'Évêque s'éloigner d'elle, elle éprouvait quelque chose qui lui soulevait la gorge mais qui n'était pas l'angoisse de tout à l'heure.

Elle ôta son chapeau qui lui serrait le crâne et ouvrit les deux fenêtres pour chasser la mauvaise odeur du compartiment. Le vent souffla dans ses cheveux, elle renversa la tête en arrière, écoutant les cahots réguliers du train ; ce bruit ne lui était pas désagréable, on eût dit que ce martèlement sourd avait un sens caché et qu'il trouvait en elle un écho profond comme une phrase aux sons monotones et qu'on répéterait indéfiniment pour la faire pénétrer dans l'âme à jamais. Elle s'endormit.

Le train venait d'entrer en gare de Montfort lorsqu'elle s'éveilla. Ce furent le silence et l'immobilité qui la tirèrent de son sommeil. Elle mit son chapeau en toute hâte, prit sa valise et son parapluie et sauta sur le quai. Un employé la voyant regarder de tous côtés d'un air inquiet et un peu effaré lui indiqua la sortie.

Elle se trouva sur une place entourée d'arbres et que la pluie avait détrempée. Une route blanche dont elle ne voyait pas la fin allait tout droit dans la campagne entre des champs et des bois. Elle revint sur ses pas et demanda à un employé où était la ville.

Il fit un geste vers la route et lui répondit qu'elle en avait pour une demi-heure de marche, mais qu'elle pouvait prendre une voiture. Et en effet deux ou trois fiacres attendaient devant la gare.

Elle hésita. La pluie tombait toujours et ne semblait pas devoir cesser de la journée. D'autre part Adrienne n'était pas loin de considérer une course en voiture comme une sorte de luxe. Elle calcula rapidement la dépense que cela représentait : après tout, c'était sur ses économies qu'elle prendrait la somme, et non sur l'argent qu'elle devait toucher tous les mois ; cet argument l'emporta. Elle se dirigea vers un fiacre et monta sous la capote de cuir, après avoir dit au cocher de la conduire à la ville.

Jusqu'aux abords de Montfort-l'Amaury, la route est pavée et bordée d'arbres. A droite et à gauche, le paysage est le même, et le plus morne qui soit par un jour de mauvais temps. Tout ce qu'Adrienne pouvait voir, en se courbant sur la banquette, était une suite ininterrompue de champs verts où le vent et la pluie creusaient des remous. A l'horizon, des rideaux d'arbres irrégulièrement plantés semblaient vouloir se rapprocher pour former des bois, mais sans y parvenir. Un ciel sans couleur ajoutait à la désolation de ce spectacle.

Elle se laissa aller en arrière et cessa de regarder. Au bout d'un moment, elle reconnut au pas du cheval que la voiture s'engageait dans une rue. Elle se pencha et vit des enfants que le bruit attirait aux portes et qui suivaient la voiture d'un regard où Adrienne crut discerner de la méfiance.

Le cocher arrêta son cheval devant l'église. Après le fracas des roues sur les pierres, le silence qui succédait parut étrange et presque désagréable à la

232

jeune fille. Elle descendit. C'était l'heure du déjeuner et il n'y avait personne dans les rues. Comme elle
payait le cocher, elle entendit le cri d'un coq dans
une cour et, sans qu'elle sût pourquoi, elle en eut le
cœur serré de tristesse.

Lorsque la voiture eut disparu, Adrienne songea
qu'elle aurait pu demander au cocher de lui indiquer
un restaurant et un hôtel, et maintenant il lui répugnait d'entrer dans une boutique, de déranger des
gens attablés pour se procurer les renseignements
dont elle avait besoin. A tout hasard elle s'engagea
dans une rue qui descendait en pente assez rapide
et semblait être la grand-rue de Montfort. Toutes les
maisons avaient l'air si anciennes et si tranquilles
qu'elle ne put s'empêcher de les regarder avec une
espèce de curiosité craintive. Elle se retourna et vit
le beffroi de l'église dont les pierres avaient pris par
endroits la couleur indécise de l'eau et où la mousse
traçait des lignes sombres qui semblaient des algues.
Sous le ciel pluvieux, à cette heure silencieuse où tout
paraissait frappé d'une immobilité qui ne devait
jamais cesser, la jeune fille eut confusément l'impression que ce vieux village l'attendait et qu'il l'avait attirée à lui par de secrets et puissants sortilèges.

Elle continua sa route. Un écriteau à l'intersection
de deux rues recommandait un hôtel en même temps
qu'une flèche blanche indiquait le chemin à suivre
pour y arriver : il n'y avait qu'à aller tout droit. Bientôt Adrienne eut dépassé les dernières maisons du
village. Elle marchait à présent sur une route de campagne bordée d'arbres et de taillis.

Au bout de quelques minutes elle crut s'être trompée, mais un second écriteau vint confirmer ce
qu'avait dit le premier, et elle vit en effet, à un tour-

nant de la route, une maison basse et longue d'assez pauvre apparence et qui portait, entre deux fenêtres du premier étage, une inscription en grosses lettres noires : *Hôtel Beauséjour.*

Il y avait deux portes. Adrienne frappa à l'une d'elles sans obtenir de réponse. Par une fenêtre du rez-de-chaussée, elle vit une salle à manger de campagne au carrelage de brique rose. Elle attendit une seconde, puis alla à l'autre porte qu'elle ouvrit sans frapper. Elle entra dans une pièce un peu sombre, ou une longue glace encadrée de noir occupait la paroi opposée à la porte et jetait un éclat blafard. Accoudé à un comptoir de zinc, un ouvrier en cotte bleue buvait un verre de vin en regardant un enfant qui dessinait dans le fond de la boutique, les avant-bras posés sur une table de marbre gris. Tous deux tournèrent la tête en voyant Adrienne.

— La patronne ! cria l'ouvrier.

Elle eut envie de partir, mais au même instant une femme parut dans l'encadrement d'une porte. Les cheveux gris, le visage gras et blanc, elle pouvait avoir une cinquantaine d'années et se tenait les mains sur les hanches, un tablier bleu serré autour de sa taille.

— C'est pour une chambre ? demanda-t-elle.

Et, sans attendre la réponse, elle ajouta d'une voix assez désagréable :

— Il n'y en a plus.

— C'est pour déjeuner, fit Adrienne.

— Bon, répondit la patronne, par ici.

Elle conduisit Adrienne dans la pièce que la jeune fille avait vue par la fenêtre.

— Vous déjeunez maintenant ? demanda la patronne.

— Tout de suite, répondit Adrienne.

234

Elle s'assit à une petite table qu'on avait poussée contre une cheminée et posa sa valise à ses pieds pendant que la patronne jetait une nappe sur la toile cirée. Il faisait froid dans cette salle à manger, mais Adrienne était trop lasse pour songer à s'en plaindre, à s'en aller.

— Si c'est vraiment que vous voulez une chambre, dit la patronne en plaçant une fourchette et une cuiller d'étain devant elle, il m'en reste encore une. Vous avez le temps de la voir avant la soupe.

— Bien, dit Adrienne.

Et, se levant, elle prit sa valise et suivit la patronne. Toutes deux sortirent par une porte au fond de la salle, traversèrent une petite cour et montèrent un escalier de bois blanc entre deux murs peints en vert. Comme elle montait derrière elle, Adrienne regarda les pieds de la patronne dans leurs bas de laine noire, ces chevilles énormes que chaque mouvement de la jupe grise laissait voir et elle eut de nouveau envie de s'enfuir, de redescendre doucement et de regagner la route. Comme elle courrait ! Mais la force lui manquait.

En haut de l'escalier, la patronne ouvrit une porte et montra une chambre dont un lit de fer occupait la plus grande partie ; presque aussitôt elle referma la porte et dit :

— C'est loué à des Parisiens.

Elle remonta un couloir.

— Celle-là aussi, dit-elle en montrant une porte de son pouce.

Arrivée à une troisième porte, elle dit en regardant Adrienne dans les yeux.

— Je peux vous laisser avoir celle-ci jusqu'à demain.

Elle ouvrit. C'était une chambre carrée avec un grand lit de bois et une fenêtre trop petite qui laissait voir un mur crépi à la chaux de l'autre côté de la route, et des têtes d'arbres. Une cuvette était posée sur une table de bois blanc.

— Bon, fit Adrienne.

Elle mit sa valise sur le lit et baissa les yeux devant le regard aigu de la patronne.

— Je prends cette chambre, dit-elle.

Lorsqu'elle redescendit, elle vit l'ouvrier assis non loin de la place qu'elle avait choisie. Il mangeait en lisant un journal. Elle s'assit à son tour et commença le repas qu'on lui apportait, sans pouvoir s'empêcher de jeter de temps en temps un coup d'œil vers la table de l'ouvrier. Ce voisinage lui plaisait. Elle avait besoin de sentir qu'elle n'était pas seule. Devant elle, sur la cheminée de marbre noir, un grand calendrier était appuyé contre une glace qui devenait grise avec le temps.

Adrienne mangeait peu, mais, pour se réchauffer, buvait le vin médiocre qu'on lui avait servi. Dans le silence, elle écoutait le froissement du journal que l'ouvrier pliait et dépliait sans cesse ; parfois il se penchait sur la page avec une sorte d'avidité et portait quelque chose à sa bouche. C'était un homme d'une trentaine d'années ; le visage fardé de plâtre, les yeux brillants et curieux, il essuyait parfois une petite moustache blonde du revers de sa main et observait Adrienne à la dérobée. A un moment, leurs regards se rencontrèrent. Elle voulait voir où il en était de son repas, s'assurer qu'il n'allait pas encore partir. Lorsqu'elle comprit qu'il l'avait surprise, elle rougit et détourna les yeux.

— Mauvais temps pour voyager, dit-il en abaissant son journal.

Adrienne fit un signe de tête.

236

— Vous n'êtes pas de par ici, peut-être ? reprit-il.

Elle se mordit les lèvres. Quel besoin avait-elle de jeter les yeux autour d'elle ainsi ? Comme si cela ne suffisait pas de s'être liée avec une Mme Legras, puis d'avoir été soutirer des renseignements d'une mercière ! Allait-elle engager une conversation avec un plâtrier ? Quelques secondes passèrent qui lui parurent interminables. L'ouvrier ne bougeait pas, ne disait rien. De son côté, elle avait croisé les mains sous la table et demeurait immobile. Tout d'un coup, elle l'entendit qui disait d'une voix lente et ironique :

— Madame voyage.

Il eut un petit rire bref et moqueur, puis un froissement de papier indiqua qu'il raffermissait son journal dans son poing et reprenait sa lecture. Elle se raidit et but une gorgée d'eau.

Quoi qu'elle fît, elle ne put continuer son repas dont tous les plats lui paraissaient insipides ; il lui semblait que les quelques bouchées qu'elle s'était contrainte d'avaler lui restaient au fond de la gorge et l'étouffaient ; cette viande filandreuse, cette purée de pommes de terre cuite à l'eau la dégoûtaient. Le vin seul, avec son âcre et rêche saveur, lui plaisait. Elle en but un verre.

Elle avait eu froid en entrant, elle avait chaud maintenant, presque trop chaud. Elle se leva un peu sur son siège et vit dans la glace embrumée qu'elle était rouge. Le sang montait à sa tête et battait à ses tempes. Elle se rassit. Une subite envie de pleurer l'avait prise, mais ses yeux restaient secs. Ce n'était pas de tristesse qu'elle aurait pleuré, c'était de colère et de colère contre elle-même. Que faisait-elle dans ce restaurant ? S'y trouvait-elle plus heureuse qu'à la villa des Charmes ? Quelque chose étreignait son front juste au-dessus des sourcils. Si les larmes coulaient de ses yeux, assurément cela la soulagerait, mais ces vains efforts pour pleurer la fatiguaient. Elle mit son coude sur la table et appuya sa joue brûlante dans sa main. Ses yeux se fermèrent. Elle eut l'impression que tout changeait autour d'elle. Le bruit que faisait l'ouvrier chaque fois qu'il touchait l'assiette de sa fourchette parvenait à la jeune fille avec un son étrange, un son qu'un bourdonnement continu rendait méconnaissable. Cela dura un instant. Lorsqu'elle rouvrit les yeux, son regard tomba sur le menu griffonné à l'encre violette. Elle le considéra sans pouvoir le lire et, tout à coup, une idée traversa son esprit. Tout à l'heure elle avait vu un crayon sur la cheminée ; elle étendit la main et le saisit, puis elle retourna le menu et écrivit : *Monsieur...*

Mais elle passa un trait sur ce mot, lentement, comme si elle eût pensé à autre chose ; de nouveau elle barra ce mot, d'un geste plus vif, l'oblitérant tout à fait, et brusquement elle traça ces mots : *Ici, à Montfort, le 11 juillet 1908, j'ai été plus malheureuse qu'il ne m'avait jamais été donné de l'être. J'ai été malheureuse à cause de vous. N'aurez-vous jamais pitié de moi ?*

Maintenant, les larmes coulaient sur son visage. Elle plia le papier et le serra dans son corsage. Ces mots qu'elle avait écrits la délivraient, en quelque sorte, et elle se sentait un peu mieux. Elle poussa un soupir et se moucha.

Lorsque la patronne entra, apportant un morceau de fromage et des fruits, Adrienne lui annonça d'une voix assez ferme qu'elle avait changé d'avis et ne resterait pas, le temps était trop mauvais. Sans toucher à son dessert, elle paya et monta chercher sa valise.

Dans la petite chambre aux murs crépis, elle eut un mouvement de joie comme si elle échappait à un danger. Elle se plut à imaginer l'horreur de cet endroit au crépuscule, alors qu'elle en serait loin. La nuit viendrait doucement par cette fenêtre trop petite qui ne laissait voir qu'un long mur et des arbres luisants dans la pluie. Quelles heures aurait-elle passées dans ce lit à édredon rouge, au fond de cette maison solitaire, si triste déjà, par ce jour de mauvais temps ? Elle saisit sa valise et sortit en courant.

Comme elle traversait de nouveau la salle à manger et se dirigeait vers la porte, elle entendit la patronne qui parlait à l'ouvrier en lui servant son café. Elle ne les regarda pas, mais elle sentit que leurs yeux la suivaient avec une curiosité hostile, et elle entendit ces paroles prononcées par la femme en tablier :

— J'en étais sûre, celle-là...

V

Elle ouvrit son parapluie et se mit à courir malgré sa fatigue. Elle s'étonnait de pouvoir aller si vite,
de pouvoir faire ces grandes enjambées. C'était
comme si elle était emportée par un mouvement dont
elle n'était plus maîtresse, comme si elle fuyait
devant quelqu'un dont elle entendait les pas derrière
elle. En quelques minutes, elle parvint à l'église
qu'elle regarda hâtivement, sous la soie trempée de
son parapluie. Ces pierres vertes sur lesquelles un
fleuve semblait avoir passé, ces dalles devant le porche que la pluie venait battre lui parurent tout d'un
coup si lointaines, si étrangères à ce qu'elle était elle-
même qu'elle en reçut un choc. Elle éprouva brusquement un sentiment jusqu'alors inconnu : l'indifférence complète de tout à l'égard de ce qui se passait
en elle, l'indifférence de cette église et de cette place
à sa douleur, l'indifférence de millions de gens à son
sort. Son cœur se serra à la pensée de sa solitude.
Elle traversa la place et entra dans un café pour parler à quelqu'un.

Il n'y avait personne, mais elle eût été surprise de
trouver quelqu'un. Cette petite ville froide et avare
ne montrait pas volontiers ses habitants, mais les
cachait au fond de ses maisons. Elle appela. Un
homme parut au bout d'un instant. Il s'était levé de

table pour venir et s'essuyait la bouche. On lisait dans ses yeux l'ennui d'avoir été dérangé.

— Vous désirez ?

— Où dois-je m'adresser pour louer une voiture ?

— Vous allez à la gare ? Attendez jusqu'à quatre heures. Toutes les voitures vont à la rencontre du train de Dreux.

— Il m'en faut une maintenant, repartit Adrienne. Où dois-je m'adresser ?

L'homme appuya un poing sur le marbre d'une table.

— C'est moi, le loueur, madame, dit-il d'une voix impatiente. Vous n'avez pas de train pour Paris avant quatre heures.

— Je ne vais pas à Paris, je vais à Dreux, fit Adrienne qui s'échauffait.

Elle avait décidé cela tout d'un coup, et ajouta :

— Il doit y avoir un train vers deux heures.

Il la regarda une seconde, puis fit un geste d'insouciance et lui tourna le dos.

— Une course comme ça, ça n'en vaut pas la peine, fit-il en s'éloignant. Il faut qu'on me paie mon retour.

Elle reprit sa valise qu'elle avait posée sur une table et dont le cuir noir ruisselait d'eau. L'angoisse lui serra la gorge. Cette longue route qu'elle avait à refaire à pied lui parut une épreuve trop forte et qu'il fallait pourtant accepter. Le mieux était d'aller vite. Elle sortit et traversa la place presque en courant, car elle avait remarqué que plus elle marchait vite, moins elle sentait sa fatigue.

La pluie cessa comme Adrienne quittait le village et s'engageait sur la grand-route. Une brise fraîche soufflait, mais les blés chargés d'eau demeuraient immobiles ; seule, l'herbe courte des fossés se creusait et se divisait, sous le vent, semblable à des cheveux où des mains invisibles auraient couru. Un profond silence s'étendait sur la campagne déserte. La jeune fille marchait, résolue à ne pas relever la tête pour ne pas voir la longueur décourageante de cette route. Le bruit de ses talons sur les pierres l'occupait. Parfois elle changeait sa valise de main, mais bientôt ses réflexions lui firent perdre la notion du mouvement et de la fatigue et elle arriva en vue de la gare beaucoup plus tôt qu'elle ne l'eût cru possible.

Il n'y avait pas de train pour Dreux avant trois heures, et elle dut attendre dans une buvette aux abords de la gare. C'était une petite maison toute neuve où rien n'avait eu le temps de se salir. Le billard sentait le vernis. Le marbre des tables avait encore son poli. Sur l'une de ces tables, un tourniquet de cartes postales grinçait sur son axe lorsqu'on le poussait du doigt. Adrienne s'assit près des cartes après avoir commandé une tasse de café et ôta son chapeau qu'elle secoua sous la banquette lorsqu'elle fut seule. Son mal de tête lui battait tour à tour les tempes et le front, comme un oiseau affolé. Ses vêtements mouillés lui tenaient trop chaud. Elle frissonna plusieurs fois. Pour se distraire, elle se mit à regarder les cartes et ne put s'empêcher de remarquer combien était fausse l'idée qu'elles donnaient de Montfort. Rien n'était plus riant que ces vieilles rues sur les bords desquelles des arbres se penchaient. Et cette église qu'elle avait vue, glauque et sinistre sous la pluie, comme elle paraissait innocente ! Il y avait près du tourniquet un sous-main, un encrier et une plume. Elle choisit une vue de l'église et, sans hésiter, comme elle

eût accompli un geste naturel et presque incons-
cient, elle écrivit l'adresse du docteur au verso de
la carte. C'était la première fois qu'elle traçait ce
nom et lorsqu'elle eut fini l'adresse elle s'arrêta,
étonnée de ce qu'elle lisait.

L'idée lui vint d'écrire au docteur, de lui envoyer
cette carte, mais sans la signer. De cette façon, elle
pourrait lui dire n'importe quoi. Jamais il ne saurait
d'où cela venait. Que n'y avait-elle songé plus tôt !
Elle pouvait lui dire qu'elle l'aimait, se libérer ainsi
du poids qui l'étouffait.

Comme la servante lui apportait sa tasse de café,
elle lui demanda une enveloppe, et se mit aussitôt
à écrire ce qui suit :

« *Je vous aime et vous n'en savez rien, mais si vous
saviez ce que j'ai souffert pour vous je crois que vous
auriez pitié de moi.* »

Elle s'arrêta. Ces mots disaient mal ce qu'elle ressentait et elle en eut quelque surprise, s'imaginant
que du premier coup elle exprimerait parfaitement
une émotion aussi nette. Elle poursuivit :

« *Je suis tellement malheureuse que cela seul
devrait vous forcer à m'aimer.* »

Mais cette pensée lui parut fausse avant même
qu'elle eût fini de l'écrire et elle murmura :
« Pourquoi ? »

« Cela ne fait rien, se répondit-elle intérieurement,
il ne saura jamais qui lui a écrit cette carte. »

« *Je vous aime,* continua-t-elle, *c'est tout ce que je
peux vous écrire, mais mon cœur est plein de vous
et je ne cesse de penser à vous en pleurant.* »

Et elle pleurait vraiment en traçant ces derniers
mots.

Elle prit l'enveloppe que lui donna la servante, y

glissa la carte et écrivit l'adresse du docteur; puis elle but son café, et attendit l'heure du train.

Dreux est une petite ville commerçante où se tiennent les marchés les plus importants de la région. Lorsque Adrienne eut descendu l'avenue de la gare et atteint la mairie, elle dut se glisser entre les voitures qui barraient la rue et encombraient tout un coin de la place. Des charretiers en blouse causaient entre eux et formaient de petits groupes autour des veaux et des porcs dont le sort se jouait dans ces discussions interminables. Tous les trottoirs étaient occupés par des paysannes qui offraient leurs volailles à l'examen des passants, tandis que le centre de la place, malgré la boue et les mares d'eau brune que la terre saturée n'absorbait plus, était la proie de merciers et de marchands de légumes. Une foule indifférente circulait lentement entre les étalages, sollicitée par les cris monotones qu'elle semblait ne pas entendre.

Adrienne ne se dépêcha pas de traverser la place. Il lui plaisait de se sentir coudoyée par ces gens qu'elle n'avait jamais vus et qui la forçaient à les suivre, à piétiner avec eux le sol détrempé, comme si tout d'un coup elle faisait partie d'une procession, qu'elle s'y perdait, qu'elle oubliait tous ses soucis et tout ce qui la distinguait des autres, pour devenir comme ces hommes et ces femmes aux visages fermés. Elle sentit sur ses traits l'expression à la fois morne et défiante qu'elle rencontrait partout autour d'elle, et, sans qu'elle pût s'expliquer comment, cet état d'esprit la reposait.

Insensiblement elle contourna un édifice trapu, orné de statues et qu'elle prit pour une église. De là, elle gagna une rue et, encore étourdie par le tumulte du marché, elle la remonta, jetant les yeux à droite et à gauche vers les boutiques avec une sorte d'intérêt factice qui lui faisait dire intérieurement : « Tiens, des montres ; une boulangerie », comme si elle se fût crue obligée de profiter de son voyage pour tout remarquer et s'instruire.

Dans cette fin d'après-midi sans soleil les maisons de la grand-rue prenaient un aspect maussade avec leurs fenêtres aux rideaux relevés, soucieuses de recueillir jusqu'à son dernier rayon une lumière qui ne coûtait rien. Sur presque toutes les portes, une petite plaque de métal indiquait en lettres fines un nom qui semblait veiller sur le seuil contre les intrusions d'étrangers. Les toits à pente rapide tombaient bien bas sur les fenêtres du premier étage comme un chapeau dont on rabat le bord sur ses yeux pour n'être pas reconnu. La même expression de défiance se retrouvait sur ces maisons que sur les visages qu'Adrienne avait vus tout à l'heure. Elle le sentit et pressa le pas. Pour rien au monde elle n'eût demandé qu'on lui indiquât un hôtel, elle préférait chercher au hasard et provoquer ainsi dans les yeux des passants des interrogations muettes, presque hostiles.

Tout en haut de la rue, elle en trouva un. C'était une maison plus pauvre quoique plus grande que ses voisines et qui perdait tout caractère du fait que sa porte demeurait ouverte. Elle jeta un coup d'œil sur la façade où des lettres d'une grandeur indécente proclamaient le nom de l'hôtel, où les fenêtres trop étroites et trop nombreuses donnaient un air de fragilité à tout l'édifice. Elle entra. Une flamme bleue éclairait mal un long couloir qu'elle suivit jusqu'à un bureau où une grosse femme lisait un journal près d'une lampe. Il sembla à la jeune fille qu'elle s'était engagée dans une espèce de labyrinthe d'où elle ne pourrait plus sortir. Par une porte entrouverte, elle vit une longue salle à manger plongée dans la demi-obscurité du soir, mais où elle distingua très bien les petites tables aux nappes blanches groupées autour de l'immense table ovale réservée aux hôtes de passage. Ce fut comme si quelque chose lui disait : « Ta place est là. » Elle demanda une chambre.

La grosse femme jeta un numéro et tendit une clef à un garçon qui prit la valise d'Adrienne et s'engagea dans un escalier. Adrienne le suivit. Ils montèrent deux étages, suivirent un corridor et s'arrêtèrent devant une porte que le garçon ouvrit.

— Voilà, fit-il, comme il posait la valise au pied du lit.

Adrienne dut faire un effort sur elle-même pour entrer. Cette chambre étroite et tapissée de rouge sombre lui parut affreuse. En passant le seuil, elle se rappela sans savoir pourquoi le visage de l'enfant qu'elle avait vu à la fenêtre du docteur, un visage trop pâle, presque blanc, et elle eut l'impression indéfinissable que cet enfant entrait avec elle.

Lorsque le garçon eut refermé la porte derrière lui, elle alla au fond de la pièce et se tint debout, les mains sur une petite table placée sous la fenêtre. Elle ne pouvait voir que les toits des maisons d'en face et un ciel incolore qui s'assombrissait de minute en minute. Cette vue lui serra le cœur et elle sentit les larmes monter à ses yeux, mais elle se domina. « Il ne faut pas que je me laisse aller », murmura-t-elle. Sous ses doigts, la peluche du tapis de table était

246

molle ; ce contact lui déplut, et elle retira ses mains comme si elle les eût posées sur quelque chose de malpropre.

Elle s'assit dans un fauteuil au dos arrondi et regarda les meubles de sa chambre ; ils étaient extrêmement modestes. Un grand lit de fer peint en noir et recouvert d'un édredon rouge en occupait la plus grande partie ; dans un autre coin, et près de la porte, une petite armoire à glace comme les grands magasins en produisent par milliers renvoyait la triste image d'un mur rayé de rose et de rouge et d'une cuvette sur une sorte de trépied de fer. C'était tout. Du tapis et des rideaux s'exhalait une légère odeur de poussière. Adrienne se leva ; elle ne voulait pas se laisser gagner par ce qu'il y avait de sordide et de mélancolique dans cette pièce. D'autre part, elle était lasse et ne se sentait pas la force de chercher une chambre meilleure. Il était cinq heures passées. Après avoir réfléchi un instant, elle entrouvrit la fenêtre, ôta ses bottines et s'étendit sur le lit pour y reposer jusqu'au dîner.

Elle s'était glissée sous l'édredon et s'efforçait de dormir, mais son mal de tête l'en empêchait. Depuis quelques minutes, une idée ne la quittait plus, une idée folle qu'elle avait portée en elle tout le long de l'après-midi et qui se faisait jour, enfin, dans son cerveau. Pourquoi donc avait-elle si chaud ? Était-ce cela, la fièvre ? Sa joue brûlait. Elle frissonnait dans la rue parce qu'il y faisait trop frais, mais d'où venait qu'elle tremblait ainsi sous ce pesant édredon de plume ?

— Allons, allons, dit-elle à mi-voix pour chasser une pensée qui la hantait, mais elle n'y parvenait pas. Plus elle faisait effort pour se libérer, plus elle se sen-

247

tait envahie par une crainte abjecte qui grandissait en elle. Elle ferma les yeux et, croisant les mains sous l'édredon, elle s'appliqua à réfléchir à autre chose, mais son imagination ne lui obéissait plus et l'entraînait malgré elle là où elle redoutait d'aller. Tout d'un coup, la jeune fille se retourna, la face contre l'oreiller, et colla ses mains à ses oreilles. Trop de souvenirs lui revenaient à la mémoire, elle en était comme étouffée. Elle aurait voulu s'anéantir dans un sommeil profond, perdre conscience d'elle-même pendant des heures, peut-être des jours, pour échapper à une vision qui la poursuivait depuis le déjeuner et qui l'avait enfin rattrapée, conquise.

Elle revoyait sa sœur le matin de sa fuite. Sous un chapeau trop grand et qui n'avait pas l'air de bien tenir, le visage de Germaine était empourpré de fièvre. Ses yeux cerclés de noir brillaient comme s'ils eussent été pleins de larmes. On voyait bien pourtant qu'ils étaient secs. Mais l'étaient-ils ? Est-ce que, dans un instant, Germaine n'allait pas pencher un peu la tête de côté et pleurer en étendant les bras ? Alors Adrienne reculerait pour ne pas permettre à cette malade de la toucher, de respirer près de son visage.

Et, brusquement, les mots qu'elle retenait en elle depuis si longtemps lui montèrent aux lèvres et s'échappèrent de sa bouche en un sanglot : « J'ai attrapé le mal de Germaine ! » Elle se tordit sur le lit et se renversa sur le dos en portant les poings à sa bouche. Sur l'oreiller, sa tête allait de droite à gauche et elle poussait de petits cris qu'elle essayait en vain d'étouffer dans son mouchoir.

Elle sauta à bas de son lit et courut à l'armoire. Ses joues étaient rouges, et le désordre de sa coif-

fure ajoutait à son air épouvanté. Des larmes tremblaient au bord de ses cils. Un instant elle se regarda
dans la glace, puis marcha jusqu'à la fenêtre. Il faisait
beaucoup plus sombre, mais pas une boutique n'était
encore éclairée. Des gens revenaient du marché par
petits groupes, sans échanger une parole ; un écho dans
la rue augmentait le bruit monotone de leurs grosses
chaussures sur la pierre. Elle ouvrit violemment la
fenêtre et se pencha dehors. Une abominable tristesse
pesait sur cette ville ; cependant elle ne pouvait pas
s'enfuir, elle était prise, il fallait rester à Dreux, y passer une longue nuit. Pourquoi donc avait-elle jamais
quitté La Tour-l'Évêque ? Mais il lui semblait qu'elle
avait fait ce voyage malgré elle-même et que quelque
chose de tout-puissant l'y avait contrainte.

Comme elle laissait pendre une main sur sa jupe,
elle sentit que ses vêtements étaient humides. Dans
son affolement, elle n'y avait pas songé. Sa jaquette
qu'elle n'avait pas ôtée était mouillée sur les manches et les épaules. Elle tâta ses pieds ; ils étaient gla-
cés. L'idée lui vint de se déshabiller tout à fait, de
se frictionner avec une serviette et de se coucher,
mais la perspective de demeurer enfermée dans cette
chambre jusqu'au lendemain l'épouvanta. Elle résolut de sortir, au contraire, et d'aller s'acheter des
médicaments chez un pharmacien. Cette décision
la calma ; au moins elle allait pouvoir parler à
quelqu'un et se décharger un peu le cœur.

Elle glissa un peu de papier dans ses bottines avant
de les mettre, car elles étaient trempées, et sortit.

Il ne faisait pas aussi froid qu'elle l'aurait cru et
les trottoirs étaient déjà secs. Après avoir suivi la
grand-rue quelque temps, elle trouva une pharma-
cie. Sans hésiter, elle poussa la porte. Sa timidité le

cédait au désir de se rassurer, de guérir, si cela était encore possible. Il n'y avait pas une seconde à perdre, mais, dès qu'elle fut en présence du pharmacien, un vieillard, elle ne sut plus ce qu'elle voulait lui dire. Comment lui expliquer ses craintes ? Il la renverrait à un docteur. Elle lui dit simplement qu'elle avait un rhume et regretta ces paroles comme elle les prononçait. Pourquoi ne pas dire la vérité ? Ce mensonge la perdrait peut-être.

— Croyez-vous que ce soit grave ? demanda-t-elle, la tête bourdonnante.

Il la regarda comme si elle était folle.

— Grave ? répéta-t-il. Depuis quand avez-vous cela ?

Elle lui expliqua qu'elle avait la fièvre depuis midi. Il baissa la tête et disparut derrière un grand meuble surchargé de boîtes et de bouteilles. Un moment elle l'entendit qui ouvrait des bocaux et jetait des poids dans une balance. C'était un petit homme barbu, courbé par l'âge et qui apportait à tous ses gestes une précision irritante. Elle s'assit, puis se leva et le regarda entre les bouteilles. Dans un carré de papier, il avait mis un peu de poudre blanche qu'il faisait tomber dans un plateau de la balance avec une soigneuse lenteur.

— Ce ne sera rien sans doute, dit-elle d'une voix que l'émotion altérait un peu.

Il ne répondit pas tout de suite.

— Je vais vous donner un sirop, dit-il lorsqu'il eut pesé sa poudre.

Quelques secondes passèrent encore. Il fit son paquet, le cacheta, y mit une prescription illisible. Puis il prit une bouteille couleur de groseille et en examina l'étiquette.

— Alors, vous pensez que cela ne durera pas ?

demanda Adrienne avec un effort pour paraître détachée.

Il avait posé une main sur la bouteille et leva vers Adrienne des yeux méfiants ; sans doute craignait-il qu'elle ne se ravisât.

— Cela dépend de la manière dont vous vous soignerez, dit-il. Ces affections-là ne s'enraient qu'au début.

— Mais je m'y prends à temps, répondit Adrienne en riant comme pour s'excuser de ce qu'il pouvait y avoir d'enfantin dans son inquiétude.

— Vous avez peur que ce ne soit autre chose qu'un rhume ? Êtes-vous allée voir un médecin ?

Elle secoua la tête.

— Oh ! je ne suis pas si malade, vous savez.

Ces paroles sonnèrent à ses oreilles comme un glas : elle les avait bien souvent entendues dans la bouche de Germaine. Elle prit la bouteille des mains du pharmacien et en demanda le prix :

— Quatre francs, dit-il.

Et il ajouta aussitôt devant la mine un peu surprise d'Adrienne :

— Il n'y a pas de grande maladie qui n'ait un petit commencement. Ce que vous dépensez d'un côté, vous le retrouverez d'un autre. Avec ce sirop et cette poudre, vous pouvez être tranquille.

C'était ce qu'elle voulait s'entendre dire. Elle paya les médicaments et sortit.

Il y avait quelques minutes qu'elle avait dîné, mais elle restait assise à la petite table qu'on lui avait donnée, près d'une fenêtre. Elle ne se décidait pas à se lever pour remonter à sa chambre à travers ces longs corridors étroits. Déjà, avant dîner, elle ne s'en était pas senti la force et elle avait passé une heure dans un salon mal éclairé où des gens entraient, la regardaient d'un air curieux, puis ressortaient après avoir dérangé le monceau de revues qui jonchaient une table de faux ébène.

Elle avait pris son sirop et sa poudre et allait mieux. Les paroles du pharmacien avaient quelque peu apaisé ses craintes, mais elle était énervée par la solitude dans laquelle elle avait vécu depuis le matin. Sans cesse la même question revenait à son esprit. Pourquoi était-elle là ? Qu'avait-elle gagné à quitter La Tour-l'Évêque ?

L'un après l'autre, les dîneurs quittaient la salle à manger. Un jeune homme à lorgnon qui avait pris son repas non loin d'elle la salua d'une légère inclination de tête en sortant. Elle répondit. Volontiers elle eût parlé à quelqu'un, même au garçon qui la servait et jetait quelquefois les yeux de son côté comme pour lui faire comprendre qu'il était tard et qu'elle devait s'en aller, même à l'ouvrier de Montfort, maintenant.

Elle se leva enfin et se dirigeait vers la porte quand l'idée lui vint de sortir. Il ne pleuvait plus depuis une heure et ses vêtements étaient secs. Au moins elle retarderait ainsi la minute odieuse où il faudrait rentrer dans sa chambre. Elle mit ses gants, déposa sa bouteille et sa poudre au bureau et sortit.

Dehors, elle se félicita de l'idée qu'elle avait eue de faire une promenade. Il n'était pas encore neuf heures et la nuit était splendide. La rue était inondée de cette lumière étrange que donne la lune à son apogée, trop blanche, presque verte. Pas un nuage n'obscurcissait le ciel et, comme si ce spectacle dût inspirer le respect à la terre, la petite ville était plongée dans le silence.

252

Adrienne descendit la rue sans rencontrer personne. Parvenue à la place du Marché, elle s'arrêta, saisie à la vue du changement que l'heure apportait à cet endroit qui lui avait paru d'abord si morne et si laid. Toutes les baraques des merciers et des marchands de légumes avaient été enlevées ; les voitures étaient parties. La place était vide, couverte de grandes mares dans lesquelles la lune voyageait lentement. Un bâtiment moderne la limitait au nord, puis de petites maisons et des arbres lui faisaient une sorte de ceinture jusqu'à l'édifice qu'Adrienne avait pris pour une église, à cause des sculptures dont il était orné, mais qui n'était que le reste d'un ancien hôtel de ville ; il présentait l'aspect d'une tour de donjon coiffée d'une poivrière et, dans le clair de lune, donnait à cette place un air romantique dont la jeune fille fut frappée.

La beauté du lieu la saisit et lui procura un moment de paix pendant lequel elle oublia ses soucis. Une minute, elle se tint immobile pour ne pas rompre du bruit de ses pas le merveilleux silence de la nuit. Et, par un subit retour sur elle-même, elle se souvint de certaines journées d'enfance. Il y avait des heures où elle avait été heureuse, mais elle ne s'en était pas rendu compte et il avait fallu qu'elle attendît cet instant de sa vie pour le savoir ; il avait fallu que sa mémoire lui rappelât cent choses oubliées, devant cette tour en ruine que la lune éclairait, des promenades qu'elle avait faites dans les champs, ou des conversations qu'elle avait eues avec des camarades, dans le jardin du cours Sainte-Cécile. Ces souvenirs lui revinrent sans ordre, mais si brusquement qu'elle en éprouva un choc et, ce soir, elle se sentait si faible qu'il suffisait de peu pour l'attendrir. Pourquoi donc ne connaissait-elle plus ce bonheur si largement dispensé à d'autres ? Et elle eut un douloureux élan vers cette chose qu'elle ne possédait plus et que le souvenir rendait si belle et si désirable.

Elle poussa un soupir et fit quelques pas sur le trottoir qui contournait la place. L'horloge de la mairie sonna neuf heures, puis celle de l'église. Des chiens aboyèrent au loin. Elle s'arrêta et, levant la tête, regarda les étoiles. Il y en avait tant que, même en choisissant une petite portion du ciel, elle ne parvenait pas à en dénombrer les astres. Ces myriades de points tremblaient devant ses yeux comme des poignées de minuscules fleurs blanches à la surface d'une eau toute noire. Elle se rappela une chanson qu'on lui faisait chanter en classe :

... le ciel semé d'étoiles...

Il fallait que la voix montât tout d'un coup pour le mot *étoiles* et ces trois notes, si difficiles à attraper, si lointaines, exprimaient une sorte de nostalgie si douce qu'en s'en souvenant elle eut le cœur déchiré. Elle porta ses mains à ses yeux et pleura.

Au bout d'un instant elle reprit sa route et s'engagea dans une rue qui débouchait sur la place et qu'elle pensait être la grand-rue. Mais elle s'aperçut bientôt de son erreur. La rue qu'elle suivait menait hors de la ville. Elle revint en arrière, prit une autre rue au bout de laquelle elle vit se dresser la silhouette de la grosse tour et, pour être sûre de ne pas se tromper, elle résolut de se rendre encore une fois sur la place d'où elle pourrait plus facilement retrouver son chemin.

Elle marchait avec lenteur, peu soucieuse de retourner à sa chambre, et, comme elle passait devant un café, un ouvrier en sortit. C'était un jeune homme. Elle eut le temps de voir son visage violemment éclairé par la lumière blafarde, ses yeux dont le blanc brillait, ses joues imberbes, un peu maigres. Il s'arrêta en la voyant et la regarda, les mains aux poches. Elle traversa aussitôt et se mit à marcher un peu plus vite, lorsqu'elle l'entendit venir derrière elle. Sur la pierre, ses pieds chaussés d'espadrilles faisaient un bruit à peine perceptible ; son pas était rapide. Elle prit peur parce qu'il ne disait rien ; s'il eût crié une insulte ou une menace, elle en eût éte rassurée, lui semblait-il. Un instant, elle eut l'idée d'appeler au secours, mais la crainte du ridicule l'en empêcha. De même, elle n'osait courir ; cela donnerait plus d'audace, peut-être, à cet homme. Elle pressa le pas, fit de grandes enjambées et, au lieu de continuer tout droit jusque sur la place, prit une ruelle, la première qu'elle rencontra à sa droite.

Ce fut là qu'il la rejoignit. Elle se retourna brusquement, le dos au mur, et souffla : « Allez-vous-en ! » Mais il se tenait immobile devant elle. Sa casquette posée de côté sur sa tête laissait échapper des cheveux noirs qui luisaient comme du métal. Ses traits étaient fortement marqués, ses yeux noirs autant qu'on pût en juger. Une cravate rouge flottait lâchement autour de son cou dont elle accentuait la blancheur. Il rit à voix basse.

— De quoi avez-vous peur ? demanda-t-il.

La main d'Adrienne se crispa sur son parapluie. Elle reprit :

— Laissez-moi tranquille, ou j'appelle.

Le jeune homme la regarda une seconde, puis haussa les épaules.

— Je ne voulais pas vous faire de mal, dit-il.

Et il s'en alla. Elle l'entendit qui s'éloignait en sifflant une valse à la mode. Tout d'abord, elle se félicita de s'être si bien tirée d'affaire, puis brusquement un regret immense l'envahit. Dans sa solitude quelqu'un était venu à elle et elle l'avait repoussé. Était-ce parce qu'il portait une cotte et qu'il l'avait abordée sans la connaître ? Ah ! qu'est-ce que cela pouvait faire ? Elle se souvint de sa voix un peu grave, presque tendre, comme de quelque chose de déjà si loin que jamais elle ne pourrait le retrouver. Si cet homme revenait, elle lui parlerait sûrement, mais reviendrait-il ? Ne l'avait-elle pas découragé ?

Elle remonta la ruelle dans la direction qu'il avait prise mais, arrivée au bout, deux rues divergentes s'offrirent à son choix. Maintenant, elle n'entendait plus rien, il ne sifflait plus. Elle s'engagea dans une des rues, un peu au hasard, et marcha plus vite. Son cœur battait. Elle murmura : « Si jamais il se retrouve sur mon chemin, il me parlera et je répondrai. » Par un détour qu'elle n'avait pas prévu, la rue la mena sur la place. Un coup d'œil lui permit de voir qu'il n'y avait personne. Il avait dû prendre l'autre rue. En courant elle le rattraperait peut-être, mais courir ! Cette pensée la força de réfléchir un instant à ce qu'elle faisait. Il lui sembla que le regard méfiant de Germaine était posé sur elle. Elle s'appuya aux barreaux d'une boucherie et souffla un peu. Maintenant elle faisait ce dont son père et sa sœur l'avaient accusée à tort, autrefois ; elle courait après un homme, et il lui sembla qu'à cet acte se communiquait d'une façon mystérieuse la laideur de la scène qu'elle avait dû subir, lorsque le vieillard et la malade l'avaient interrogée, tourmentée, et qu'elle avait deviné au fond de leurs yeux avides de sales pensées

256

que leurs lèvres n'osaient pas tout à fait exprimer. Puis, tout à coup, quelque chose en elle emporta ces scrupules. Elle se vit dans une solitude sans nom, privée des amitiés les plus ordinaires. Elle ne voulait pas faire le mal, mais parler seulement, et entendre le son d'une voix qui répondrait à la sienne, ne pas rentrer à son triste hôtel sans avoir rompu le silence de la journée autrement que par des *merci* et des *bonjour*. La seule pensée de la chambre où elle aurait à passer la nuit lui parut une excuse à ce qu'elle était en train de faire.

Elle cessa de s'interroger et continua sa route, prenant à présent une rue qu'elle jugeait devoir la rapprocher de lui. Elle courut, cela l'empêchait de réfléchir. Ses pas résonnaient dans le silence de la nuit avec un bruit qui l'alarma et elle s'efforça de courir sur la pointe des pieds, mais sa fatigue augmentait de seconde en seconde ; de plus, elle ne reconnaissait pas du tout son chemin, elle s'aperçut qu'elle allait au hasard et qu'il était tout à fait inutile de continuer. Pourtant elle ne s'arrêta pas, elle suivit la rue jusqu'au bout, en prit une autre et se trouva bientôt sur une sorte de cours planté de platanes dont le feuillage épais conservait encore et répandait dans l'air l'odeur et la fraîcheur de la pluie. Là, la terre détrempée, les flaques d'eau interrompirent sa course. Elle s'assit sur un banc.

Son cœur battait douloureusement, avec de grands coups qui se répercutaient dans tout son corps ; elle pouvait en sentir la violence jusqu'au fond de ses entrailles et dans les artères de son cou. « J'ai couru trop vite », souffla-t-elle. Elle se courba en deux, et s'appuya, les deux mains sur la poignée de son parapluie qu'elle avait planté en terre, comme une vieille femme exténuée. Stupidement, elle regardait ses bottines et le bas de sa robe de serge noire que la boue avait tachée. De sa bouche entrouverte s'échappait un souffle qui ressemblait à une plainte, sa langue était rêche. Elle resta ainsi quelques minutes, incapable de se lever malgré les frissons qui la parcouraient et l'air frais qui séchait dans son cou les gouttes de sueur roulant sur sa peau. Une horrible fatigue pesait sur ses épaules; c'était comme si on lui eût enfoncé la pointe d'un bâton dans chaque omoplate. Sa tête était vide.

Elle se leva enfin et retrouva sans savoir comment le chemin de son hôtel.

Au bureau de l'hôtel, elle prit sa bouteille et sa poudre et monta péniblement à sa chambre et, là, posant ses médicaments n'importe où, elle se jeta sur son lit sans même prendre la peine d'allumer le gaz. Jamais elle n'avait eu envie de dormir comme ce soir. Le moindre geste lui coûtait un effort, mais elle bénissait cette lassitude grâce à laquelle tout se brouillait dans son cerveau; elle eût été incapable de former une phrase intelligible.

Presque tout de suite elle tomba dans le plus profond sommeil. Elle s'était étendue sur l'édredon qui se relevait tout autour de son corps comme des sortes de vagues arrondies et immobiles. Sa tête en se posant sur l'oreiller avait fait glisser son chapeau en arrière. Elle avait replié ses jambes sous elle et tenait les bras allongés et les mains croisées l'une sur l'autre. Tout dans sa personne dénotait un état d'épuisement complet. Elle respirait mal; son visage était à moitié enfoui dans l'oreiller, mais sa poitrine se soulevait parfois plus fortement, dans un effort des poumons que l'air ne remplissait pas.

La clarté de la lune pénétrait librement par la fenêtre dont on n'avait pas fermé les volets, dessinant au pied du lit d'Adrienne un rectangle allongé et donnant au tapis et au parquet cette teinte étrange qui semble toujours faite de couleurs mortes. Pas un bruit ne parvenait de la rue ni de l'intérieur de l'hôtel.

Il y avait une demi-heure qu'Adrienne dormait, lorsqu'elle vit entrer Germaine. Elle n'avait pas entendu la porte s'ouvrir mais elle vit passer sa sœur tout près de son lit. Germaine ne la regarda pas. Elle marcha d'un pas délibéré vers la cheminée où Adrienne avait posé les médicaments. La vieille fille saisit alors la bouteille et l'examina. Elle était vêtue de noir, comme à l'ordinaire, et ne portait pas de chapeau. Il y avait dans ses traits quelque chose d'indéfinissable qui ressemblait à un sourire, mais c'était plutôt l'air de quelqu'un qui reconnaît un objet familier. Elle tenait la bouteille de sirop dans les deux mains et semblait tantôt en lire l'étiquette, tantôt examiner la couleur de son contenu. Au bout d'un instant elle hocha la tête et regarda pour la première fois dans la direction d'Adrienne, mais la jeune fille ne vit pas bien ce visage qui se tournait vers elle parce que Germaine présentait le dos à la lumière. Quelques secondes passèrent. La vieille fille ne bougeait pas et tenait la bouteille de telle sorte que les rayons de lune traversaient le verre au-dessus du goulot et semblaient indiquer combien du liquide avait été bu. Enfin, elle la posa sur la cheminée avec précaution comme si elle eût craint de troubler le silence de la nuit, et ne parut jeter qu'un coup d'œil négligent sur le paquet de poudre placé à côté de la bouteille. .

Puis elle alla tout près de la fenêtre et s'assura qu'elle était fermée. Elle se tenait juste devant la fenêtre, entre les rideaux de peluche brune, et son ombre ne bougeait pas, étendue dans le long rectangle comme un corps dans sa bière, beaucoup plus grande que Germaine qui paraissait toute petite. Elle-même semblait absorbée dans la contemplation du ciel noir dont chaque étoile était visible à travers le tulle des brise-bise. La lune jetait un reflet sur ses épaules et sur sa chevelure qu'elle avait soigneusement peignée. Il se passa quelque temps sans qu'elle fît un geste, seulement Adrienne pouvait entendre le bruit léger qu'elle faisait quelquefois en frottant ses paumes l'une contre l'autre, par un mouvement qui ne déplaçait même pas ses coudes.

On eût dit qu'elle attendait quelque chose. Tout à coup elle se retourna comme si la porte venait de s'ouvrir et se dirigea d'un pas rapide vers la partie de la pièce où était Adrienne, sans doute pour aller à la rencontre de quelque nouvel arrivant. Ce fut à ce moment qu'Adrienne la vit. Elle était d'une pâleur horrible et marchait les yeux clos. Il y avait de la terre dans ses cheveux et sur le devant de son corsage et elle en répandait sur le tapis à chaque pas, mais toujours il en revenait comme d'une invisible et injurieuse main qui lui en eût jeté sur le visage. Elle attendit un instant tout près de la jeune fille. Ses mains étaient jointes mais ne bougeaient pas.

Deux ou trois minutes passèrent; la porte ne s'ouvrait pas, mais brusquement Adrienne comprit que quelqu'un était entré; elle le comprit d'abord au mouvement des lèvres de sa sœur qui parlait sans qu'on pût entendre ce qu'elle disait. Puis elle se rendit compte que quelqu'un passait entre Germaine et son lit et elle vit la vieille fille se diriger vers l'armoire. Longtemps elle resta devant ce meuble, parlant, expliquant quelque chose à la personne invisible qui devait se tenir à côté d'elle et qui, dans l'esprit de la jeune fille, ne pouvait être que son père. A ce moment, Adrienne se débattit si fort qu'elle s'éveilla.

Elle s'assit dans son lit et regarda autour d'elle. Des cris montaient à sa gorge mais il ne sortait de sa bouche qu'une espèce de râle. Elle s'étonna de ne voir aucune différence entre cette chambre et celle de son rêve, et des yeux elle chercha Germaine dans la glace de l'armoire et son ombre dans le rectangle que la clarté de la lune projetait sur le tapis. Lorsqu'elle fut tout à fait éveillée, et que son angoisse eut diminué un peu, elle sauta à bas de son lit et alluma le gaz. Il était à peine onze heures. Elle remplit d'eau sa cuvette et se baigna le visage, puis elle ouvrit la porte de l'armoire et jeta dessus la pèlerine qu'elle portait sur ses épaules, cachant ainsi le miroir qui lui faisait peur.

— J'avais trop chaud, murmura-t-elle, je n'aurais pas dû me coucher sans me dévêtir. Quel cauchemar !

Elle rit. L'air était lourd dans cette pièce dont la fenêtre n'avait pas été ouverte depuis cinq ou six heures. Comme dans son sommeil elle respirait mal. Tout à coup elle toussa. Elle se leva vivement et se regarda dans la glace qui surmontait la cheminée. Le sang s'était retiré de son visage et, dans la lumière du gaz, ses joues avaient pris une teinte glauque. Elle toussa de nouveau et se vit en train de tousser dans la glace. Ce spectacle la frappa d'une terreur affreuse.

— C'est le commencement, fit-elle à mi-voix, la première quinte.

Elle réfléchit une seconde, saisit la bouteille de

sirop placée devant elle et but au goulot. Cette liqueur épaisse l'écœura. Elle en avala une gorgée, puis regarda l'étiquette d'un air de dégoût. Lorsqu'elle posa la bouteille sur la cheminée et qu'elle leva de nouveau les yeux sur la glace, elle vit derrière elle l'armoire grande ouverte. Elle ne s'y attendait pas et poussa un cri qu'elle étouffa de sa main. Que dirait-on si on l'entendait ? La pensée qu'elle pouvait avoir des voisins la réconforta un instant. Presque aussitôt il lui vint la certitude qu'elle n'avait pas de voisins.

« Je suis seule, à cet étage », se dit-elle.

Elle écouta le bruit que faisait le gaz en brûlant, au bout d'une suspension à globes de verre dépoli, puis rapidement elle se mit à se déshabiller. Comme elle défaisait les agrafes de sa blouse, les bras levés devant la glace, elle eut l'impression qu'elle avait déjà fait ces gestes dans des circonstances absolument semblables et s'arrêta, figée par cette espèce de souvenir dont elle ne connaissait pas l'origine et qui lui faisait peur. La lumière crue et jaune du gaz tombait sur son visage et lui donnait un aspect théâtral. Sa bouche s'ouvrit. Elle demeura ainsi quelques secondes, les coudes levés au-dessus de la tête. Maintenant elle craignait de faire un geste. Le gaz brûlait avec une espèce de bourdonnement continu et affairé qui emplissait le silence et d'une manière inexplicable semblait se confondre avec lui.

Elle déroula brusquement sa chevelure et fit un effort pour secouer la torpeur qui s'emparait de son cerveau. Il y avait sûrement de l'opium dans cette drogue qu'elle avait bue. Il lui semblait que, tout éveillée, elle allait recommencer son cauchemar de tout à l'heure et que, d'autre part, si elle se laissait aller au sommeil, elle y retrouverait cette même vision qui l'avait épouvantée. Cette pensée la fit trembler. Elle se demanda comment elle passerait la nuit.

Peu à peu, elle se sentait gagnée par une peur contre laquelle sa volonté ne pouvait rien. Tout dans cette chambre l'indisposait ou l'effrayait : l'armoire, ouverte ou fermée, lui semblait horrible par les souvenirs qu'elle éveillait en elle. Elle essayait de ne pas voir le petit fauteuil au dossier arrondi que Germaine avait effleuré de sa jupe, et ne souffrait plus l'idée de retourner dans ce lit où elle s'était presque évanouie de terreur. Plus son rêve s'éloignait d'elle, plus il lui paraissait vrai ; elle en revivait tous les moments, elle savait qu'il lui suffirait de fermer les yeux pour qu'aussitôt le visage de sa sœur se rapprochât du sien et qu'elle sentît la présence de cette autre personne que Germaine avait attendue.

Son cœur battait précipitamment. Tout d'un coup elle se tourna, le dos au mur, et fit face à la chambre, de façon qu'on ne pût se placer derrière elle, mais elle comprit qu'elle avait tort de faire ce geste parce que, loin d'apaiser sa frayeur, il ne faisait que la porter à un point plus aigu. Elle n'aurait pas dû s'avouer ainsi qu'elle avait peur. Une minute, elle demeura les paumes collées au mur, attentive au moindre bruit et presque hors d'elle-même ; le son de sa propre respiration l'affolait, elle crut y reconnaître le bruit du souffle de quelqu'un d'autre, un souffle épais, rauque.

Une horloge sonna la demie de onze heures. Il y avait au moins cinq heures avant l'aube. Que n'était-elle restée dehors ! Que n'avait-elle passé la nuit sur ce banc, entre les tilleuls ! L'idée lui vint de se rhabiller, de refaire sa valise et de partir. Elle dirait au bureau que le lit était sale, mais le courage lui manqua. Une insurmontable envie de dormir lui faisait hocher la tête et, chaque fois que sa tête tombait sur sa poitrine, il lui semblait que tout son corps suivait ce mouvement et tombait, mais elle se reprenait aussitôt et secouait alors sa chevelure d'un air effaré.

Finalement elle se décida à mettre un peignoir et à entrouvrir la fenêtre. L'air frais la frappa au visage et la réveilla. Elle prit un indicateur dans sa valise et en feuilleta les pages sans pouvoir trouver ce qu'elle voulait : des images flottaient dans son esprit, elle n'arrivait même plus à se souvenir de ce qu'elle cherchait dans le petit livre dont les pages trop minces glissaient sous ses doigts tremblants. Elle revit le docteur lorsque, du fond de la voiture, il l'avait regardée un instant ; mais aussitôt ce souvenir fut chassé de sa mémoire, comme si la peur qui était en elle interdisait à la jeune fille de s'arrêter à la seule pensée où elle eût pu trouver un peu de réconfort.

« Il s'agit bien de cela ! » se dit-elle.

Elle sentit ses genoux trembler, essaya de se rappeler le visage du jeune ouvrier qui l'avait suivie : ses lèvres brillaient, elle revit leur mouvement lorsqu'il parlait, découvrant des dents un peu irrégulières. Mais quelque chose en elle montait tumultueusement, plus fort que ces souvenirs désordonnés qu'elle tâchait d'évoquer. A ses tempes le sang frappait de grands coups qui retentissaient dans sa tête. Elle crut qu'elle allait tomber et agrippa le lit. Elle était sûre qu'il y avait quelqu'un derrière elle, elle avait entendu une respiration plus forte que la sienne, par-dessus son épaule comme tout à l'heure. L'indicateur s'échappa de ses doigts ; elle se laissa glisser sur le tapis et cacha sa tête dans ses mains.

TROISIÈME PARTIE

I

Lorsqu'elle revint chez elle, Désirée n'était pas encore arrivée. Il était tôt. Elle entra au salon et ouvrit les fenêtres. La vue des tilleuls de Mme Legras lui arracha un soupir. Y avait-il un mois ou un jour qu'elle les avait eus devant les yeux ? Comme tout changeait peu !

Justement, il y avait une carte de Mme Legras sur le guéridon. Elle la lut aussitôt.

« *Ma belle,* disait son ancienne amie, *vous allez fêter le quatorze avec moi. Je reviens demain, le douze. Les affaires de M. Legras vont un peu mieux que je ne pensais. Amitiés. Léontine L...* »

Elle déchira cette carte et en jeta les fragments sous la trappe de la cheminée. Il y avait une autre lettre sur le guéridon ; elle en reconnut l'écriture et ne la prit qu'après avoir remis ses gants.

« *Mademoiselle...* », disait la supérieure de l'hospice où était soignée sa sœur. Adrienne s'arrêta et se rappela son rêve. L'émotion lui fit trembler les mains. Elle continua : « *... je n'ai heureusement pas de mauvaises nouvelles à vous donner de votre sœur, mais c'est là tout le bien que je peux dire de sa santé. Nous espérons toujours que l'air lui rendra un peu de ses forces et que son appétit se relèvera. C'est déjà beaucoup que son état n'ait pas empiré.*

267

« Elle me prie de vous dire qu'elle s'est ravisée en ce qui concerne la question d'argent et que vous ne lui envoyiez pas la somme qu'elle vous avait demandée. Elle a écrit à votre notaire qui se chargera de lui faire parvenir l'argent dont elle a besoin. Ainsi, vous n'avez pas à vous en soucier. Elle ajoute avec beaucoup de raison, me semble-t-il, s'il m'est permis d'exprimer ici une opinion, que la somme qui vous a été accordée est un peu plus importante que vos besoins ne paraissent l'exiger et qu'elle a écrit en ce sens à Me Biraud. Ne vous étonnez donc pas de toucher, ce mois-ci, cent francs de moins que le mois dernier. »

Adrienne posa la lettre sur le guéridon sans la finir, et pinça les lèvres. Elle avait l'air harassée ; un cercle creusait ses yeux dont il avivait l'éclat, mais tout le reste de son visage exprimait une amertume profonde. Elle pencha la tête et demeura immobile quelques secondes, regardant à ses pieds un rayon de soleil qui s'allongeait sur le tapis. Au bout d'un instant, elle poussa un soupir et se mit à se promener dans la pièce.

Il faisait un peu frais, mais le soleil annonçait une belle journée. Dans un des charmes bas du jardin un merle sifflait ; il s'arrêtait quelquefois comme pour trouver un air nouveau, mais lorsqu'il recommençait, c'étaient toujours les mêmes notes joyeuses dont la dernière s'attardait avec une sorte de complaisance. La jeune fille se tint un moment devant la fenêtre, attirée vaguement par ce chant qui lui rappelait beaucoup de choses. Depuis la mort de son père, elle avait pris le pli de revenir sans cesse sur les années passées, sur celles de son enfance en particulier. Elle tombait alors dans une rêverie profonde, laissant aller son esprit au gré de ses souvenirs. Presque tous les étés il venait des merles dans le jardin, aux premières heures de la matinée, lorsque les allées étaient encore désertes. Ils se promenaient là comme chez eux, gras et lisses, semblables à des ecclésiastiques bien nourris. C'était, du moins, la comparaison dont se servait jadis M. Mesurat pour décrire ces oiseaux.

Elle remarqua que les géraniums poussaient bien, la pluie semblait leur avoir donné de la force. L'herbe avait besoin d'être coupée. Elle revint vers le milieu de la pièce, s'approcha du guéridon et lut la dernière page de la lettre, en maintenant le papier du bout de son index. La religieuse n'ajoutait rien de très intéressant à ce qu'elle avait déjà dit, et terminait par des souhaits pieux qu'Adrienne ne se donna même pas la peine de parcourir des yeux. La lecture achevée, elle déchira la lettre qui alla rejoindre la carte de Mme Legras. Puis elle ôta ses gants, s'assit au secrétaire ; après quelques minutes de réflexion, elle se mit à écrire la lettre suivante :

« *Ma chère Germaine. Je propose que nous convenions, par l'entremise de Me Biraud, d'une somme fixe que je toucherai tous les mois. Cela nous épargnera peut-être bien des ennuis jusqu'au jour où, majeure, je pourrai enfin disposer de mon bien comme je l'entends. Je souhaite que l'air de Saint-Blaise te fasse du bien et que tu te rétablisses rapidement. Ta sœur, Adrienne.* »

Elle relut cette lettre et, à défaut d'un buvard, l'agita un instant pour en sécher l'encre ; mais au moment de la plier pour la mettre dans une enveloppe, elle se ravisa tout à coup et la déchira lentement, en quatre morceaux. Ses mains se croisèrent sur la table et, levant les yeux, elle attacha son regard sur les tilleuls de la villa Louise qu'elle pouvait voir de sa place. Une petite ride vint creuser son front entre les sourcils comme si elle eût été attentive au spectacle qu'elle avait devant elle.

Il y avait en elle une sorte de flux et de reflux du souvenir qui la remplissait d'angoisse. Soudain, et sans qu'elle pût se rendre compte pourquoi, des paroles qu'elle avait entendues autrefois lui revenaient à la mémoire, des propos insignifiants échangés entre Germaine et son père. Elle avait beau faire pour détourner son esprit de ces deux voix, la force lui en manquait. Jusque-là, une énergie nerveuse l'avait soutenue mais depuis quelques minutes les effets de sa nuit d'insomnie se faisaient sentir. Elle n'avait pas envie de dormir ; il lui semblait qu'un engourdissement s'emparait de ses membres, et de même, son cerveau fatigué ne lui obéissait plus ; elle était la proie de n'importe quelles pensées, de n'importe quel rêve. C'était comme un enchantement de sa volonté. Il lui devenait pénible de détourner les yeux de l'objet qu'elle regardait.

Au bout d'un moment, elle fit un violent effort sur elle-même et se redressa. Cette espèce de torpeur qui la prenait lui faisait peur. Elle se leva et se remit à se promener dans le salon.

— Tout m'est égal, murmura-t-elle. Maintenant tout m'est égal.

Près de la fenêtre, elle s'arrêta et regarda le pavillon blanc dont elle pouvait juste apercevoir un angle. Cette contemplation l'occupa quelques secondes, puis elle reprit le va-et-vient qui la menait de la porte de la salle à manger à celle de l'antichambre. Elle était à jeun et se sentait la tête un peu légère. Brusquement, une faiblesse la saisit et ses jambes fléchirent. Elle tomba agenouillée devant le sofa qui avait pris la place de celui de Germaine et, se laissant aller à une crise de larmes qui lui secouait tout le haut du corps, elle se cacha le visage dans les bras et répéta douloureusement :

— Tout, oui, tout.

Deux heures plus tard, elle était assise dans sa chambre. Elle avait déballé sa valise, enfermé dans son armoire tous ses effets de voyage, et sa vie avait repris, cette vie de solitude qu'elle s'était faite et à laquelle, semblait-il, elle ne pouvait rien changer. Qu'avait-elle gagné à se déplacer ? N'avait-elle pas été obligée de revenir ? Si encore elle était revenue dans un état d'esprit plus calme, avec un cœur plus fort ! Mais, au contraire, elle n'avait fait que se meurtrir, que s'abîmer dans une mélancolie plus profonde.

« Je ne peux plus vivre ainsi », dit-elle à plusieurs reprises en frappant son genou de son poing fermé ; mais ces paroles au lieu de l'inciter à agir ne lui paraissaient que la constatation d'un fait irrémédiable. Pourtant l'ennui et le dégoût des pensées qui l'obsédaient sans cesse lui firent chercher une distraction ou, tout au moins, quelque chose qui occupât ses mains.

Elle prit dans son armoire un ancien carton à chapeau où elle gardait toutes les lettres qu'elle eût jamais reçues. La plupart étaient disposées en liasses de dix ou de vingt et témoignaient du soin avec lequel Adrienne les avait conservées ; un papier blanc, glissé sous le ruban qui les retenait, indiquait une année, en chiffres calligraphiés selon les préceptes paternels. Il y en avait ainsi quatre ou cinq liasses : des lettres d'amies de classe, écrites pendant les vacances ; plus rares, des lettres de parents, car les Mesurat n'en comptaient que peu et ne se souciaient guère d'entretenir avec eux des relations suivies, aussi ne pouvait-il s'agir dans cette partie de la correspondance d'Adrienne avec ses cousins de Paris et de Rennes que de menus services qu'on lui demandait de rendre. Enfin, jetées négligemment dans la boîte, une dizaine de lettres n'avaient pas encore été rangées. Ce furent celles-là qu'Adrienne se mit à examiner. Une venait de Paris, trois de La Tour-l'Évêque même, une autre de Rennes. C'étaient des lettres de condoléances pour la mort de M. Mesurat. Jusquelà, Adrienne n'avait pu se résoudre à les lire mais son habitude de garder toutes ses lettres était trop forte pour que, même en n'en prenant pas connaissance, elle ne les mît pas de côté avec les autres. Elle n'ouvrit pas les lettres de parents, mais celles qui lui avaient été envoyées de La Tour-l'Évêque l'intriguèrent parce qu'elle ne pouvait en reconnaître l'écriture. Elle déchira une enveloppe avec une épingle à cheveux et en tira un petit carton doré sur tranche, legèrement parfumé : c'était un mot de Mme Legras. Elle fronça les sourcils, lut « *affreux malheur... amie dévouée* » et, après un instant d'hésitation, déchira ce billet dont la vue et le parfum lui faisaient horreur.

La seconde lettre était du chef de gare qui avait bien connu M. Mesurat et se considérait, à juste titre, comme son ami.

La troisième, d'une écriture petite et pressée, difficile à lire, était signée : Denis Maurecourt. Adrienne poussa une exclamation en déchiffrant ce nom et rougit fortement. Ses mains tremblèrent et pendant quelques secondes elle ne put comprendre les mots qu'elle avait sous les yeux. La seule pensée que cet homme avait dirigé son attention vers elle, s'était donné la peine de prendre du papier à lettres, une plume, et de penser à Adrienne Mesurat, l'émut au point qu'elle ne savait plus si elle en était heureuse ou malheureuse.

Elle répéta plusieurs fois : « Eh bien ! » du ton de la plus profonde surprise, puis elle essuya les larmes qui coulaient sur ses joues et lut la lettre. Elle était courte, un peu guindée, mais Adrienne lui trouva une délicatesse qui la transporta. Le sens de plusieurs phrases lui échappa complètement, elle les relisait sans se douter de ce qu'il y était dit, sans que les mots parussent même avoir un rapport les uns avec les autres ; ce fut surtout la formule banale de la fin qui la frappa, elle ne se lassait pas de ces *sentiments respectueusement dévoués*, prêtant à chacun de ces mots une signification particulière et profonde.

Lorsqu'elle fut en état de relire la lettre d'une façon plus intelligente, elle se mit à pleurer avec violence. On eût dit que cette lettre représentait un acte d'une charité pour ainsi dire incalculable. Et, dans un élan de reconnaissance, elle porta le papier à son visage et appliqua ses lèvres à l'endroit où la main du docteur avait dû se poser. Soudain elle se rappela la carte qu'elle avait envoyée de Montfort-l'Amaury. Il devait l'avoir reçue. Qu'en pensait-il ? Elle se sentit confuse à l'idée que, peut-être, il en avait ri et se félicita de ne pas l'avoir signée. Mais, après un instant de réflexion, elle éprouva le regret de ne pas avoir mis son nom au bas de cette carte. Cela eût sans doute amené une solution, tandis que cette carte anonyme, est-ce que cela ne rendait pas la situation plus confuse et plus difficile ?

— Jamais je n'aurais eu le courage de signer, murmura-t-elle.

Elle relut la lettre de Maurecourt et la glissa dans son corsage.

Tout l'après-midi, elle se promena dans les champs. Il faisait tiède et elle espérait que l'exercice et le grand air la guériraient de cette espèce d'oppression qu'elle se sentait dans la poitrine ; parfois, de brefs accès de toux la soulageaient, mais ils l'effrayaient plus encore, comme le signe d'une maladie abhorrée et elle mettait tous ses soins à les empêcher de se produire, s'imaginant qu'elle guérirait ainsi. Mais surtout elle voulait profiter de la tranquillité d'esprit dans laquelle la lettre de Maurecourt l'avait mise ; peut-être le mot de joie est-il trop fort pour décrire ce qui se passait en elle ; il y avait dans son cœur encore trop de crainte, trop de défiance de l'avenir et d'elle-même pour que la joie pût y pénétrer, mais elle se sentait plus calme.

Lorsqu'elle revint à la villa des Charmes, elle apprit qu'une dame était venue. Elle crut aussitôt qu'il s'agissait de Mme Legras, mais un coup d'œil jeté dans la direction de la villa Louise l'assura que les volets en étaient toujours clos. Quant à la visiteuse, elle n'avait pas donné son nom, mais elle avait promis de repasser dans la soirée.

Adrienne n'attendit pas longtemps. Elle avait à peine enlevé son chapeau qu'elle entendit sonner à la grille. Immédiatement elle saisit un livre et, le cœur battant, s'assit sur le sofa. C'était dans cette attitude qu'elle jugeait bon d'être surprise. Dans des vies restreintes comme la sienne, une visite à recevoir n'est pas un événement de petite importance ;

274

il convient de déployer dans ces cas extraordinaires tout un cérémonial dont la naïveté peut paraître absurde à un Parisien, mais qui n'en est pas moins indispensable dans l'esprit d'un habitant de La Tour-l'Évêque. Elle prit donc une pose non pas abandonnée, certes, mais en harmonie avec le délassement de la lecture, c'est-à-dire la tête penchée et un doigt sur la joue, l'autre maintenant le livre dont les lignes sautaient et dansaient sous ses yeux.

Au bout d'un instant, la porte s'ouvrit, livrant passage à une dame vêtue de noir qui s'avança d'un pas rapide et silencieux vers le milieu du salon. Adrienne se leva aussitôt, jeta son livre de côté et salua.

— Je n'ai pas l'honneur de vous être connue, mademoiselle, fit la visiteuse, mais je n'habite pas très loin de chez vous.

Elle s'interrompit, comme pour intriguer Adrienne, et sourit. On lui eût facilement donné quarante ans et elle ne semblait rien faire pour dissimuler son âge. Dans son visage mince les rides étaient nombreuses, dessinant autour de la bouche et des paupières une espèce de sourire immobile. Seuls les yeux restaient jeunes, des yeux aux prunelles noires qu'une curiosité perpétuelle chassait inlassablement de droite à gauche. Comme elle parlait à Adrienne, la jeune fille eut l'impression qu'elle dénombrait les meubles de la pièce et qu'elle en dressait une liste dans son esprit. Sa voix était douce, avec une chaleur contenue qui n'était pas désagréable.

— Voulez-vous vous asseoir, madame ? fit Adrienne.

Elles s'installèrent sur le sofa, l'une et l'autre au bord de ce siège et la taille bien droite.

— Pour ne pas vous faire chercher plus longtemps, reprit la visiteuse, je vous dirai que je m'appelle

Marie Maurecourt et que je suis la sœur de votre médecin. Jusqu'ici j'ai vécu à Paris, mais depuis l'autre jour je me suis installée chez mon frère.

Ses yeux firent une fois de plus le tour du salon, de la porte aux deux fenêtres, et s'arrêtèrent comme par hasard sur Adrienne qui se taisait.

— Cela vous étonne que je sois venue vous voir, mademoiselle ? dit-elle.

Adrienne joignit les mains jusqu'à en faire craquer les os ; elle fit un effort sur elle-même et dit d'une voix rapide :

— En effet, je ne m'y attendais pas.

— Quoi de plus naturel, cependant ? Nous sommes voisines. Vous êtes seule, je gage que par surcroît vous êtes triste. Cela se comprend, mademoiselle.

Son regard plongea dans le jardin. Il y eut un silence. Adrienne baissa les yeux et attendit.

— Nous avons pensé, mon frère et moi, dit Marie Maurecourt après quelques secondes, que nous pourrions peut-être vous être utiles... Quand je dis mon frère et moi, c'est une façon de parler qui peut vous induire en erreur. Nous ne nous sommes pas concertés. Mon frère ne sait même pas que je vous rends cette visite, mais hier nous parlions de vous et il a paru penser que c'était presque un devoir... Comment vous dire ? Aidez-moi.

— Je ne sais pas, souffla Adrienne.

— Mais un devoir de ne pas vous laisser seule, un devoir de vous tenir compagnie dans la limite du possible. Alors, comme je pense de même, je suis venue vous voir. Il faut vous dire que mon frère est très occupé, il a peu de temps à lui, de plus sa santé n'est pas brillante, toute visite qui n'est pas absolument nécessaire, toute fatigue superflue lui est interdite.

Elle avait dit cela d'une voix précipitée, sans regarder Adrienne.

— Maintenant, reprit-elle plus doucement, je veux que vous sachiez que vous n'êtes pas seule, que vous pouvez compter sur moi si jamais vous vous sentez trop triste. C'est très simple, vous n'avez qu'à m'écrire un mot, et je viens.

Elle se leva d'un mouvement brusque et tendit la main à la jeune fille qui se leva à son tour.

— A propos, dit Marie Maurecourt tout d'un coup, vous ne nous avez pas écrit dernièrement ?

Adrienne retint sa respiration ; elle examina à la dérobée ces yeux qui fuyaient son regard, mais n'y lut rien.

— Non, fit-elle au bout d'un instant.

Elle se sentit envahie par une colère subite contre cette femme. Est-ce qu'elle venait l'espionner, elle aussi, comme Germaine, comme Mme Legras ? L'idée que sa carte était peut-être tombée entre ses mains lui parut insupportable. Elle revit les mots qu'elle avait tracés : ... *Si vous saviez comme je suis malheureuse...* et rougit.

— Non, répéta-t-elle d'une voix plus résolue, ce n'est pas moi.

Pour la première fois, les yeux de Marie Maurecourt se posèrent sur ceux d'Adrienne. Ils étaient noirs avec une sorte de petite flamme jaune qui leur donnait une expression un peu sauvage, presque méchante. Elle eut un léger mouvement d'épaule.

— Confusion d'adresse, murmura-t-elle.

Et elle reprit plus haut :

— Vous ne m'en voulez pas, de cette visite ? Je tenais tant à vous voir.

— Mais voyons ! fit Adrienne.

Elles se dirigèrent vers la porte.

— J'ai su que vous aviez été en voyage..., dit Marie Maurecourt en se retournant vers Adrienne qui la suivait.

Mais la jeune fille ne répondit pas. Elles étaient toutes deux sur le seuil de la porte qui menait au jardin. Adrienne se tenait très droite et ne disait rien. Tout à coup, la visiteuse s'appuya au chambranle comme si une faiblesse soudaine l'y avait contrainte.

— Vous avez fait bon voyage ? demanda-t-elle.

Son regard n'avait plus sa dureté de tout à l'heure ; quelque chose de presque implorant s'y glissait à présent, un air plus humble, comme si elle suppliait qu'on lui répondît, qu'on lui dît toute la vérité.

— Mais oui, fit Adrienne sèchement.

Marie Maurecourt soupira. Elles se quittèrent sur une seconde poignée de main.

II

Un peu avant déjeuner, le lendemain, la domestique annonça Mme Legras.

— Dites que je suis sortie, commanda Adrienne qui passait son chiffon sur les meubles de la salle à manger.

Mais, au même instant, Mme Legras fit son entrée. Du salon, elle avait entendu les paroles d'Adrienne.

— Sortie! s'exclama-t-elle. C'est à moi que vous faites dire cela?

Elle portait une toilette lilas et un chapeau couvert de fleurs blanches. Adrienne la regarda sans répondre. Mme Legras se tourna vers Désirée qui observait cette scène.

— Eh bien, ma fille, retirez-vous, lui dit-elle d'un ton impatient. Mademoiselle n'a plus besoin de vous, je pense.

Lorsqu'elles furent seules, Adrienne s'assit; elle était blême.

— Je ne voulais pas vous voir, dit-elle.

— Je m'en suis aperçue, répliqua Mme Legras d'une voix sifflante.

Elle vint se placer devant elle, les mains sur les hanches.

— Aurez-vous la bonté de m'expliquer pourquoi? demanda-t-elle, les yeux brillants.

— Je désire vivre absolument seule, ne plus voir personne, dit Adrienne.

Elle se sentit fouettée par le regard méprisant que lui jetait son ancienne amie et se leva.

— Personne, répéta-t-elle avec un geste de la main.

— Ce n'est pas une réponse.

Adrienne haussa les épaules.

— Cela doit vous suffire, dit-elle.

Mme Legras devint pourpre et saisit le poignet de la jeune fille.

— Allons, fit-elle à voix basse, son visage tout près de celui d'Adrienne. Ce n'est pas sérieux. Vous avez quelque chose contre moi ?

La jeune fille se dégagea avec brusquerie.

— Je ne vous dois pas d'explication, dit-elle, laissez-moi.

Mme Legras demeura silencieuse un instant, puis elle éclata de rire et alla s'asseoir sur une chaise.

— Ma pauvre enfant, dit-elle enfin de sa voix normale, qu'est-ce qui vous prend ? Si c'est une plaisanterie, finissons tout de suite. Il est impossible que vous parliez ainsi à votre meilleure amie.

Elle prit tout d'un coup le ton de la plus grande surprise comme si, jusque-là, elle se s'était pas rendu compte de l'énormité de la situation.

— Non mais, Adrienne, dit-elle, c'est moi que vous recevez de cette manière ? Est-ce que vous devenez folle, par hasard ? Revenez à vous. Mettons que rien ne se soit passé...

Adrienne eut un soupir de colère.

— Je ne peux pourtant pas vous dire plus clairement que je ne veux plus vous voir, madame, dit-elle après un instant.

— Et moi, cria Mme Legras, je ne peux pas vous

dire plus clairement que vous êtes une sotte. S'il est une personne au monde que vous devez aimer, respecter, oui, respecter, c'est moi.

— Ah non ! répondit Adrienne d'une voix étranglée. Du respect pour une femme comme vous ! Vous voulez rire.

— Qu'entendez-vous par là, Adrienne ?

— Vous savez ce que je veux dire.

— Je ne sais rien, j'exige une explication.

Adrienne la foudroya du regard.

— Eh bien, dit-elle avec force, sachez qu'une Mesurat ne serre pas la main d'une... d'une...

— D'une quoi, ma fille ? Dites, fit Mme Legras en tapotant le parquet du bout de sa bottine.

— D'une femme perdue, madame ! dit la jeune fille d'une voix éclatante.

Elle s'était appuyée toute tremblante contre la desserte qu'elle était en train d'épousseter lorsqu'on lui avait annoncé Mme Legras. Derrière elle les huit Mesurat, hommes et femmes, contemplaient cette scène comme les membres d'un tribunal. En ce moment elle leur ressemblait à tous, la tête rejetée un peu en arrière, les yeux tendus. Un instant passa avant que Mme Legras pût répondre ; il était clair que jusqu'à la dernière seconde elle n'avait pas cru qu'une telle parole sortirait de la bouche d'Adrienne et une immense surprise se lisait dans son regard. Autour du fard des pommettes ses joues devinrent livides. Elle haussa enfin les épaules avec une fureur méprisante.

— Quel commérage répétez-vous ? dit-elle. Comprenez-vous seulement le sens de ce que vous dites ?

Un sourire tordit les coins de sa bouche. Cette apparence de calme déconcerta la jeune fille qui s'attendait à une explosion d'injures ; elle ne répondit pas à la question qui lui était posée.

— Vraiment, reprit Mme Legras d'une voix égale, ce n'est ni la politesse ni la reconnaissance qui vous étoufferont. Ainsi on vient tous les jours chez moi, on accepte des invitations (qu'on ne songe pas à rendre), tout cela pour me dire, un matin, que je suis, comment dites-vous ? une femme perdue, perdue ! (Elle répéta ce mot *perdue*, comme si elle le crachait, et rit.) Pourquoi, je vous prie ? Est-ce parce que je me mets de la poudre, par hasard ? Cela ne se fait pas, sans doute, à La Tour-l'Évêque. Ah ! les conclusions prématurées ne font pas peur à une Mesurat !

Brusquement elle parut perdre tout contrôle de sa volonté et, se levant d'un bond, elle alla se planter devant Adrienne qui se pencha de côté et ne la regarda pas.

— Petite maladroite ! lui dit Mme Legras presque dans l'oreille. J'en sais assez sur toi pour t'envoyer en cour d'assises !

En entendant ces mots, la jeune fille tourna vers elle son visage d'où le sang s'était retiré. Elle fit un effort pour ouvrir la bouche, mais n'y réussit pas. La peur la fit reculer, jusqu'à ce qu'elle touchât le coin de la desserte et sentît le mur contre sa main. Elle ne parvenait pas à détacher son regard des yeux de Mme Legras qui jouissait visiblement de son triomphe.

— Allons, lui dit celle-ci, après un instant, la mémoire vous revient. Vous oubliez bien facilement les services qu'on vous rend, mademoiselle. Savez-vous que je vous ai tirée d'un fort vilain pas ? Le savez-vous, oui ou non ?

— Je ne sais pas ce que vous voulez dire, bredouilla Adrienne.

— Vous le savez si bien que, si je m'asseyais à cette table pour écrire au parquet du département tout ce que je sais sur la mort de votre père, vous vous traîneriez à mes genoux, mademoiselle Mesurat !

Elle montra la grande table d'un doigt impérieux en prononçant ces paroles. Adrienne s'appuya contre la desserte. Des mots qu'elle n'aurait pas voulu dire sortaient maintenant de ses lèvres.

— En quoi suis-je responsable ? demanda-t-elle d'une voix entrecoupée.

— Taisez-vous ! fit Mme Legras. Je ne suis pas juge d'instruction pour que vous essayiez de vous disculper. Mais prenez garde, si jamais j'entends dire que vous déblatérez contre moi dans La Tour-l'Évêque, je parle. Est-ce compris ?

Elle fit un signe de tête et sortit aussitôt.

Adrienne entendit la grille du jardin se refermer avec violence, puis, deux secondes plus tard, celle de la villa Louise. Elle écouta ces bruits et les jappements du basset jaune qui accueillait sa maîtresse. Enfin le silence se rétablit, le lourd et profond silence qu'elle connaissait bien. Elle se laissa glisser sur une chaise et demeura immobile. Une sueur froide coula lentement de la racine de ses cheveux sur son front et ses tempes. Quelque chose s'anéantissait en elle, elle savait qu'elle n'avait plus la force de lutter et, pour la première fois depuis des semaines, elle sentit toute l'horreur de cette maison silencieuse. Malgré l'affolement de son esprit, elle ne trouvait pas en elle de faire un geste. Elle aurait voulu se lever, marcher, mais une horrible lassitude pesait sur elle. Ce fut en vain qu'elle essaya de se redresser sur ses jambes.

Elle se rappela le jour où, le visage entre les barreaux de la grille, l'idée lui était venue de s'enfuir, et elle avait tourné le bouton, pour s'apercevoir que la prévoyance paternelle avait fermé la grille à clef. Aujourd'hui elle avait l'impression que c'était en quelque sorte la même chose, et que, si elle voulait s'échapper de la maison, des obstacles plus puissants encore l'en empêcheraient.

Elle comprit alors le sens de son voyage. C'était comme si les petites villes qu'elle avait visitées l'avaient rejetée. Elle avait cru qu'elle ne pouvait plus vivre à la villa des Charmes ; au contraire, elle ne pouvait plus vivre que là. Matériellement d'abord, il lui était impossible de rien changer au présent état de choses. Elle était mineure, sa fortune ne lui appartenait pas. Mais aussi elle ne concevait pas qu'elle pût vendre la maison pour en acheter une autre. Elle avait hérité de son père une sorte de vénération de l'habitude qui la retenait dans ces murs, au milieu de ces objets dont chacun lui rappelait une enfance mélancolique et une jeunesse douloureuse. Sans doute, elle pouvait en modifier l'arrangement, déplacer les fauteuils et les chaises, mais elle avait besoin de les voir autour d'elle.

Elle eut peur. Dans l'espèce de stupeur où elle était plongée, les idées se succédaient d'une façon désordonnée qui les rendait plus affreuses. Elle se demanda tout à coup si elle n'avait pas été la proie d'une illusion et si Mme Legras était vraiment venue la voir. Il lui sembla entendre encore une fois le bruit des deux grilles qui s'ouvraient et se refermaient. Elle n'avait pas pu rêver cela. Le reste non plus, par conséquent. Et les paroles de sa voisine lui revinrent, mais avec un son qu'elles n'avaient pas lorsqu'elle les lui avait entendu prononcer : la haine en était absente, elles ressemblaient à des cris d'alarme, à un « sauvez-vous ! qui retentissait dans le silence. Elle retrouva brusquement sa force et se leva.

Son premier mouvement fut d'écrire à Marie Maurecourt qu'elle voulait la voir. Elle passa au salon, griffonna un billet de quatre lignes et le mit sous enveloppe.

— A quoi est-ce que cela rime ? dit-elle tout haut, quand elle eut écrit l'adresse.

Elle s'arrêta et reprit à mi-voix :

— Je ne vais pourtant pas lui dire que j'ai tué mon père.

Ces mots qui sortaient de sa bouche la frappèrent de terreur. Elle porta les mains à ses yeux.

— Ce n'est pas vrai, dit-elle.

Brusquement elle abaissa ses mains et répéta comme si on le lui contestait :

— D'abord, ce n'est pas vrai.

Une colère folle s'empara d'elle ; jusque-là elle avait été trop abattue, trop épouvantée pour sentir tout ce qu'il y avait d'humiliant dans l'attitude de Mme Legras. Mais maintenant sa force lui revenait et un flot de sang lui monta au visage. Un instant, elle se persuada que cette femme l'avait calomniée, et sa fureur s'en accrut. Elle dirigea son regard vers la villa Louise et serra les poings ; ses yeux devinrent noirs.

— Si jamais je te revois, murmura-t-elle. Sale... Sale...

Elle chercha un mot. Ce fut une expression dont elle avait entendu son père se servir qui lui vint à l'esprit.

— Chienne, oui, chienne, sale chienne des rues !

D'un mouvement brusque, elle se redressa et poussa un soupir comme si cette insulte la libérait de son angoisse. Finalement elle haussa les épaules.

— D'ailleurs, murmura-t-elle, en réponse à quelque chose qu'elle se disait intérieurement, elle sait bien que je la tiens. Après tout, il ne dépend que de moi que toute la ville ne la montre du doigt et qu'elle ne soit obligée de partir. Je n'aurais qu'à m'entretenir avec plusieurs personnes d'ici pour qu'en une semaine tout le monde fût au courant.

Elle baissa les yeux sur la lettre qu'elle venait d'écrire.

— Mlle Maurecourt, par exemple, pensa-t-elle.

Elle décida de faire porter sa lettre à Marie Maurecourt de toute façon. Sans doute, elle ne pouvait pas se confier à la vieille fille, mais, d'autre part, elle ne pouvait plus rester toute seule ainsi. Il fallait qu'elle vît quelqu'un, qu'elle parlât à quelqu'un.

Et, repoussant sa chaise, elle se leva et se mit à se promener à travers la pièce. Elle avait encore son tablier blanc autour de la taille et, sur sa tête, un torchon noué sous sa nuque lui donnait l'air d'une paysanne. Comme elle passait devant la glace, elle se regarda et se trouva un peu amaigrie, et la mine mauvaise ; ses vêtements de deuil aggravaient encore ce qu'il y avait de malsain et de blafard dans son teint. Elle s'accouda à la cheminée, examina de plus près son visage et les ombres autour de ses yeux, sous ses pommettes ; elle découvrit de petites rides qui se dessinaient sous ses paupières, plus fines que des cheveux, à peine perceptibles. Ses sourcils se froncèrent. Elle détourna la vue et parut réfléchir profondément. Tout le trouble que la peur

et la colère avaient apporté en elle disparaissait peu
à peu et faisait place a une mélancolie plus affreuse
encore.

Elle s'assit dans le grand fauteuil bas où son père
faisait sa sieste autrefois, et demeura immobile, le
dos tourné à la fenêtre. Pas un bruit n'arrivait de la
maison, ni de la rue. Il faisait chaud. Dans le jardin
les oiseaux se taisaient aux approches de midi.

III

Immédiatement après déjeuner, elle résolut d'aller porter elle-même sa lettre au pavillon blanc ; sans doute elle n'oserait jamais sonner, de peur que par hasard ce ne fût le docteur lui-même qui lui ouvrît ; elle se contenterait simplement de glisser la lettre dans la boîte fixée à la porte. C'était déjà beaucoup, pensait-elle, de pouvoir faire cela. Ne risquait-elle pas ainsi de se trouver face à face avec Maurecourt au moment où il sortirait de chez lui ?

Cette rencontre possible qui, d'ordinaire, lui semblait à la fois pleine d'effroi et de délice, lui apparaissait aujourd'hui comme une épreuve impossible à soutenir. Elle rêvait de le voir lorsqu'elle se sentirait plus calme et qu'elle n'aurait pas l'air aussi fatiguée. Quelle impression pouvait-elle produire maintenant, pâle, énervée comme elle l'était ? Peut-être, si elle s'était interrogée elle-même d'un peu plus près, eût-elle convenu qu'elle désirait tirer parti de cet état d'excitation dans lequel elle se trouvait, qu'elle comptait naïvement sur l'effet d'une mine hagarde et d'une parole difficile pour inspirer de la pitié à cet homme et que, si elle n'avait pas confié sa lettre à Désirée, c'était à dessein. Elle n'en pouvait plus. Il fallait agir et c'était dans l'excès même de son désespoir qu'elle en trouvait la force.

Elle mit son chapeau de paille noire et sortit. En traversant la rue, elle se demanda ce qu'elle dirait si jamais elle voyait Maurecourt, et ne trouva pas de réponse à cette question. Bientôt elle atteignit la porte de bois qu'elle avait observée si souvent et dont la peinture verte se gonflait et s'écaillait par endroits, sous l'effet de la chaleur. Son cœur battait à se rompre. Elle se tint immobile un instant, la lettre à demi glissée dans l'ouverture de la boîte, sans pouvoir se décider à ouvrir les doigts pour l'y laisser tomber. A l'intérieur du pavillon blanc, quelqu'un remuait des chaises, sans doute une domestique qui mettait la salle à manger en ordre après le repas. Où était Maurecourt maintenant ? Peut-être se reposait-il au jardin. Elle l'imagina sur une chaise longue, étendu sous un arbre, sous un hêtre comme celui qu'elle voyait de la chambre de Germaine. Un brusque regret la prit de ne pas lui avoir écrit au lieu d'avoir adressé la lettre à sa sœur, et elle eut un élan de tendresse qui lui arracha un soupir :

« Il est là, pensa-t-elle. S'il savait que je suis près de lui, que dirait-il ? »

Elle se sentit découragée tout à coup et lâcha la lettre ; la boîte se referma avec un petit bruit sec. Au même instant elle crut entendre marcher dans l'allée qui longeait le mur du jardin, et s'éloigna sur la pointe des pieds. L'émotion la saisit à la gorge. Elle ne s'était pas trompée, quelqu'un marchait de l'autre côté du mur, mais les pas s'arrêtèrent subitement. Elle s'arrêta aussi et s'appuya au rebord de pierre. Quelques secondes passèrent. Elle s'éloigna encore un peu sans faire de bruit et gagna le coin de la rue. Là, elle attendit. On attendait aussi au jardin, c'était sûr. Bientôt son oreille perçut le son des pas qui reprenaient leur marche, mais un peu plus vite ; ils s'arrêtèrent devant la porte. Elle entendit le déclic de la boîte qu'une main ouvrait avec précaution, puis refermait.

« J'ai été observée, se dit-elle épouvantée, on m'a vue. »

Et elle recula derrière l'angle de la maison, n'osant pas s'enfuir. Il y eut une minute d'un silence profond, puis la même main qui avait ouvert la boîte si doucement tourna le bouton et poussa la porte. Quelqu'un sortit. Adrienne retint son souffle. Quatre ou cinq pas à peine la séparaient de la personne qui se tenait devant la porte et regardait sans doute dans la rue afin de voir qui avait porté la lettre ; il suffisait que cette personne s'avançât jusqu'à l'angle du mur pour découvrir la jeune fille. Mais, presque aussitôt, Adrienne entendit la porte se refermer et les pas se diriger vers la maison. Elle attendit encore quelques secondes et rentra chez elle après une courte promenade jusqu'à la route nationale.

Sur le secrétaire du salon elle trouva une lettre qu'on avait dû remettre pendant son absence. D'un coup d'œil elle crut en reconnaître l'écriture et l'odeur de réséda qui s'en dégageait vint confirmer ses craintes : la lettre était de Mme Legras.

Elle s'assit et réfléchit quelque temps sans l'ouvrir. Tout de suite, elle imagina le pire : sa voisine avait écrit au parquet du département une lettre de dénonciation. Ah ! il était temps, à présent, de demander conseil. Elle déchira l'enveloppe et en tira un petit carton lilas qu'elle lut d'abord sans le comprendre :

« *Ma petite fille*, disait Mme Legras, *nous sommes folles toutes les deux de nous quereller ainsi. Je ne sais ou vous avez été chercher vos idées sur moi, ni moi tout ce que je vous ai dit ce matin. Mettons tout cela sur le compte du temps orageux, et embrassez, si vous le voulez bien, votre vieille amie Léontine Legras.*

Adrienne laissa tomber sa tête sur le bras du canapé où elle était assise et demeura longtemps immobile.

Vers trois heures, elle reçut la visite de Mlle Marie Maurecourt et fut frappée de l'extrême froideur qu'elle lut sur le visage de la vieille fille.

— Vous m'avez appelée, mademoiselle, dit celle-ci.

— C'est vrai, dit Adrienne.

Elles s'assirent l'une en face de l'autre. Mlle Maurecourt était habillée avec soin, d'une façon presque cérémonieuse ; elle portait un chapeau de soie noire orné de petites plumes de la même couleur. Derrière les mailles fines de sa voilette, son visage était presque entièrement caché, et l'on ne distinguait que le teint mat et jaune de sa peau et ses yeux foncés et brillants. Une jaquette et une robe de serge bleue dissimulaient assez mal la maigreur de son corps, bien qu'elles fussent largement coupées. Elle croisa sur ses genoux ses mains gantées de fil noir et parut attendre une explication.

— C'est vrai, répéta Adrienne avec effort. Ne m'aviez-vous pas dit que je pourrais m'adresser à vous les jours où ?...

Elle allait dire : les jours où je me sentirais triste, mais devant la mine grave et distante de la visiteuse, elle s'arrêta ; ces paroles lui semblèrent ridicules. Du reste, depuis qu'elle avait reçu la lettre de Mme Legras, elle ne voyait plus l'utilité d'une entrevue avec la sœur du docteur et regretta de lui avoir écrit.

291

— Qu'alliez-vous me dire, mademoiselle ? demanda Marie Maurecourt.

Adrienne baissa les yeux et regarda ses mains qu'elle aussi avait croisées sur ses genoux. Il y eut un court silence.

— Mademoiselle, dit brusquement Marie Maurecourt, j'ai changé ma manière de voir depuis ma dernière visite. J'ai réfléchi à notre entretien. Mon impression est que vous pouvez fort bien vous passer de ma compagnie. D'autant plus que, si j'en crois ce qu'on m'a dit, votre solitude n'est pas aussi complète que vous auriez voulu me le faire penser.

— Je ne comprends pas ce que vous voulez dire, dit Adrienne d'une voix hésitante.

— Vraiment ? fit Marie Maurecourt avec ironie. Vous jouissez d'un excellent voisinage, mademoiselle. Je vous en félicite. Léontine Legras est sans doute une personne pleine d'agrément. Aussi est-il fort dommage que mon frère et moi nous ne croyions pas permis de faire la connaissance de femmes de ce genre...

Elle s'interrompit et fixa ses yeux sur la jeune fille.

— ... ou celle de leurs amies.

— Vous êtes folle ! s'écria Adrienne.

— Soyez polie, mademoiselle, reprit Marie Maurecourt, d'une voix étudiée. La courtoisie est nécessaire, même dans des circonstances comme celles qui m'amènent ici. Je vous disais donc que vous étiez libre de choisir vos amies comme il vous plaisait, mais qu'étant donné la qualité de votre amie Léontine Legras, la classe à laquelle elle appartient, vous ne deviez pas même songer à entretenir des rapports avec nous.

Adrienne devint rouge.

— Je ne vois plus Mme Legras, dit-elle.

— Alors, c'est tout récent, reprit Marie Maurecourt sur un ton sceptique. J'ai su que ce matin Mme Legras, comme vous dites, vous a fait l'honneur d'une visite.

— Elle est venue malgré moi, mademoiselle.

— Ah? Possible, mais la correspondance va son train. Cet après-midi, une lettre.

— Vous m'espionnez, mademoiselle, je ne le souffrirai pas.

— Je prends mes renseignements avant d'ouvrir à une étrangère la porte d'une famille honorable. Maintenant, je suis fixée.

— Fixée sur quoi? dit Adrienne en élevant la voix.

Marie Maurecourt la regarda un instant avant de lui répondre.

— Sur ce que vous êtes, mademoiselle Mesurat, dit-elle sèchement. La preuve en est abondante.

La jeune fille ne se contint plus du tout. Elle oublia la prudence qui lui conseillait de ne pas rompre les ponts entre elle et les Maurecourt et ne maîtrisa plus sa colère.

— Expliquez-vous, dit-elle d'une voix tremblante, je vous somme de vous expliquer.

Pour toute réponse, Marie Maurecourt ouvrit un sac d'étoffe noire qu'elle tenait entre ses mains et en tira une lettre.

— Avez-vous écrit ceci? demanda-t-elle.

— Assurément, mademoiselle, c'est la lettre que je vous ai envoyée après déjeuner.

— A merveille. Et ceci?

Elle lui jeta une enveloppe sur les genoux. Adrienne la prit et en sortit la carte qu'elle avait écrite à Montfort. Un cri s'échappa de sa poitrine.

— Voilà un cri dont le sens est clair, remarqua Marie Maurecourt en refermant son sac.

Adrienne se leva et porta la main à sa gorge.

— Cette carte ne vous était pas adressée, dit-elle enfin d'une voix changée.

— J'aime mieux vous dire tout de suite qu'elle n'est jamais parvenue à son destinataire, répondit Marie Maurecourt qui suivait les mouvements de la jeune fille avec un sourire de mépris.

— Vous l'avez volée ! s'écria Adrienne. C'est infâme, mademoiselle.

Marie Maurecourt ne bougea pas.

— Comment donc appellerez-vous ce que vous avez fait ? demanda-t-elle. Vous écrivez souvent des déclarations d'amour comme celle-là ? La Legras doit vous donner de précieux renseignements, mademoiselle. Je ne m'étonne plus de vos relations.

Adrienne frappa du pied.

— Sortez d'ici, cria-t-elle.

— Pas avant de vous avoir prévenue qu'à la prochaine lettre de ce genre que je trouve dans ma boîte, je dénonce votre conduite à l'opinion publique. Je ferai passer un écho dans le *Moniteur de Seine-et-Oise*. Nous verrons ce que pensent de vous les honnêtes gens !

Elle se leva tout d'un coup et s'éloigna d'un pas en rejetant le torse en arrière, puis, haussant les épaules, elle lança un dernier regard de mépris à la jeune fille et se retira.

Adrienne porta les doigts à sa bouche, étouffant le cri de rage qui lui montait de la poitrine, et se laissa tomber sur le canapé. Ses mains tremblèrent ; de son poing fermé elle frappa plusieurs fois ses genoux.

— J'irai le voir, dit-elle au bout d'un instant, d'une voix qui semblait ne pas pouvoir sortir de sa gorge. Dieu sait ce que cette femme lui a dit.

Elle tira son mouchoir de son corsage et s'essuya la bouche.

— Allons, fit-elle en se levant, allons. Je ne vais pas me laisser décourager par une vieille fille de mauvaise humeur. Il ne le faut pas.

Son corsage la serrait étroitement, les baleines du col s'enfonçaient sous son menton; elle dégrafa un peu ce vêtement qui lui tenait chaud et soupira.

— Allons, répéta-t-elle en reprenant sa promenade. Il ne le faut pas.

Elle s'assit brusquement au secrétaire, prit une plume et se mit à écrire :

— *Monsieur, j'ignore ce qu'on a pu vous dire de moi.*

Cette phrase lui déplut; elle déchira le papier et recommença :

— *Monsieur, il est tout à fait nécessaire que je vous voie.*

Mais ce début ne lui parut pas plus heureux que le précédent. Elle déchira cette seconde feuille de papier et, s'accoudant au secrétaire, elle mit son front dans ses paumes.

— Que faire, mon Dieu, que faire ? dit-elle tout haut sur un ton de colère et de lassitude.

Elle sentit que ses forces allaient la quitter tout d'un coup si elle ne se ressaisissait pas immédiatement. Elle reprit une troisième feuille et griffonna d'un trait la lettre suivante :

— *Monsieur, je veux vous voir. Il y a longtemps que j'aurais dû vous demander de m'aider, car c'est de votre aide que j'ai besoin. Si on vous a déjà parlé de moi, ne croyez rien de ce qu'on a pu vous dire. Je suis horriblement malheureuse, je ne peux plus souffrir. Votre devoir est de me secourir, de venir ici me parler, seul.* »

Elle s'arrêta.

— Je ne peux pas envoyer cette lettre, dit-elle ; et tout à coup elle s'écria sur un ton d'autorité : Eh bien, tant pis ! Rien ne peut m'arriver de pire que ce que j'ai souffert aujourd'hui. Et puis, je suis sûre qu'il comprendra.

Elle écrivit : « *Je suis sûre que vous comprendrez* », et signa.

Lorsqu'elle eut adressé l'enveloppe, elle agrafa sa blouse, s'en fut mettre son chapeau et sortit. Ce qu'elle voulait, c'était donner elle-même cette lettre au docteur, puis revenir chez elle et attendre. Dans l'état d'esprit où elle se trouvait, ce projet lui parut la simplicité même. Après des semaines d'hésitation et d'incertitude, elle voyait clair tout d'un coup, par une sorte de compensation, se disait-elle, pour tout ce qu'elle avait souffert auparavant. Elle s'étonna de ne pas avoir songé plus tôt à ce moyen.

« Peut-être aurais-je mieux fait encore de lui dire que c'était pour une consultation », pensa-t-elle comme elle traversait la rue.

Et elle ajouta aussitôt :

« Tant pis, je ne peux pas recommencer cette lettre. »

Elle craignait que son énergie ne s'épuisât, elle savait qu'elle ne pouvait pas exiger d'elle-même un autre effort et que si elle ne profitait pas de celui qu'elle avait dû fournir pour écrire sa lettre, elle perdait la partie pour de bon. Sans doute il y avait longtemps qu'elle aurait dû parler au docteur. Que de difficultés ne se fût-elle pas épargnées ! Mais ce moment précis où elle aurait dû agir, elle l'avait laissé passer et, aujourd'hui, il se trouvait qu'en vertu d'un hasard mystérieux ce moment revenait, elle le sentait, elle en était sûre. C'était sa dernière chance : tout son bonheur, toute sa vie peut-être dépendaient de la manière dont elle allait vivre pendant les trois ou quatre heures suivantes. Cette idée superstitieuse la frappa comme la révélation soudaine d'un mystère. Elle marcha plus vite et atteignit l'angle du pavillon, l'endroit même où elle s'était tenue tout à l'heure, au moment où Marie Maurecourt avait ouvert la porte. Elle s'appuya au mur.

Combien de temps devrait-elle attendre ? Comment saurait-elle s'il allait sortir cet après-midi ? Ces questions se posaient à son esprit sans que rien en elle y répondît. Elle se sentait à la fois résolue et indifférente. Ses yeux fixèrent les cailloux à ses pieds ; quelque chose de morne se glissa dans son regard. Toute la couleur s'était retirée de ses joues et ses lèvres étaient presque blanches. Des douleurs dans les épaules l'obligèrent à se courber un peu comme sous un fardeau. Près de dix minutes passèrent sans qu'elle songeât à relever la tête.

Le bruit d'une voiture sur la route nationale la fit tressaillir. Elle se redressa et jeta un coup d'œil autour d'elle. Au bout d'un instant le silence se rétablit. Il faisait trop chaud pour sortir, tout le monde restait chez soi. Elle imagina ses voisins assoupis dans des fauteuils, tranquilles. Demain, les vacances commençaient. Des Parisiens viendraient se reposer à La Tour-l'Évêque, occuper ces villas à droite et à gauche de la villa des Charmes. La jeune fille eut le sentiment cruel de la solitude que sa douleur créait autour d'elle. Dans toute cette partie de la ville, dans toute la ville peut-être, elle était seule à souffrir. Partout les hommes et les femmes mangeaient, travaillaient et dormaient dans une insouciance à peu près parfaite ; leurs petits ennuis n'existaient pas. Mais elle, pouvait-elle manger, dormir, demeurer tranquille une demi-heure entière ?

Elle eut un brusque mouvement de colère contre cet homme qui ne venait pas, comme s'il lui avait donné un rendez-vous et qu'il fût en retard ; il y avait des moments où elle se sentait prête à le détester. N'était-il pas responsable de tout ce qui la faisait souffrir ? Il était humiliant de penser que son bonheur, sa paix étaient à la merci de quelqu'un qu'elle avait vu passer une fois sur la route.

Et, tout d'un coup, elle eut l'impression qu'il était devant elle et qu'elle le voyait. Ses yeux noirs la regardaient avec un mélange d'affection et de curiosité. Tout ce qu'elle avait pensé s'effaça de sa mémoire. Elle comprit qu'elle était impuissante, que les raisonnements ne feraient que l'aigrir et qu'il n'y avait rien à changer au fait qu'elle était amoureuse.

A force de tendre l'oreille, elle finit par s'imaginer qu'elle entendait des pas dans l'allée du jardin ; ils se dirigeaient vers la porte. Son cœur battit affreusement. Si c'était Marie Maurecourt et qu'elle la rencontrât dans la rue, que devrait-elle faire ? « Et si c'était lui ? » pensa-t-elle. Le sang bourdonnait à ses oreilles. Elle joignit les mains et murmura : « Non, non », entre ses dents. Sa force lui échappait, elle serra les doigts comme pour la retenir en elle. Soudain elle quitta le trottoir et traversa la rue.

— C'est inutile, dit-elle rapidement, à mi-voix, je ne pourrai pas lui parler, je ne pourrai pas.

Et, comme elle froissait sa lettre dans son corsage, des larmes roulèrent sur ses joues.

Rentrer chez elle, entendre battre la grille du jardin, il lui sembla qu'elle n'en aurait pas le courage. Elle se promena un instant dans la rue, indécise, la gorge serrée. A travers ses larmes, elle vit le ciel qu'un nuage traversait lentement, et les fils télégraphiques sur lesquels des oiseaux, fatigués par la chaleur, venaient se reposer. Elle allait et venait. Un sanglot la secoua tout d'un coup et la surprit, comme si ce son rauque et bref qui sortait de sa gorge provenait de quelqu'un d'autre.

« C'est trop, pensa-t-elle, je deviendrai folle. Je ne peux plus souffrir ainsi. »

Dans son angoisse, elle inclina la tête jusqu'à toucher son menton de sa poitrine, et se tordit les mains en silence. Rien de ce qu'elle avait souffert auparavant n'était comparable aux horribles minutes qu'elle vivait depuis un quart d'heure. Il lui sembla qu'elle n'avait jamais su ce que c'était que pleurer jusqu'à ce moment, que ses frayeurs, ses déceptions, son désespoir de jadis n'étaient qu'imaginaires et que, pour la première fois, elle se trouvait devant une réalité affreuse, qu'elle touchait le fond de sa douleur. Elle eut envie de se courber, de se recroqueviller sur elle-même. L'idée de la mort traversa son esprit et ne l'émut pas ; elle se rappela son épouvante de l'avant-veille, lorsqu'elle avait cru que le mal de sa sœur s'était communiqué à elle, mais sa chair n'en frémit pas et ce qui lui faisait horreur quelque temps auparavant la laissait à présent indifférente.

« Peut-être est-ce ainsi que cela finira », se dit-elle.

Elle s'arrêta et leva les yeux ; à plusieurs reprises,

elle était passée devant la grille de la villa Louise. La scène avec Mme Legras lui revint à la mémoire, mais d'une manière confuse. Tout ce qui ne s'était pas produit avant la visite de Marie Maurecourt lui paraissait lointain et cette visite même lui semblait ne plus avoir de sens. Elle eut l'impression curieuse qu'elle était ivre. Ses genoux fléchissaient. Elle tira la sonnette et, sans attendre qu'on vînt lui ouvrir, tourna le bouton et poussa la grille. A peine avait-elle fait quatre pas dans le jardin qu'elle s'affalait sur le bord d'une pelouse.

IV

— Non, disait Mme Legras avec autorité, restez tranquille. Henriette va vous apporter un cordial et vous allez essayer de ne pas bouger pendant une heure.

Adrienne qui s'était redressée sur un coude se laissa retomber en arrière. Elle était étendue sur une chaise longue dans la chambre de Mme Legras et regardait autour d'elle sans avoir l'air de voir ce qui se présentait à ses yeux. Son regard se posa enfin sur sa voisine qui se tenait debout à son chevet, dans un peignoir mauve, et la surveillait avec attention.

— Depuis combien de temps suis-je ici ? demanda Adrienne au bout d'un moment.

Mme Legras consulta un petit cartel accroché au mur.

— Vingt minutes. Vous vous sentez un peu mieux ?

Adrienne ne répondit pas.

— Ne parlez pas si cela vous fatigue, dit Mme Legras en s'asseyant près d'elle. Dites-moi seulement si vous avez besoin de quelque chose.

On frappa à la porte. Mme Legras s'en fut ouvrir et revint avec un verre à liqueur à moitié plein.

— Buvez ceci, commanda-t-elle en soutenant la tête de la jeune fille.

— Merci, murmura Adrienne lorsqu'elle eut vidé le verre.

— Ma pauvre enfant, dit Mme Legras en reprenant sa place, nous vous avons trouvée étendue sur la pelouse. Pendant plus de cinq minutes il a fallu vous baigner les tempes et vous frapper le visage. Cela va mieux ?

Adrienne fit signe que oui.

— Ce n'est pas naturel, cette syncope, reprit Mme Legras. Moi qui vous croyais si forte. Mais le docteur va venir.

Il y eut un silence. Adrienne fixa ses yeux sur Mme Legras.

— Le docteur ? répéta-t-elle d'une voix blanche.

— Sans doute. Je l'ai envoyé chercher tout à l'heure.

Adrienne fit un effort pour se redresser.

— Je ne veux pas le voir, dit-elle, en s'animant, je ne le peux pas.

— Calmez-vous, ma belle, fit Mme Legras sur un ton implorant ; vous ne le verrez que lorsqu'il vous plaira. Allons, étendez-vous.

La jeune fille lui saisit les mains.

— Quel docteur ? demanda-t-elle.

— Mais, vous savez bien, ma pauvre, il n'y en a qu'un ici. Celui d'en face.

Un cri s'échappa des lèvres d'Adrienne et elle laissa tomber sa tête sur les mains de Mme Legras.

— Mon Dieu ! s'écria celle-ci. Comme elle me fait peur ! Qu'y a-t-il encore ? Adrienne !

Elle se leva et tira sur ses mains pour se libérer.

— Oh ! ne vous en allez pas ! supplia la jeune fille en redressant la tête. Je vais vous dire.

— Quoi donc ? fit Mme Legras.

— Asseyez-vous, je ne peux pas vous parler ainsi, reprit Adrienne. Il faut m'écouter, madame. Oh ! aidez-moi.

— Mais bien sûr, ma pauvre petite. Je vous avais toujours recommandé de vous confier à moi. Parlez-moi. Voyez, je suis assise, je vous écoute.

Adrienne cacha son visage dans ses mains.

— Je ne peux pas voir cet homme, dit-elle, et elle ajouta aussitôt : En tout cas, pas aujourd'hui.

— Pas voir le docteur ? Mais il ne vous mangera pas. Que craignez-vous ?

— Vous ne pouvez pas comprendre, s'écria la jeune fille dont la voix s'étranglait. J'ai souffert horriblement.

— Allons, fit Mme Legras en lui prenant la main, remettez-vous. Vous vous alarmez pour peu de chose. Vous m'avez dit que vous aviez eu des maux de tête ?

— Il ne s'agit pas de ça. Vous devriez comprendre pourtant. J'ai vu cet homme plusieurs fois, je le connais.

Elle regarda Mme Legras qui parut chercher dans son esprit l'explication de ces paroles. Adrienne remarqua ses paupières bleuies qu'un coup de crayon allongeait artificiellement. « C'est à une femme comme ça que je parle, pensa-t-elle. Tant pis. » Sa timidité tomba tout d'un coup, et elle était sur le point de dire : « Je l'aime, lorsque Mme Legras s'écria, le visage éclairé par une pensée subite :

— Vous n'allez pas me dire que vous êtes éprise du docteur Maurecourt ?

Et, sur un geste d'Adrienne, elle continua, au comble de la surprise :

— Mon enfant, c'est impossible ! Un homme de son âge ! Mais il a quarante-cinq ans !

— Je n'y peux rien ! dit Adrienne en éclatant en sanglots.

— Oh ! fit Mme Legras. Mais, mon enfant, vous

303

rêvez. Songez qu'il a un enfant de treize ans, un petit garçon qui vient justement passer ses vacances à La Tour-l'Évêque.

Adrienne poussa un cri.

— Maurecourt est marié !

— Marié ? Mais non. Sa femme est morte il y a cinq ans. Ça ne change rien au fait qu'il pourrait être votre père. Et puis, mon Dieu, pour l'âge on pourrait s'arranger ; mais regardez-le, maigre, efflanqué, très délicat, paraît-il. Avec ça, pas un sou. Ce n'est pas un parti, ma pauvre.

— Qu'est-ce que ça peut me faire ? dit Adrienne en s'essuyant les yeux. Je ne l'ai pas aimé parce que c'était un parti, reprit-elle d'une voix entrecoupée, je l'ai aimé comme ça.

— Allons ! fit Mme Legras sur un ton ferme, il ne s'agit pas d'encourager un penchant qui ne peut vous mener nulle part. Il faut vous guérir. Vous êtes jeune, jolie, assez riche, n'est-ce pas ? Autant de choses qu'il serait honteux de gâcher. Songez un peu à ce que vous êtes, que diable ! Songez à votre bonheur ! Il est insensé de vous enticher d'un homme de ce genre. Tenez, je ne peux pas prendre cette histoire au sérieux.

Elle se mit à expliquer pourquoi le docteur Maurecourt lui semblait un parti tout à fait inacceptable, mais, devant la mine têtue d'Adrienne qui paraissait ne pas l'écouter, elle perdit patience et s'écria :

— Et puis, nous sommes bonnes, toutes les deux ! Croyez-vous qu'il songe à l'amour, au mariage ? On voit bien que vous ne le connaissez pas. Il ne pense qu'à ses malades.

— Que voulez-vous dire ? demanda la jeune fille.

— Que ce n'est pas du tout un homme comme les autres. Ah ! ma pauvre petite, je sais bien qu'on ne peut pas choisir, mais vous ne pouviez tomber plus mal. Vous auriez mieux fait de me consulter plus tôt. Je vous aurais tout dit.

— Mais quoi, quoi ?

— Mais je ne sais pas, moi. C'est un homme qu'on voit à la messe tous les matins, pieux comme une vieille, et toujours fourré chez ses malades, tantôt à l'hospice de ceci, tantôt à la clinique de cela. On le connaît dans tous les environs. Trois fois par semaine il va à l'hôpital de Dreux où il donne des consultations gratuites. Et puis, il a toutes sortes de théories sur la façon de soigner les malades, il ne fait rien comme personne. Enfin, vous voyez le genre.

— Que voulez-vous dire ? demanda encore Adrienne.

Elle était devenue si pâle que Mme Legras prit peur à nouveau et s'efforça de la calmer.

— Ma pauvre Adrienne, je vous dis tout cela pour votre bien. Vous savez que je ne le connais pas, ce docteur Maurecourt. Après tout, il a un cœur comme les autres, sans doute, mais à en juger d'après les apparences... enfin...

— Si vous ne le connaissez pas, pourquoi parlez-vous comme vous faites ? s'écria la jeune fille en se redressant. Pourquoi ne pourrait-il pas m'aimer ? »

Elle se leva brusquement et tomba aux genoux de Mme Legras qui se leva à son tour.

— Madame ! fit Adrienne hors d'elle-même.

Les mots s'arrêtèrent dans sa gorge ; elle répéta :

— Madame ! d'une voix si angoissée que Léontine Legras crut qu'elle allait mourir.

305

— Mon enfant, dit-elle en lui prenant les mains, ne restez pas ainsi. Mon Dieu, qu'a-t-elle donc ?

— Aidez-moi, madame, dit Adrienne qui sanglotait.

— Moi ? Mais comment ? Allons, relevez-vous. Nous verrons ensuite. Du courage, bon sang ! Moi aussi, j'ai eu des moments difficiles. Si vous croyez que vous êtes la seule !

Elle contraignit Adrienne à se relever et s'assit avec elle sur la chaise longue. L'émotion la faisait trembler et elle eut un ton de colère pour dire à la jeune fille :

— Vraiment, vous vous laissez aller. Vous n'êtes plus une petite fille.

— Ce n'est pas ma faute, s'écria Adrienne. J'en ai assez, je deviendrai folle si je continue à vivre ainsi. Je ne peux parler à personne, il faut que j'aie tout ça en moi, toute la journée, toute la nuit.

— Parlez-lui.

— Je ne peux pas.

— Écrivez-lui alors.

— C'est inutile, sa sœur examine toutes les lettres avant de les lui remettre. Elle connaît mon écriture. Tenez, je lui avais écrit (elle tira sa lettre de son corsage), je comptais lui remettre ce mot moi-même, et puis je n'ai pas pu.

— Et alors, c'est moi qui devrais le lui donner, n'est-ce pas ? Je vous vois venir. Ah ! vous n'êtes pas femme pour deux sous, tenez ! Vous ne comprenez pas qu'on n'engage jamais une affaire de cette façon ? Et puis, je ne le connais pas, moi. Vous ne pouvez pas vous servir de moi comme intermédiaire. Ça ferait horriblement laid. Liez-vous avec lui, présentez-moi, puis nous verrons.

— C'est impossible. Je me suis brouillée avec sa sœur.

Mme Legras leva les mains au plafond.

— Toutes les fautes, toutes ? Tenez, donnez-moi cette lettre, je sens que je vais perdre patience, à la fin. Donnez.

Elle prit la lettre avec autorité.

Mme Legras la couvrit d'un regard de mépris.

— Écoutez-moi, dit-elle enfin. Cet homme va venir ici. Je le recevrai dans le salon d'en bas. Je lui dirai que cette lettre est tombée de votre corsage comme nous vous délacions. Il la lira. Soyez certaine qu'il ne vous verra pas tout de suite. Quand il saura la nature de votre maladie, il attendra que vous soyez plus calme, s'il n'est pas idiot. Il vous répondra, vous me montrerez sa lettre et nous verrons alors ce que nous aurons à faire. Mais plus de bêtises, vous m'entendez ?

Une grande demi-heure passa encore avant l'arrivée du docteur. Entre-temps, Mme Legras avait mis une jupe et un corsage de toile blanche. Elle quitta la chambre après avoir recommandé à Adrienne de rester calme et de feindre le sommeil si par hasard Maurecourt insistait pour la voir. Dans l'escalier même, elle décolla l'enveloppe de la lettre qu'Adrienne lui avait confiée, en lut le contenu, haussa les épaules et recolla soigneusement l'enveloppe.

Le docteur était debout au milieu du salon lorsque Mme Legras entra dans cette pièce. Elle ne put s'empêcher de faire mentalement la remarque qu'elle ne s'était pas trompée sur son âge et qu'il portait la trace de chacune de ses quarante-cinq années sur ses traits. Il était plus grand qu'elle, à peu près de la taille d'Adrienne, mais d'une maigreur extrême qui le faisait paraître beaucoup plus élancé que la jeune fille. Ses cheveux encore noirs lui couvraient le haut du front et les tempes, accentuant la blancheur d'une peau qui ne se colorait qu'aux pommettes. Il avait les yeux de sa sœur, mais sans cette perpétuelle inquiétude des prunelles ; au contraire, son regard se posait sur les gens et les choses avec un mélange d'attention et de douceur et s'en détachait comme à regret. Des sourcils noirs, un peu arqués, achevaient de lui donner cet air méridional et presque étranger que l'on retrouvait chez Marie Maurecourt. Son nez était droit et mince, quoique les narines en fussent bien ouvertes. Sur sa bouche aux lèvres étroites, dessinées légèrement, errait une sorte de demi-sourire qui ne s'effaçait jamais tout à fait, et semblait l'expression même d'une bonté extraordinaire. Par un geste qui lui semblait coutumier, il passait la main sur son menton. Il était vêtu de noir et portait un gilet dont les plis et les reprises, quelque habilement qu'elles eussent été faites, indiquaient assez bien l'âge, mais dont la blancheur était sans reproche.

— Docteur, dit Mme Legras en lui montrant un siège de la main.

— Madame, dit-il sans s'asseoir, je pense qu'il s'agit de quelque chose d'urgent. C'est ce que l'on m'a donné à entendre, du moins.

— Il s'agit de quelque chose d'urgent, répéta Mme Legras sur un ton d'importance. Mais asseyons-nous, si vous le voulez bien.

Ils s'assirent, Mme Legras croisa ses pieds et ses mains et reprit d'une voix un peu solennelle :

— Il s'agit de Mlle Mesurat, docteur. Elle venait me rendre visite, aujourd'hui vers deux heures, lorsqu'elle est tombée sur la pelouse, évanouie. Il a fallu, ma femme de chambre et moi, que nous lui passions un linge mouillé sur les tempes, que nous lui frappions...

— Combien de temps a duré la syncope ?

— Quatre ou cinq minutes. Comme je délaçais Mlle Mesurat, une lettre a glissé de son corsage. La voici, docteur. Elle porte en suscription votre nom et votre adresse.

Il déchira l'enveloppe et lut la lettre. Mme Legras toussa et regarda la pointe de ses bottines ; au bout d'un instant, elle releva les yeux furtivement, examina le visage du docteur qui fronçait les sourcils.

« Il y met son temps, pensa-t-elle. Est-ce qu'il l'apprend par cœur ? »

— Madame, dit brusquement Maurecourt en repliant sa lettre, me permettez-vous une ou deux questions ?

— Mais bien entendu, docteur, répondit Mme Legras qui toussa de nouveau.

— Savez-vous si c'est la première fois que Mlle Mesurat éprouve un malaise de ce genre ?

— Chez moi, oui. Autre part, je ne sais pas. Elle ne parlait jamais de sa santé. Je supposais qu'elle était bonne.

— Allait-elle mieux lorsque vous l'avez quittée ?

— A l'instant ? Elle dormait.

— A-t-elle vomi ?

— Non.

— Avait-elle de la fièvre ?

— Non plus.

— J'irai demain chez elle, madame. Veuillez avoir la bonté de le lui dire à son réveil.

Il se leva et parut indécis.

— Madame, dit-il, il y a encore une question que je

m'en voudrais de ne pas vous poser, parce qu'elle intéresse certainement l'état de santé de Mlle Mesurat.

— Je suis toute prête à vous répondre, docteur, fit Mme Legras avec l'expression qu'exigeait la circonstance.

— Vous connaissez Mlle Mesurat, vous la connaissez bien ?

— Je la vois tous les jours.

— Paraissait-elle calme, satisfaite, ces temps derniers ?

Mme Legras tenait toujours ses mains jointes ; elle les entrouvrit et baissa les yeux comme pour regarder à l'intérieur de ses paumes et y chercher sa réponse.

— Je l'ai trouvée nerveuse et abattue, dit-elle enfin.

— Savez-vous si elle mange comme à l'ordinaire ?

— Je pense que oui. Elle a maigri, dit Mme Legras. Et elle ajouta, avec un accent légèrement dramatique : Elle tousse depuis quelques jours.

Il inclina la tête et parut réfléchir.

— Pensez-vous qu'elle se ressente beaucoup de la mort de son père ? demanda-t-il à voix plus basse.

Mme Legras poussa un long soupir.

— Évidemment, répondit-elle en levant une épaule et un sourcil, mais il doit y avoir autre chose.

— Eh bien, madame, je vous remercie, dit aussitôt le docteur en prenant son chapeau. Si vous pouviez faire qu'elle passe la nuit ici, je crois qu'elle s'en trouverait mieux. Souvent un léger changement dans les habitudes peut agir en bien dans le cas d'une personne nerveuse.

Mme Legras réfléchit quelques secondes.

— C'est entendu, dit-elle enfin, elle couchera chez moi.

V

Adrienne s'éveilla au milieu de la nuit, et reconnut tout de suite qu'elle n'était pas chez elle ; la lune éclairait le petit salon où la jeune fille s'était installée pour dormir. Elle se leva du canapé qui lui servait de lit et, mettant ses pantoufles, alla jusqu'à la fenêtre qu'on avait laissée entrouverte. L'air était lourd ; un ciel pur de tout nuage annonçait pour le lendemain une journée plus chaude que les précédentes.

Il semblait à Adrienne qu'elle ne vivait plus que d'une vie étrange comme celle dont on peut avoir conscience dans un rêve. Elle se rappelait la conversation qu'elle avait eue avec Mme Legras avant de se coucher, comment elle avait essayé de tenir tête à cette femme qui voulait absolument la décourager, changer son cœur, lui faire connaître ce qu'elle appelait un parti plus présentable. « Un parti, répéta la jeune fille à mi-voix, avec un mélange de colère et de lassitude, un parti, je m'en moque bien. Est-ce ma faute si j'aime cet homme ? Je ne l'ai pas choisi ! »

Elle s'assit sur le rebord de la fenêtre et posa son coude sur la barre d'appui. La rue était toute blanche, avec des ombres tranchantes au ras des murs. Un profond silence régnait, ce silence de minuit et de midi qui serre le cœur, dans les petites villes de province, comme si toute chose vivante était frappée de mort subite. Elle leva les yeux et vit, de l'autre côté de la rue, une maison étroite au fond d'un petit jardin. Les six marches du perron montaient sans grâce jusqu'à une porte dont la partie supérieure était formée par une grille au dessin compliqué. Adrienne connaissait bien cette grille. Que de fois n'avait-elle pas promené ses doigts de petite fille dans les entrelacs de fer ! Il y avait quelque chose d'accablant dans ce simple souvenir. « Pourquoi suis-je ici ? » se demanda-t-elle. Elle dirigea sa vue vers les fenêtres. Taillées dans une pierre rocailleuse, il y en avait six, hautes et étroites elles aussi, comme la maison même, avec un banal entablement et des volets percés de losanges.

Puis l'œil-de-bœuf ; puis le toit, ce toit presque vertical dont le temps n'arrivait pas à faner les tuiles trop rouges et trop neuves. Toute l'attention d'Adrienne était prise par ces détails qu'elle avait observés cent fois, mais qui semblaient revêtir pour elle, à cette heure et de cet endroit, un aspect qu'elle ne leur avait jamais vu. Ce fut comme si une sorte d'hallucination s'emparait de son esprit. A force de regarder la villa des Charmes, elle en venait presque à s'imaginer qu'elle n'y avait jamais mis les pieds, qu'elle n'avait même pas remarqué jusqu'alors la présence de cette maison banale et mal construite. Et cette impression voisinait en elle avec le dégoût que l'on peut avoir en face de quelque chose que l'on connaît trop bien et dont tout à coup on se détourne avec horreur, après en avoir supporté la vue pendant de longues années.

« Je rêve, pensa-t-elle. Je ne devrais pas rester ainsi. »

Mais une espèce d'engourdissement la tenait à sa place et elle restait immobile, la joue dans la main et le coude sur la barre d'appui. Et de même qu'elle ne parvenait pas à se lever, à se remuer, elle se sentait incapable de diriger sa pensée. Toutes sortes de souvenirs revenaient en elle sans qu'elle pût faire le moindre effort pour les écarter ; des idées incohérentes traversaient son cerveau à leur gré, lui semblait-il ; elle eut le sentiment étrange qu'elle entrait en communication avec un monde inconnu, que sa volonté lui était ravie, et qu'elle était contrainte de demeurer passive. Il n'était plus question d'être triste, d'avoir peur ; à présent, une indifférence à tout prenait la place du désespoir qui l'avait jetée à terre quelques heures auparavant.

Elle se sentait subitement éloignée de ce qui faisait sa vie ordinaire et, comme elle regardait la villa des Charmes sans pouvoir se rendre compte qu'elle y avait passé sa vie entière, elle s'étonnait aussi des sentiments qui l'avaient tant fait souffrir, et se reconnaissait à peine dans le souvenir de sa douleur. Quelque chose l'emportait hors d'elle-même ; elle eut conscience de ce qu'il y avait de pesant dans sa chair ; sa tête, sa main, son bras, son corps entier lui parurent ne former qu'un seul bloc qui, de lui-même, ne pourrait plus se mouvoir. Il lui sembla qu'elle s'échappait de cette masse immobile et qu'elle flottait au-dessus d'elle. Et, peu à peu, un calme délicieux pénétra dans son cœur en même temps qu'un indéfinissable vertige se saisissait de ses sens. La villa, les arbres penchaient devant ses yeux, d'un côté puis de l'autre, lentement, et cette espèce d'oscillation de la terre la berçait.

Elle ferma les yeux et comprit au même instant

313

que le charme se brisait. La vie se reformait en elle, telle qu'elle la connaissait, au gré des souvenirs. Elle se revit au bord de la route, les bras chargés d'une grosse gerbe de fleurs des champs. C'était là, pensa-t-elle, que tout avait commencé.

Mais, alors même qu'elle se laissait aller à la pente de sa mémoire, elle éprouva quelque chose qui ressemblait à une secousse. Ce fut comme si, sur le point de tomber en avant, elle se ressaisissait ou plutôt comme si une force inconnue la tirait en arrière et la faisait revenir à elle. Tout se brouilla devant ses yeux, mais à ses oreilles un bruit retentit qui la fit frémir. Elle entendit battre la grille de la villa des Charmes, puis, après un instant de silence, un autre bruit parvint à elle, un bruit qui lui donna envie de crier; malgré elle, elle le décomposa; il y avait d'abord un son mat et lourd qui se reproduisait à intervalles fréquents et irréguliers, plus hésitant au début, plus rapide et plus fort ensuite, un piétinement confus et enfin un murmure grandissant de paroles échangées à voix basse. Terrifiée, elle écouta le sable et les petits cailloux crissant sous les roues qui tournaient lentement; elle revit ces roues. Ne marchait-elle pas tout près d'elles ? Elles étaient noires. Le sable paraissait presque blanc dans la chaleur de la matinée; elle le voyait à ses pieds, entre les deux roues. C'était tout ce qu'elle pouvait voir, elle ne voulait pas lever les yeux. Une seule pensée occupait son esprit et prenait une importance énorme : « Tout le monde me regarde, il ne faut pas que je marche trop vite, il ne faut pas que je m'approche de ces roues, il faut que je me règle sur le pas des chevaux. Tout le monde me regarde. » Et, dans la même stupeur, elle allait lentement, étouffant sous son voile de crêpe. Elle suivait l'enterrement de son père.

Brusquement, elle retrouva ses forces et se leva :
— Qu'est-ce que j'ai ? dit-elle tout haut d'une voix étranglée. Si je pense à tout cela, je deviendrai folle.

Elle courut à la petite table au chevet de son lit et alluma la lampe. Il n'était pas encore deux heures. Son cœur battait si fort qu'elle porta le poing à la poitrine comme pour arrêter ce bruit précipité qui retentissait dans tout son corps. Elle s'assit sur son lit. « Pourquoi est-ce que je ne peux pas dormir comme les autres ? se demanda-t-elle tout d'un coup. Est-ce que je n'aurai jamais une journée tranquille, une nuit tranquille ? »

Ses cheveux tombaient sur son visage ; elle les écarta et regarda autour d'elle. Ces meubles qui ne lui étaient pas familiers lui paraissaient étranges dans la lumière indécise de la lampe à huile. Il y en avait trop et, parce qu'ils étaient loués à trop de monde, ils n'avaient l'air d'appartenir à personne. « Pourquoi est-ce que je ne peux pas dormir chez moi ? se demanda-t-elle encore. Qu'est-ce que j'ai donc ? » Cette question lui parut aller jusqu'au fond de son désespoir, et elle la répéta tout haut d'une voix presque irritée : « Mais qu'est-ce que j'ai donc ? »

Elle sentit l'air frais sur ses pieds nus et frissonna. L'idée de souffler la lampe, de s'étendre de nouveau sur ce canapé trop étroit lui parut impossible. Dans le noir, elle aurait peur. Trop de choses la guettaient, prêtes à s'imposer à elle dès qu'elle serait dans l'obscurité, trop de souvenirs impatients de repasser dans sa mémoire, trop de scrupules, trop de remords, trop de fantômes contre lesquels il fallait lutter.

Elle regarda la lampe qui brûlait sous un abat-jour

de mousseline plissée, garni d'une ruche dont l'aspect frivole semblait étrange et presque sinistre à cette heure de la nuit. Des moucherons réveillés par la lumière tournaient au-dessus du verre jusqu'à ce que la chaleur de la flamme jaune leur consumât les ailes. Sur la petite table, tout autour de la lampe, des coquillages de formes diverses voisinaient avec des objets de nacre ; Adrienne les considéra avec une curiosité mêlée d'une sorte de dégoût. Malgré elle, son imagination lui représentait les doigts courts de Mme Legras ouvrant ces petites boîtes, tournant et retournant les coupe-papier.

Peu à peu, elle prenait plus nettement conscience de ce qui s'était passé depuis deux jours. Elle s'était disputée avec Léontine Legras, elle l'avait insultée, puis elle s'était réconciliée avec elle et maintenant elle était assise dans son salon. Cependant elle savait bien ce que les Maurecourt pensaient de cette femme, la Legras, comme disait Marie Maurecourt. Entre eux et elle, il fallait choisir, elle le savait bien, et que faisait-elle ? Elle s'installait chez Mme Legras, elle la priait de parler pour elle au docteur, elle faisait d'elle sa confidente, au su des Maurecourt, au su de tout le monde, par conséquent. Cette pensée l'affola. Elle eut brusquement le soupçon qu'elle n'agissait pas toujours exactement comme elle le voulait. Il y avait en elle quelque chose qui n'obéissait pas à tous les ordres de sa raison. C'était comme un piège dans lequel, sans même s'en douter, elle s'était laissé prendre. Il lui sembla que sa chair se glaçait.

Elle hésita un instant, puis, se levant tout d'un coup, chercha ses vêtements et se rhabilla en hâte ; ses mains tremblaient en tirant ses bas, et elle ne parvint pas à agrafer sa blouse ni à boutonner ses bottines jusqu'en haut. Elle se peigna comme elle put, avec ses doigts. Au-dessus de la pendule, sur la cheminée, elle vit ses cheveux en désordre, ses yeux épouvantés, cernés d'une ombre que la mauvaise lumière de la lampe exagérait comme à plaisir. Subitement, elle prit ce petit salon en horreur avec ses meubles qui avaient appartenu à tant de monde, ces meubles louches. Et elle se mit à courir de droite et de gauche, cherchant son sac à main qu'elle avait avec elle, la veille. Elle le retrouva par terre, derrière le canapé sur lequel elle avait passé une partie de la nuit ; puis elle sortit.

Appuyée au mur, elle suivit un couloir jusqu'à la porte qui menait au jardin ; la clef était dans la serrure, elle la tourna doucement, poussa la porte et se trouva sur le perron. Elle traversa une allée sur la pointe des pieds et marcha ensuite sur une pelouse afin qu'on ne l'entendît pas. Comme elle passait sous un marronnier, elle s'arrêta : c'était là qu'elle avait coutume de s'asseoir, autrefois, lorsqu'elle rendait sa visite quotidienne à Mme Legras et qu'elle l'écoutait poser ses questions sournoises sur la mort de M. Mesurat. Pendant une seconde, le souvenir de ces angoisses lui donna une émotion violente. Elle se ressaisit et courut jusqu'à la grille qui, par bonheur, n'était fermée qu'au loquet.

A présent elle était dans la rue. Sous la lumière de la pleine lune, la chaussée était toute blanche, comme s'il eût neigé. Parfois, au gré d'une brise qui soufflait sans bruit, les arbres remuaient doucement la tête ainsi qu'au milieu d'un songe, et leurs feuilles frappées de rayons blafards brillaient avec des effets de métal. Elle s'arrêta un instant, par lassitude, mais n'eut pas d'autre hésitation. D'un pas rapide, elle passa de l'autre côté de la rue et ouvrit la grille.

Elle l'entendit battre derrière elle et se retourna pour la regarder avec une expression qui ne peut se rendre. Ses yeux semblaient s'être agrandis; elle aussi était toute blanche, presque livide et ses lèvres, entrouvertes comme pour être toutes prêtes à crier, n'avaient plus de couleur et se distinguaient à peine du reste de son visage. Cependant elle se retourna vers la maison et remonta l'allée dont les cailloux criaient sous ses pas.

Tout dans ses gestes indiquait la résolution. Elle allait vite; toutefois, au moment où elle posait le pied sur la première marche du perron, une faiblesse subite parut la prendre et l'on eût pu croire qu'elle allait tomber en arrière; il n'en fut rien pourtant, elle ne fit que baisser la tête et, retroussant sa jupe, elle gravit les six marches, ouvrit la porte, et disparut dans la maison.

Les allumettes étaient dans la cuisine. Elle marcha tout droit, frappant le mur de sa main gauche à mesure qu'elle allait, et se guida ainsi jusqu'au fond du couloir. Une épouvante sans nom la guettait, attendait le moment où tout d'un coup elle se rendrait, où elle crierait dans le noir, vaincue par l'horreur des ténèbres. Au bout du couloir elle se mit à courir, ne comprenant pas comment elle avait pu pénétrer à cette heure lugubre dans la maison. Déjà elle était dans la cuisine, butant dans les chaises dont elle ne reconnaissait plus la place, lorsqu'elle sentit que son angoisse grandissait, que la terreur allait avoir raison d'elle, avant qu'elle pût allumer le gaz. Elle se débattit ainsi quelques secondes dans l'obscurité, à moitié folle, trouva enfin la boîte d'allumettes qu'elle n'ouvrit qu'avec peine, tant ses mains tremblaient fort.

Lorsqu'elle vit briller la lumière, elle regarda autour d'elle avec effarement. Elle ôta son chapeau et s'assit à la table, sous le bec de gaz dont l'espèce de grésillement emplissait le silence. Ses yeux fixèrent le dessin usé de la toile cirée où le dessous des plats et des assiettes avait tracé des cercles.

Et tout à coup, cédant à quelque chose d'irrésistible, elle se laissa tomber en avant, la tête sur les bras, et cacha son visage.

Un long quart d'heure passa avant qu'elle pût se décider à regagner sa chambre.

VI

Elle était maintenant au milieu du salon, un chiffon à la main, et regardait avec tristesse ces meubles qu'une habitude, presque un besoin nerveux, la forçait à essuyer tous les jours. Comme la veille, à certains moments, elle se sentait envahie par une indifférence générale à l'égard de ce que la journée lui réservait. Il semblait que son cœur épuisé par la souffrance ne fût plus capable de rien éprouver. Ses frayeurs, son agitation de la nuit passée lui paraissaient absurdes, et elle était tranquille à présent, mais d'une tranquillité affreuse qui n'était qu'un effet du dégoût.

En essuyant la garniture de cheminée, elle se regarda dans la glace. Sa peau n'était pas d'une bonne couleur. Il y avait entre ses sourcils une ride qu'elle surveillait parce qu'elle s'approfondissait depuis quelque temps, une fine petite ligne verticale qu'on eût dite tracée avec l'ongle. Elle se demanda comment elle pourrait la faire partir, ou tout au moins l'empêcher de s'accentuer et, tout à coup, elle fut frappée de la vanité de ce souci. « A quoi bon ? pensa-t-elle. Qu'est-ce que cela changerait ? »

Elle continua sa promenade, examinant chacun des bibelots posés sur les tables, passant son chiffon sur le dossier des chaises.

« Il viendra aujourd'hui, peut-être, se dit-elle, Mme Legras l'a dit. »

Mais cette pensée qui l'eût transportée vingt-quatre heures plus tôt la laissait maintenant à peu près froide. C'était étrange. Elle avait beau se répéter ces paroles, rappeler à sa mémoire le visage de Denis Maurecourt, elle n'y trouvait aucune raison de s'émouvoir, d'être heureuse ou malheureuse. Une réflexion bizarre lui vint à l'esprit. Est-ce que tout cela en valait la peine ? Se pourrait-il que Mme Legras eût raison et qu'en effet le docteur ne fût pas digne qu'elle s'intéressât à lui ? Et elle eut un instant le sentiment d'une amère et profonde déception.

Cependant les prévisions de Mme Legras se réalisèrent et un peu avant dix heures Denis Maurecourt entra au salon. Tout d'abord, la jeune fille ne le reconnut pas. Il ne s'était pas fait annoncer et se tint une seconde devant elle sans rien dire. Elle le regarda, le cœur brusquement serré comme si sa vie dût s'en aller d'elle à l'instant, puis elle comprit que le docteur venait la voir et elle poussa un cri.

— Que voulez-vous ? demanda-t-elle.

Et en même temps elle pensa : « Je me trompe, ce n'est pas lui. Il est beaucoup moins grand. Son teint est moins vif. » Mais la certitude qu'elle ne se trompait pas était plus forte et elle crut défaillir.

— Je vous croyais chez Mme Legras, dit-il, c'est chez elle que j'ai été prendre de vos nouvelles d'abord. Comment avez-vous passé la nuit ?

Adrienne ne répondit pas. Elle ne pouvait détacher ses yeux de ce visage qu'elle s'imaginait tout à fait différent. Elle ressentit à la fois une honte affreuse et une sorte de joie bondissante et désordonnée qui lui

321

ôtèrent la parole. Sans se rendre compte de ce qu'elle faisait, elle recula un peu et s'assit sur le canapé. Il resta debout un moment, puis s'assit à son tour.

— Si j'avais su que votre état de santé n'était pas bon, je serais venu plus tôt, fit-il doucement. Vous auriez dû me prévenir, mademoiselle. Est-ce que cela vous déplairait de répondre à quelques questions ? Il faut que je sache à quoi m'en tenir.

Elle fit un signe de tête.

— Est-ce que vous dormez bien ?

Elle réfléchit et dit : « Non », d'une voix rauque.

— Depuis combien de temps ?

— Je ne sais pas. Et presque aussitôt elle ajouta : Je ne peux pas répondre à ces questions.

— C'est pour vous aider que je les pose, mademoiselle, reprit-il sur le même ton de douceur.

Elle soupira et baissa la tête.

— Oh ! je sais bien, fit-elle comme si elle parlait toute seule. Soudain son émotion fut trop forte et elle ne put la contenir plus longtemps. Des larmes roulèrent de ses yeux.

Il attendit un moment avant de parler et dit enfin :

— Je comprends vos difficultés mieux que vous ne le pensez, mademoiselle. Il est très mauvais pour vous de vivre comme vous le faites, toute seule, sans voir personne. Vous devriez sortir, voir du monde. Méfiez-vous de la mélancolie.

— Je n'ai pas envie de sortir...

Il se leva et parut réfléchir. Enfin il vint se placer devant la jeune fille.

— N'avez-vous pas envie de guérir ?

Elle pensa immédiatement à sa toux et redouta qu'il en sût quelque chose.

— Je ne suis pas malade, répondit-elle vivement.

— Nous jouons sur les mots, mademoiselle. Vous n'êtes pas heureuse. Ne sentez-vous pas que c'est à peu près la même chose ?

Elle releva les yeux sur lui.

— Eh bien, dit-elle avec effort, que dois-je faire pour guérir, comme vous dites ?

— Me permettez-vous de poser une question ?

Elle fit un signe de tête.

— Avez-vous des habitudes de piété ?

Adrienne rougit fortement, elle se rappela ce que Mme Legras lui avait dit du docteur et craignit de déplaire à cet homme en lui avouant qu'elle ne croyait à rien. Un brusque désir lui vint d'être comme lui, de lui ressembler en tout. Après avoir attendu sa réponse un instant, le docteur reprit, comme s'il ne lui avait rien demandé :

— Vous êtes très nerveuse, mademoiselle. Vous tombez peu à peu dans une mélancolie dont vous ne parviendrez peut-être jamais à vous guérir si vous ne réagissez pas maintenant. Il faut voir du monde, vous confier surtout, beaucoup plus que vous ne faites. Il y a bien des choses en vous qui ne devraient pas exister mais que le seul fait de vous replier sur vous-même a rendues vivaces. Vous avez gardé pour vous seule des pensées qui ont fini par agir sur vous comme un poison.

Elle prit un air effrayé.

— Que voulez-vous dire ? demanda-t-elle.

— Mais que vous devez vous efforcer de vivre autrement, dit-il sur un ton plus bref. Vous ne serez jamais heureuse si vous ne vous décidez pas à sortir, à faire connaissance avec des personnes de la ville, à vous occuper. Que faites-vous ici toute la journée ?

Elle haussa légèrement les épaules sans répondre. Après l'avoir considérée un instant, il s'assit devant elle, à la petite table, et se mit à parler comme si, se ravisant tout à coup sur la conduite à suivre, il adoptait une tactique nouvelle.

— Ne me cachez rien, mademoiselle. Souvenez-vous que je suis venu pour vous aider, je peux presque dire pour vous sauver, oui, vous sauver. N'est-il pas vrai que, depuis la mort de votre père, vous êtes beaucoup plus malheureuse ?

Elle tressaillit.

— Je sais bien, reprit-il, que votre père vous a été enlevé dans des circonstances particulièrement pénibles, mademoiselle. Il est très naturel de céder quelque temps à une douleur aussi forte. N'est-ce pas ?

Il avait fixé les yeux sur les siens ; son sourire s'était effacé de ses lèvres. Elle ne put soutenir ce regard et détourna la tête. Tout son être tremblait si fort qu'elle dut s'appuyer au bras du fauteuil. L'horrible sensation qu'elle était comme une bête prise au piège et qu'elle ne pouvait s'enfuir la saisit à nouveau ; des gouttes de sueur perlèrent sous ses cheveux et coulèrent lentement sur sa peau. Soudain elle entendit sa voix, sa propre voix qui disait quelque chose :

— Mais oui, répondait-elle au docteur, c'est très naturel.

— Cependant, mademoiselle, dit-il encore, étiez-vous donc si attachée à votre père ? Ne survenait-il pas quelquefois de petits désaccords entre vous ?

Elle regarda Maurecourt qui demeura immobile.

— Pourquoi me demandez-vous cela ? fit-elle d'une voix étranglée.

— Pour vous aider à me dire la vérité, répondit-il, sans changer de visage.

Adrienne joignit les doigts sur la table par un geste machinal et retint sa respiration. Sa langue était sèche et rude contre son palais.

— Que voulez-vous dire ? balbutia-t-elle après un instant.

Il ne répondit pas. Alors elle sentit quelque chose de tumultueux qui montait dans sa poitrine ; il lui sembla que toutes ses entrailles battaient comme bat le cœur. Brusquement elle se leva et mit les deux poings sur sa gorge.

— Pourquoi me regardez-vous ? dit-elle. Qu'est-ce que vous allez faire ?

Sa voix ressemblait à un cri qu'on étouffe. Puis elle reprit avec un air indéfinissable qui faisait songer à un enfant en train de réciter une leçon :

— Papa est tombé dans l'escalier.

— Il n'y voyait donc pas ? demanda Maurecourt presque à mi-voix.

— Non, répondit-elle sur un ton plus calme.

Elle parut réfléchir et continua, parlant comme dans un rêve :

— Il faisait noir. J'avais fermé la porte de ma chambre où était la lampe. Tout à coup, nous nous sommes trouvés tous les deux dans le noir, en haut de l'escalier.

Elle se tut.

— Eh bien ?..., fit Maurecourt.

— Je l'ai poussé par les épaules », reprit-elle d'une voix à peine intelligible.

Il y eut un long silence. Depuis quelques minutes, elle n'avait plus peur. Tout en elle était pour ainsi dire engourdi. Seule dominait l'impression que quelque chose d'extraordinaire se passait. Sa vue se troublait ; elle s'imaginait qu'une épaisse ligne noire

325

entourait la tête et les épaules du docteur et qu'une obscurité progressive pénétrait dans la pièce. Ce fut comme si elle était sur le point de tomber dans le sommeil, mais elle resta debout, immobile.

— Pourquoi avez-vous tué votre père ? demanda Maurecourt au bout d'un instant.

Elle éprouva une horrible commotion. Ces paroles prononcées d'une voix plus dure et plus forte l'avaient arrachée à l'espèce de torpeur où elle se sentait glisser. Un cri s'échappa du fond de sa gorge et, faisant un pas vers le docteur, elle se laissa tomber sur deux genoux à ses pieds. Il ne bougea pas.

— Qui vous a dit ? gémit-elle. C'est cette femme, cette Mme Legras.

— Il y a longtemps que je le savais, répondit-il, depuis le matin où je suis venu constater le décès.

Elle étouffa un cri :

— Vous allez me dénoncer !

— Vous dénoncer ? Comme si vous n'étiez pas assez punie ! Levez-vous », ajouta-t-il... Et, se levant lui-même, il se pencha sur elle et lui dit encore sur un ton de commandement : Levez-vous, mademoiselle.

Elle obéit. Un tremblement nerveux agitait ses mains et sa tête ; elle paraissait dire *non*. Ses yeux cernés de noir étaient agrandis par l'effroi. Il posa doucement ses doigts sur le bras de la jeune fille et lui dit, d'une voix plus tranquille mais aussi ferme :

— Maintenant, nous allons monter à la chambre de votre père.

Elle eut une grimace qui ressemblait à un sourire, mais que l'expression tragique du regard rendait affreuse.

— Ne craignez rien, reprit-il, sans hâte, je répète

que je suis venu ici pour vous aider. Vous êtes très jeune, vous devez être heureuse, mais vous ne le serez jamais, tant que vous ne vous serez pas débarrassée de certaines idées. A présent, il faut m'obéir. Montons à cette chambre.

— La porte est fermée, répondit-elle en baissant la tête. Il y a deux mois que je n'y suis entrée.

— Où est la clef de cette chambre ?

Adrienne garda le silence. Il insista doucement.

— Je veux cette clef, mademoiselle. Veuillez me la donner.

Comme par une impulsion subite, elle se dirigea vers le secrétaire et ouvrit un tiroir où elle prit une clef. Elle la tendit au docteur.

— Conduisez-moi, mademoiselle, dit-il. Appuyez-vous sur mon bras.

Elle eut un instant d'hésitation, puis passa son bras sous celui du docteur. Tout dansait devant ses yeux, elle ne comprenait pas où elle prenait la force de placer un pied devant l'autre, de se tenir debout. Contre son bras nu elle sentit le contact de l'étoffe un peu rugueuse et, baissant les yeux, vit sa main blanche sur la manche noire de Denis Maurecourt. A ce moment il y eut dans son épouvante comme un élan de bonheur frénétique. Ce fut une émotion si subite qu'elle dut se retenir pour ne pas pousser un cri. Des larmes jaillirent au bord de ses paupières. A la porte du salon elle se dégagea et, passant la première, reprit le bras du docteur pour monter l'escalier. De sa main libre elle serrait la rampe avec tant de force que le bois grinçait sous sa paume ; ses pieds trébuchaient sur les marches. Elle n'osait lever les yeux sur Maurecourt ni croire qu'il fût vraiment à côté d'elle, bien qu'elle entendît son souffle et que, de son regard baissé, elle vît la main du docteur et ses souliers noirs, couverts de poussière.

Lorsqu'ils arrivèrent au palier du deuxième étage, son angoisse de tout à l'heure la regagna et elle s'arrêta, abandonnant le bras de Maurecourt. Il lui prit la main, la serra fortement.

— N'avez-vous aucune confiance en moi ? demanda-t-il.

Alors, baissant la tête devant ce regard qui se posait sur son visage, elle éclata tout d'un coup en sanglots. Il lâcha sa main. Elle l'entendit qui tournait la clef dans la serrure et poussait la porte.

— Venez, dit-il de l'intérieur de la chambre.

Adrienne fit un effort sur elle-même et entra.

Il y avait des mois qu'elle n'avait pénétré dans cette pièce, car, même avant la mort de M. Mesurat, elle n'y allait pas et, depuis, elle se fût bien gardée d'y mettre les pieds. Un moment elle se tint sur le seuil et ne vit rien d'abord, parce que les volets avaient été fermés. Une odeur de poussière et de moisissure lui saisit l'odorat. Elle ferma les yeux et s'appuya au chambranle de la porte, pendant que le docteur ouvrait la fenêtre et les volets.

— Qu'avez-vous ? dit-il en se retournant vers elle. Asseyez-vous.

Et il la prit par la main pour la conduire jusqu'à un fauteuil. Elle s'assit et regarda autour d'elle. Elle avait vu si souvent les meubles dans les autres parties de la maison qu'ils ne produisaient plus d'impression sur elle, peut-être même eût-elle été en peine de les décrire avec exactitude et c'était un peu comme si elle ne les voyait plus. Elle ne savait plus s'ils étaient beaux ou laids, c'étaient *les* meubles, de même que, pour un loup ou un renard, la forêt est *la* forêt sans autre définition possible. Mais elle connaissait beaucoup moins bien la chambre de son père et elle reçut un choc en voyant le lit en *pitch-pin* et les chaises de paille dont il s'était servi pendant des années. D'une manière indéfinissable et quelque ridicule que cela paraisse, ces meubles ressemblaient à M. Mesurat. C'était comme si, à force de lui avoir appartenu, ils avaient pris quelque chose de son air. On n'imaginait pas autre corps que le sien étendu dans ce lit trapu et banal et il eût semblé naturel que sa main veinée, sa main seulement, se posât tout à coup sur le dossier d'une de ces chaises. S'il était encore quelque part sur terre, il était là.

Adrienne frissonna.

— Pourquoi m'avez-vous amenée ici ? demanda-t-elle.

— Pour vous apprendre à ne pas avoir peur de cette chambre, répondit Maurecourt. Vous l'avez condamnée deux mois, vous avez eu tort. Ce qui l'a rendue si terrible à vos yeux, c'est que vous n'y entriez jamais. De même, il y a en vous des chambres secrètes où vous n'osez pénétrer et dont les volets sont clos. Il faut les inonder de soleil, au contraire. Avez-vous peur ici, avec moi ?

Elle leva sur lui un regard plein de confiance qui la transfigura.

— Non, dit-elle à mi-voix

Il eut un geste.

— Vous voyez bien ! Vous êtes guérie. Il n'y a plus rien, plus de terreurs, plus de spectres. Vous vous défendiez de penser à votre père parce que vous aviez peur de lui, n'est-ce pas ?

Elle porta la main à son front, comme si elle eût craint ce que Maurecourt allait dire. Il lut l'inquiétude dans ses yeux et reprit avec une impatience mal contenue :

— Vous imaginez des choses qui ne sont pas. Votre père n'est plus d'un monde où il puisse vous tourmenter. Il n'y a rien dans cette chambre, rien dans cette maison. Me croyez-vous ?

Il lui saisit la main.

— Je crois ce que vous dites, fit-elle.

Il gardait sa main dans la sienne et continuait à lui parler, mais elle ne comprit pas ce qu'il disait. Ce contact la bouleversait. Elle se mit à trembler de tous ses membres et sentit que sa force allait l'abandonner. Les yeux de Maurecourt fixés sur elle lui renvoyaient sa propre image. Elle vit remuer les lèvres du docteur. Tout d'un coup, elle se laissa tomber à ses pieds et poussa un cri :

— Ne me quittez pas ! supplia-t-elle.

Des larmes jaillirent de ses yeux avec force ; elle devint rouge et continua d'une voix précipitée :

— Vous ne savez pas comme je suis heureuse depuis un moment. C'est depuis que vous êtes là. Je ne peux pas vous dire. Si vous me quittez, je deviendrai folle, je mourrai. Il y a des mois et des mois que je pense à vous. Je ne savais pas comment vous le dire. Je vous ai écrit plusieurs fois. C'est depuis le jour où je vous ai vu sur la route.

Il se pencha sur elle et lui saisit les poignets dans ses mains ; le sang lui était monté au visage et enflammait ses joues.

— Taisez-vous ! balbutia-t-il. Vous ne savez pas ce que vous dites.

Elle secoua violemment la tête et reprit :

— Vous ne m'empêcherez pas de parler. Ce n'est pas ma faute si je vous aime.

— Vous ne m'aimez pas. C'est impossible.

Il lâcha brusquement ses mains et s'éloigna d'elle sans la quitter des yeux. Elle se releva.

— Pourquoi est-ce impossible ? s'écria-t-elle.

— Mais, mademoiselle, c'est une gageure, reprit-il. Pensez donc à tout ce qui doit nous séparer. Mon âge, d'abord. Savez-vous mon âge ? J'ai quarante-cinq ans, vingt-sept ans de plus que vous. Avez-vous réfléchi à cela ?

Elle s'appuya au fauteuil.

— Cela ne change rien, balbutia-t-elle.

— Vous trouvez ? dit Maurecourt en s'animant. Ah ! je semble peut-être cruel, mais je ne dois pas vous parler autrement. Écoutez-moi. Vous pouvez être heureuse, très heureuse. Ne le voulez-vous pas ? Mais, pour cela, il faut que vous compreniez d'abord que la raison est au moins de moitié à tout bonheur vraiment profond et durable. Or, que vous ayez pensé à moi comme... comme époux, n'est-ce pas ? c'est vraiment ce que l'on pouvait imaginer de plus déraisonnable. C'est une idée qui vous est venue à l'esprit parce que vous vivez seule. Mais si vous sortiez, si vous pouviez vous lier avec quelques familles de la ville... Votre père avait bien des amis à La Tour-l'Évêque ? Essayez de renouer ces relations. Je vous y aiderai. Vous verrez. Il y a des partis à La Tour-l'Évêque...

Adrienne leva les yeux.

— Des partis ! répéta-t-elle douloureusement.

— Mais oui, fit-il. Je pourrais vous en nommer.

— Je n'en veux pas, dit-elle.

— Pourquoi ?

— Parce que je ne peux aimer que vous.

Il joignit les mains et reprit doucement :

331

— Vous vous êtes mis cette idée en tête un jour que vous étiez seule, un jour que l'ennui vous accablait. Vous auriez tout aussi bien aimé quelqu'un d'autre. Supposez que quelqu'un d'autre soit passé dans la voiture au lieu de moi, ce jour dont vous me parliez tout à l'heure, que ç'ait été un jeune homme...

— Pourquoi voulez-vous que je suppose tout cela ? Même si ce que vous dites est vrai, cela ne peut rien changer.

Et elle eut un brusque élan de rancune contre cet homme qui la rendait si malheureuse.

— Je ne vous ai pas choisi, dit-elle. Vous avez raison. Mais je ne peux plus souffrir ainsi pour rien, ce n'est pas possible. Il faut que vous m'aimiez. Il faut avoir pitié de moi, autrement je deviendrai folle, oui, folle. Mettons que j'aie tort de vous aimer. Je n'y peux rien. C'est ainsi.

— Mais voyons, dit-il après un instant, si l'on vous disait sur moi des choses très déplaisantes, des choses très graves et d'une telle nature qu'elles vous écarteraient de moi. Si vous appreniez, par exemple...

— Quoi donc ? fit-elle. Qu'allez-vous dire ?

Il parut se raviser tout d'un coup.

— Vous comprenez bien, dit-il, que je ne peux pas croire que votre bonheur ne puisse dépendre que de moi. Dieu est bon. Il ne peut pas faire que vous vous épreniez sérieusement d'un homme que vous ne pouvez pas épouser...

— Pourquoi est-ce que je ne peux pas vous épouser ?

Il ne répondit pas à cette question et continua :

— C'est pourquoi je ne peux pas croire à ce sentiment, ou tout au moins à l'existence profonde de ce sentiment.

— Comment ? fit-elle. Mais que voulez-vous donc que je fasse pour vous le prouver ? Que je me tue ?

— Je veux vous prouver que vous avez tort, que vous vous trompez sur vous-même, reprit-il avec obstination.

Elle porta les poings à sa poitrine.

— Mais je sais que je ne me trompe pas ! s'écria-t-elle. Je souffre. Je sais que je suis malheureuse parce que je vous aime. Pourquoi ne me croyez-vous pas ?

Il la regarda en silence et dit enfin :

— Je ne peux pas continuer cette discussion, mademoiselle.

— Comment ? fit-elle. Qu'est-ce que vous allez faire ? Vous n'allez pas vous en aller ?

Il lui prit la main et la contraignit à s'asseoir. Elle obéit, tremblante, tandis qu'il s'asseyait devant elle.

— Je vais vous apprendre quelque chose qui vous écartera de moi, mademoiselle, dit-il, après un silence.

Elle eut envie de l'empêcher de parler, mais le désir de l'entendre fut plus fort.

— Quoi donc ? demanda-t-elle d'une voix à peine perceptible.

— Voici, dit-il avec effort. Je suis malade, très malade.

— Malade ? répéta-t-elle comme si elle ne comprenait pas le sens de ce mot.

— Oui, dit-il. C'est pour cela que ma sœur n'a pas voulu rester à Paris où elle était institutrice ; elle est venue s'établir ici. Elle était trop inquiète. Je suis à la merci d'une crise.

Adrienne était blême.

— Ce n'est pas vrai, souffla-t-elle.

— Si, mademoiselle, reprit-il doucement. Mon

333

temps est limité. Dans deux ans je serai sous terre.

Un cri s'échappa de la poitrine de la jeune fille. Elle se leva et se laissa aussitôt retomber dans son fauteuil. De grosses gouttes de sueur roulèrent sur son front. Maurecourt se taisait et ne la regardait pas.

— Ce n'est pas vrai, dit-elle tout à coup d'une voix sourde. Vous dites cela pour vous débarrasser de moi.

Il secoua la tête.

— Eh bien, tant pis ! s'écria-t-elle. Tant pis si vous êtes malade ! Ce n'est pas une raison pour que je ne puisse pas vous épouser. Je mourrai avec vous. Qu'est-ce que cela me fait de mourir si vous n'êtes plus ici ?

Elle se leva et fit un mouvement vers lui, mais il se leva à son tour et lui prit les mains avec vivacité :

— Je n'ai pas le droit de vous laisser une illusion, mademoiselle, dit-il d'une voix changée. Je ne vous aime pas.

Elle ne détourna pas les yeux et demeura immobile ; mais, dans les mains chaudes du docteur, elle sentit que ses propres mains se refroidissaient, et tout d'un coup elle eut l'impression que son cœur ne pouvait plus battre et qu'elle tombait dans un abîme.

— Alors, qu'est-ce que je vais faire ? demanda-t-elle.

La douleur dans la poitrine augmentait, elle dut pousser un soupir pour rattraper son souffle.

Il ne répondit pas tout de suite. Elle vit des larmes couler sur ses joues ; il lui serrait les mains si fort qu'on eût dit qu'il voulait l'empêcher de s'enfuir.

— C'est une grande épreuve, murmura-t-il. Il faut réagir, ne pas vous laisser abattre.

Mais elle ne l'entendait pas. Elle regardait par-dessus son épaule comme s'il n'eût pas été là ; ses mains étaient tout engourdies.

Au bout d'un instant il s'en alla.

VII

A présent, elle était toute seule dans la chambre de son père. Il y avait une demi-heure qu'elle était assise dans le fauteuil, devant la porte entrouverte, lorsqu'elle entendit qu'on l'appelait. Elle ne se leva pas, mais écouta cette voix qui résonnait tantôt dans le salon, tantôt dans l'antichambre. Puis des pas l'avertirent qu'on montait, qu'on la cherchait au premier étage. Et à chaque minute les appels se renouvelaient sur un ton différent, passant de la gaieté à la surprise, et de l'irritation à l'inquiétude. C'était Mme Legras. Elle monta enfin au deuxième étage et découvrit Adrienne.

— Eh bien ! s'écria-t-elle. Pourquoi ne répond-on pas ?

Elle s'arrêta en voyant la mine d'Adrienne.

— Il est venu, Adrienne ? demanda-t-elle sur un ton presque effrayé. Que vous a-t-il dit, mon enfant ?

Et, comme elle ne paraissait même pas l'entendre, elle vint tout près d'Adrienne et, la main sur le dossier du fauteuil, elle se pencha jusqu'à frôler sa joue de son visage.

— Laissez-moi, souffla la jeune fille.

— Non, fit Mme Legras avec une fermeté pleine de douceur, je ne vous quitterai pas. Vous allez me parler, me dire tout ce qu'il y a dans votre cœur, vous allez vous libérer.

ADRIENNE MESURAT

Adrienne leva brusquement les yeux sur sa voisine. Les paroles que Mme Legras venait de prononcer rappelèrent à la jeune fille ce que Maurecourt lui avait dit au début de leur conversation. Ce fut comme si sa douleur se renouvelait et changeait de face tout d'un coup. Jusque-là, elle avait été plongée dans une sorte de stupeur, puis le son de cette voix qui semblait parodier celle du docteur la secoua, la fit revenir à elle. Elle se laissa tomber dans les bras de la grosse femme et sanglota. Les larmes l'étouffaient; elle sentait leur brûlure sur ses paupières et sur ses joues. De ses deux mains, elle prit les bras de Mme Legras et voulut dire quelque chose, mais ses paroles se changeaient en cris inintelligibles. Des bouffées de parfum lui montaient au nez, de ce réséda qu'elle connaissait si bien et qui à cette minute éveillait en elle tant de souvenirs des derniers mois. Elle entendit la voix de Mme Legras qui bredouillait de petites phrases en la pressant contre sa poitrine.

Au bout de quelques minutes elle se dégagea et fit un effort pour se lever.

— Allons, fit Mme Legras d'un air indécis, restez donc où vous êtes. Vous voilà dans un état!

Adrienne retomba dans le fauteuil et mit ses mains sur ses yeux.

— Qu'est-ce que je vais devenir? dit-elle à travers ses larmes.

Mme Legras prit une chaise et s'assit en face d'elle.

— Ma petite fille, commença-t-elle, il faut vous faire une raison.

— Je ne peux pas, gémit Adrienne.

— Vous verrez, ma belle, dit Mme Legras très doucement. Moi aussi j'ai eu des peines de cœur, je vous assure que le temps vous guérira.

Adrienne haussa les épaules et chercha son mouchoir sous sa jupe.

— Je ne veux pas guérir, dit-elle d'une voix rauque.

— En voilà une idée! Ma pauvre amie, mais tout le monde a souffert, tout le monde s'en est remis à un moment ou l'autre. Vous n'êtes pas la seule, dites-le-vous. Il y a tant de gens...

— Non, fit Adrienne en s'essuyant les yeux, personne...

Elle se retourna subitement contre le dossier du fauteuil, la taille tordue, et appuya son front sur ses poings.

— Oh! fit-elle à plusieurs reprises.

Mme Legras se leva.

— Allons, implora-t-elle, du courage, ma petite. Et puis tout n'est peut-être pas perdu.

— Il m'a dit qu'il ne m'aimait pas.

— Il vous a dit cela, vraiment? Vous avez peut-être mal entendu.

A ces mots, Adrienne se leva et s'avança vers Mme Legras.

— Je me suis peut-être trompée, en effet, dit-elle, le visage défait. N'est-ce pas?

— Cela ne me surprendrait pas, répondit Mme Legras d'une voix hésitante.

Elle prit Adrienne dans ses bras et, la soutenant, se dirigea vers le lit où elles s'assirent.

— Mon enfant, dit Mme Legras, après un soupir, calmons-nous et voyons froidement les choses. Vous n'êtes qu'une petite fille. Vous ne savez pas qu'entre les choses qu'on dit quelquefois et celles qu'on pense... Enfin, cet homme avait peut-être une raison pour vous dire non comme cela. Et puis ça peut n'être qu'une parole en l'air. Vous comprenez bien que,

338

jeune comme vous êtes et riche, par-dessus le marché... Ce serait bien le diable si vous ne pouviez vous arranger... Ma chère petite, levez-vous. Vous allez venir chez moi, ou si vous voulez nous ferons une promenade en ville.

Elle entoura de son bras les épaules d'Adrienne qui tourna vers elle un visage ruisselant de larmes.

— Alors, dit-elle d'une voix étranglée, vous croyez que... que cela pourra s'arranger ?

— Oui, répondit Mme Legras d'un air de grande fermeté. Mais un peu de courage, bon sang ! Levez-vous. Il s'agit d'abord de ne pas s'affoler. Ah ! si je n'étais pas là ! Essayez de penser à autre chose... C'était ici la chambre de votre sœur ?

Elles se levèrent.

— Non, dit Adrienne d'un ton machinal, c'était celle de papa.

Elle avait passé son bras sous celui de Mme Legras et ne la quittait pas.

— Celle de... Ah bon. Voulez-vous que nous redescendions, ma petite ? Nous irons nous asseoir dans votre chambre. Je m'occuperai de vous faire donner un cordial.

— Vous n'allez pas partir ? demanda Adrienne.

— Mais non, voyons.

Elles sortirent lentement. Mme Legras caressait la main de la jeune fille et serrait son bras contre le sien.

— Dites donc, fit-elle comme elles descendaient l'escalier, il paraît que vous avez fait un petit voyage. Oh ! il faudra que vous me racontiez ça lorsque vous irez mieux. Comment n'avez-vous pas songé à m'envoyer une carte, ma belle ? Je ne suis donc plus votre amie ? A propos, savez-vous que j'ai un service à vous demander, ma petite Adrienne? Oh! je m'excuse de vous en parler aujourd'hui, mais les circonstances m'y obligent. C'est mon courrier de ce matin qui en est cause. Figurez-vous que j'ai reçu la note d'un fournisseur de Paris. Alors comme je suis démunie pour le moment et que je ne peux pas faire un voyage pour une histoire de douze cents francs... enfin, j'ai pensé à vous.

— A moi? fit Adrienne qui ne comprenait pas.

— Mais oui, ma petite. Vous pensez bien qu'à Paris je trouverais dix personnes pour m'avancer cette petite somme. Oh! mon mari, non. Il a trop d'ennuis en ce moment avec ses filatures, mais des amies, des amies comme vous, Adrienne. Et puis ce n'est que pour quelques jours. J'ai moi-même une petite rentrée de deux ou trois mille que j'attends d'un moment à l'autre. Je m'excuse vraiment, ma bonne petite, mais si vous pouviez m'obliger...

— Tout mon argent est chez le notaire. Je n'ai que ce que je touche le premier du mois.

— Mais vous avez des économies, ma chère petite. Oh! je vous déconseillerais d'y toucher si c'était pour autre chose, mais vraiment, vous pouvez être tranquille.

Il y avait une certaine impatience dans sa voix, et elle la dissimulait mal. Adrienne s'essuya les yeux et se moucha.

— Je sais, dit-elle.

Elle ajouta :

— Je vais voir.

Elle conduisit Mme Legras dans sa chambre et ouvrit son armoire à glace.

— Imaginez-vous que c'est la note de mon fourreur, dit Mme Legras pendant qu'Adrienne cherchait sa

340

boîte. Je vous demande un peu si l'on a envie de payer une note de fourreur un quatorze juillet.

Il y eut un silence. Adrienne avait trouvé sa boîte d'olivier et l'ouvrait à l'aide de la petite clef qu'elle portait attachée à sa montre.

— Voilà, dit-elle, d'un air morne.

— Ah! fit Mme Legras.

Elle plongea les doigts dans la boîte et en tira les rouleaux d'or. A ce moment, Adrienne se souvint de ce que son père lui avait dit à propos de l'argent qu'elle avait prêté à Germaine : « Tu ne le reverras jamais. C'est autant de pris sur ta dot. » Elle jeta un cri et fit un geste vers la boîte, mais Mme Legras la tira vivement à elle et la tint hors de la portée d'Adrienne.

— Mon Dieu, que vous me faites peur! s'écria-t-elle. Qu'est-ce qui vous prend?

— Je ne peux pas vous prêter cet argent, dit Adrienne d'une voix étranglée. Rendez-le-moi!

— Je vous affirme qu'il est en sûreté, fit Mme Legras en se levant, la boîte sous son bras.

— J'en ai besoin tout de suite, madame.

— Pourquoi?

Adrienne devint écarlate.

— Je ne peux vous dire. Il me le faut.

— Vraiment? dit Mme Legras en s'animant. Savez-vous que ce n'est guère aimable, ce que vous faites là? Après avoir promis cette somme, me l'avoir mise entre les mains...

— Je vous expliquerai, dit Adrienne qui perdait la tête.

— Je vous écoute, Adrienne.

— Si jamais je me marie..., commença Adrienne d'une voix douloureuse.

Elle s'arrêta et joignit les mains ; un soupir gonfla sa poitrine.

— Vous n'allez pourtant pas vous marier cette
semaine, fit Mme Legras en posant la boîte sur une
chaise à côté d'elle.

— Croyez-vous que je me marierai jamais ?
demanda la jeune fille au bout d'un instant.

— Ma chère petite, reprit Mme Legras sur le ton
d'une personne qui veut ramener le ton raisonnable
dans une conversation, nous parlons de deux choses
différentes. Je vous demande de me prêter de
l'argent, vous me le donnez, c'est-à-dire que vous me
le prêtez, puis vous voulez le reprendre sous prétexte
que vous en avez besoin pour vous marier. Or, laissez-
moi vous dire qu'on ne se marie pas aussi vite que
vous l'imaginez. Vous aurez cet argent dans le courant de la semaine. Et puis, tout cela est absurde !
Je me demande à quoi nous pensons.

Elle reprit la boîte et défit les rouleaux.

— Comptons cet argent, fit-elle.

Adrienne regarda sans rien dire ces doigts courts
et pointus qui démaillotaient prestement les pièces
de vingt francs de leur enveloppe de papier, du bout
de l'ongle. Mme Legras vérifia le contenu de chaque
pile.

— Cinq mille deux cents, fit-elle. Eh bien ! j'espère que
nous voilà riches ! Je prends mes douze cents francs,
ma petite. Voulez-vous que je vous fasse un reçu ? Non,
n'est-ce pas ? Je vous dis, c'est une affaire de deux
jours, trois jours au plus. Si vous saviez quel service
vous me rendez ! Je ne l'oublierai pas, je vous assure.

Tout en parlant, elle avait glissé dans son sac à
main six rouleaux de pièces d'or et lançait des
regards de côté à la jeune fille.

— Vous verrez, Adrienne, dit-elle. Il se peut qu'un jour vous ayez besoin de moi encore une fois, et alors... Hein ?

Et comme la jeune fille ne répondait pas, Mme Legras replaça la boîte sur la chaise avec son sac et prit une mine sérieuse.

— Adrienne, fit-elle.

Mais on eût dit qu'Adrienne tombait peu à peu dans un rêve, et, bien qu'elle gardât les yeux ouverts, ils étaient fixes et semblaient ne plus voir ce qui se présentait à leurs regards.

Mme Legras passa les doigts au-dessus de ses sourcils d'un air inquiet.

— Voyons, dit-elle à mi-voix. Qu'a-t-elle encore ?

Par un geste plein d'impatience, elle saisit la main de la jeune fille.

— Vous n'entendez donc pas ce que je vous dis, Adrienne ? Adrienne ! Ah çà !

Elle prit son sac, se leva, puis regarda la jeune fille et parut réfléchir.

— Si je vous disais qu'au lieu de douze cents francs, j'en emprunte quinze cents ? dit-elle tout d'un coup.

Et, saisissant la boîte d'olivier, elle la tendit à la jeune fille d'une main que l'émotion faisait trembler un peu ; mais Adrienne ne parut pas voir ce geste.

— C'est un peu fort, murmura Mme Legras, perplexe.

Elle attendit une seconde et, posant la boîte sur la table, elle l'ouvrit sans quitter Adrienne des yeux.

— Eh bien, tenez, reprit-elle, j'ajoute trois cents francs aux quinze cents que vous m'avez si gentiment prêtés. Voyez, je les mets dans mon sac.

Un geste accompagna ces paroles. Puis elle demeura immobile près de la table, indécise.

— Mais c'est qu'elle me fait peur ! murmura-t-elle enfin. On dirait qu'elle me regarde, et quand je lui parle...

Elle considéra la jeune fille avec un mélange d'effroi et de dégoût.

— Qu'est-ce qui l'empêche de me voir ? fit-elle à mi-voix dans son trouble. Elle n'est pas malade ? Elle n'entend pas non plus.

Elle appela : « Adrienne ! » mais n'obtint pas de réponse.

Brusquement elle saisit dans la boîte d'olivier les rouleaux de pièces d'or qui restaient et les enfouit dans son sac. Ses yeux brillaient. Elle reposa sans bruit la boîte vide sur la table et, se rapprochant de la jeune fille, elle se tint un instant près d'elle. Depuis quelques secondes, son regard s'était attaché à la chaîne d'or qui retenait la montre passée dans la ceinture d'Adrienne. Elle mit légèrement la main sur l'épaule de la jeune fille sans qu'Adrienne parût se douter de ce contact. Alors, par un geste rapide et simultané des deux mains, Mme Legras fit passer la chaîne par-dessus la tête d'Adrienne et tira la montre de la ceinture. Ce fut si vite et si adroitement fait que l'on eût cru à un de ces tours de prestidigitateur qui font écarquiller les yeux. En une seconde, la montre et la chaîne allèrent rejoindre les rouleaux d'or au fond du sac.

— Allons, murmura Mme Legras, en se redressant, tu me devais bien ça !

Elle promena autour d'elle un regard aigu, fit quelques pas dans la chambre, la bouche entrouverte, la poitrine soulevée par un souffle un peu plus bref que d'ordinaire. Puis elle se dirigea vers la porte et sortit sans plus s'attarder.

VIII

— Mademoiselle Adrienne !

C'était la cuisinière qui appelait dans l'escalier. Adrienne sursauta au bruit de cette voix et ne répondit que lorsqu'elle entendit Désirée qui montait l'escalier.

— Qu'y a-t-il ? demanda-t-elle d'une voix rauque.

— Mademoiselle est là ? fit Désirée en entrant. Son regard vif et scrutateur déplaisait à la jeune fille, ce regard qui s'était attaché sur la lampe vide, le lendemain de la mort de M. Mesurat. C'était une femme que le feu de la cuisine semblait avoir desséchée comme un sarment. On n'imaginait pas le sang circulant sous cette peau sèche et avare, collée aux os dont elle paraissait avoir pris la couleur. Elle avait un nez droit et long aux narines à peine ouvertes, des yeux bruns et impertinents, et une façon de rentrer la tête entre les épaules en parlant qui contribuait à lui donner un air méfiant.

— J'ai cru que mademoiselle était sortie, continuat-elle. Je ne l'entendais pas marcher au salon. Je me figurais qu'elle était peut-être allée faire ses adieux à Mme Legras.

— Mme Legras ?

— Mais oui, mademoiselle sait bien qu'elle est partie.

Adrienne secoua la tête.

— En voilà une histoire! s'exclama Désirée au comble de la surprise. Mademoiselle ne sait pas que Mme Legras a claqué le propriétaire de la villa Louise ? Elle n'en a donc rien dit à mademoiselle ? Il est vrai qu'elle n'a pas à en être fière. Eh bien, c'est fini. Elle a bouclé la villa. Mademoiselle n'a pas entendu la voiture, tout à l'heure ?

— Non, Désirée, fit Adrienne en se levant.

Elle haletait un peu.

— Mademoiselle ne voit jamais personne, reprit Désirée, c'est pour ça qu'elle n'est au courant de rien. Eh bien, Mme Legras a été mise à la porte. Oui. Ça devenait un scandale, cette femme qui se montrait partout, fardée, poudrée, et insolente avec ça. Pour sûr que, si on avait su ce que c'était, on ne lui aurait jamais loué cette villa. Enfin le propriétaire a eu peur de ce qu'on allait croire, sans doute, et il lui a envoyé une lettre. C'est la veuve Got qui m'a raconté ça, la tante de la mercière, mais tout le monde le sait. Alors Mme Legras a été voir le propriétaire et lui a dit des sottises. Il paraît que le bail était au nom de son ami, mais qu'elle s'est brouillée avec lui et qu'il a été d'accord avec le propriétaire pour la faire mettre à la porte. Elle avait été à Paris justement pour essayer d'arranger ça. Et puis il lui fallait de l'argent, beaucoup d'argent, et tout de suite. Elle est même venue m'en demander à moi, ce matin, mais mademoiselle ne se figure pas que je lui en ai donné ? Mademoiselle n'est pas bien ? demanda tout à coup Désirée en voyant qu'Adrienne fermait les yeux et s'appuyait à la table.

— Ce n'est rien, dit Adrienne. Quelle heure est-il ?

— Le déjeuner est prêt, mademoiselle.

Adrienne porta la main à son front et se dirigea vers son fauteuil où elle s'assit. Le regard de Désirée la gênait horriblement ; elle le sentait qui la suivait, étudiait ses gestes.

— Je descendrai dans un moment, dit-elle en détournant les yeux.

— Ah ! fit Désirée. Bon, j'oubliais de dire à mademoiselle qu'on est venu pour elle, il y a près d'une heure, mais dame ! je croyais que mademoiselle était sortie.

— Qui, Désirée ?

Désirée eut un mouvement d'épaule dans la direction de la rue.

— La sœur du docteur.

Elle prononçait *dotteur* avec un ton où perçait le dédain.

— Mlle Maurecourt ! s'écria Adrienne.

— J'ai cru qu'elle ne s'en irait point. Elle insistait, insistait. Elle a dit qu'elle reviendrait.

— Quand ?

— Elle ne me l'a pas dit, fit Désirée. Et elle ajouta de sa voix mince qui semblait toujours ne parler que pour préparer la voie à une question : « Tout ça, c'est des gens que monsieur votre père n'aimait guère. »

Mais Adrienne n'avait pas entendu ces dernières paroles. Elle se leva brusquement et vint vers la cuisinière.

— Désirée, dit-elle après une hésitation, je vais passer toute la journée à la maison. Si cette dame revient, vous me préviendrez tout de suite, vous entendez ? C'est important.

Elle semblait avoir retrouvé sa force tout d'un coup et parlait avec une animation qu'elle ne songeait pas à dissimuler.

— Vous êtes sûre qu'elle a dit qu'elle reviendrait ?

— Que mademoiselle soit tranquille. Mademoiselle tient donc tant à la voir ? Cela ne me regarde pas, bien sûr, mais il n'y a pas plus mauvaise que cette femme. N'empêche que le dimanche, à la messe, il faut la voir, elle attrape l'hostie... Mais mademoiselle ne va pas à la messe.

— C'est bien, fit Adrienne qui aurait voulu qu'elle partît mais ne pouvait s'empêcher d'écouter.

— Il faut dire que mademoiselle n'est point curieuse, reprit Désirée en hochant la tête. Elle ne sait rien. Ça la regarde. Mais vrai, cette Mlle Maurecourt m'a tellement échauffée tout à l'heure, je lui aurais dit des sottises. Avec son air...

— Quel air ? demanda machinalement Adrienne.

— Elle est fière, répliqua Désirée d'un ton haineux. Et puis, il ne faut pas qu'on s'approche de son frère. Elle est jalouse ! Comme si on en voulait, de ce pauvre docteur. On les croirait mariés, sauf que cela ne paraît pas l'amuser beaucoup, lui, qu'elle soit toujours à veiller sur lui...

Adrienne devint blême.

— Désirée, qu'est-ce que vous dites ? demanda-t-elle d'une voix étranglée.

— Mademoiselle vit dans un rêve, reprit Désirée en haussant les épaules avec une expression de pitié. Et elle s'imagine que les autres en font autant. Bon sang, mademoiselle, vous ne comprenez pas que, lorsqu'on a des secrets comme les vôtres, on ne va pas les confier à des femmes comme Mme Legras ?

— Des secrets ? souffla Adrienne.

Elle sentit ses jambes flageoler et se laissa tomber sur le lit.

— Mais oui, fit Désirée. Ah ! mademoiselle a encore

de la chance de tomber sur une femme comme moi. Je peux toujours dire que ce n'est pas vrai.

Elle s'arrêta, attendant qu'Adrienne lui demandât de s'expliquer, mais la jeune fille gardait le silence. Alors elle reprit d'une voix plus calme :

— Pour sûr que mademoiselle sait ce que je veux dire. On peut bien dire que c'est une bénédiction pour vous que je sois cuisinière ici et que j'aie la langue assez bien pendue pour tenir tête aux commères de la ville.

— Les commères, Désirée ? fit Adrienne.

— Oui, les commères du marché, quoi, mademoiselle n'a pas l'air de comprendre. Oh ! nous en recauserons, n'ayez crainte. Dans tous les cas, je m'en vais donner un bon conseil à mademoiselle. C'est pour le coup qu'on pourra dire que j'ai droit à sa reconnaissance. Eh bien, que mademoiselle ne sorte point pour le moment. C'est ce qu'elle a de mieux à faire. Après, on verra. Il y a toutes sortes de bruits qui se colportent sur son compte.

Adrienne poussa un cri et se leva.

— Mon Dieu, Désirée, taisez-vous, fit-elle. Je vous donnerai de l'argent. Vous entendez ?

— Oui, oh ! oui, mademoiselle, répondit Désirée sans hâte.

Adrienne lui saisit le bras ; elle tremblait si fort qu'elle pouvait à peine parler.

— Désirée, dit-elle enfin, je peux compter sur vous, n'est-ce pas ? Je vous donnerai de l'argent, cent francs, deux cents francs. Qu'est-ce qu'on vous a dit, Désirée ?

— Ce qu'on m'a dit ? Mais tout le monde répète que monsieur votre père...

— Non, non, interrompit Adrienne qui perdait la

349

tête. Du reste, si l'on en parlait vraiment, le docteur m'aurait avertie...

— Ah ! celui-là ! fit Désirée qui éclata de rire. Vous ne savez pas qu'il est encore plus naïf que vous. Mais il voit tout le monde dans un nuage. Il s'imagine que tout le monde est bon comme le pain. Vous en avez un drôle d'amoureux, mademoiselle ! Ce n'est pas pour vous offenser, mais la mercière en raconte de jolies qu'elle tient censément de Mme Legras. Vous lui avez donc tout dit à cette femme ? Oh ! quant à l'histoire de monsieur votre père, vous ne l'auriez pas racontée...

Elle croisa les bras et prit un air terrible.

— ... vous ne l'auriez pas racontée qu'elle serait sortie de terre toute seule !

— Non, non, cria Adrienne en portant ses poings à ses lèvres. Et par une sorte de mouvement convulsif elle se jeta aux genoux de la cuisinière et prit sa jupe dans ses mains tremblantes. Je vous donnerai tout ce que j'ai, Désirée, bredouilla-t-elle. Ayez pitié de moi, Désirée. Vous savez bien que tout cela n'est pas vrai. Mon Dieu ! Mon Dieu !

Elle se traîna jusqu'à son lit et, cachant son visage, elle couvrit sa tête de ses mains.

Une sorte de hurlement étouffé sortait de sa bouche.

Certaines heures semblent impossibles à vivre. Il faudrait pouvoir les sauter, les omettre et rejoindre la vie un peu plus loin. Pourquoi souffrir toutes ces angoisses ? Elles ne rendent pas meilleur, n'apportent pas de solution aux difficultés présentes, elles sont stériles et ne font que durcir le cœur. Ainsi pensait Adrienne étendue sur son lit.

Elle avait tiré les rideaux de sa fenêtre et s'efforçait non de dormir, mais de rester tranquille. Sa pensée se reportait invariablement vers l'avenir dans un effort désespéré pour ne pas réfléchir aux événements du matin. « Peut-être tout finira-t-il par s'arranger », se disait-elle avec une obstination où il entrait autant de lâcheté que de courage. Et cela lui paraissait d'autant plus probable qu'il y avait peu de raison d'y croire sérieusement. Elle guettait tous les bruits de la maison et de la rue. Il faudrait bien que Marie Maurecourt finît par venir ; elle pousserait la grille, elle monterait, elle n'entrerait ici qu'avec des nouvelles, sûrement des nouvelles, autrement pourquoi aurait-elle tant insisté pour voir Adrienne ?

La jeune fille attendait tout de cette visite, une délivrance subite de tous ses maux, un miracle. Elle ne voyait rien d'autre, elle ne voyait pas le lendemain ; ce qui comptait seul, c'était la visite de Marie Maurecourt. Et dans l'horrible tourment de son inquiétude elle trouvait des secondes de joie folle, de joie délirante, à la pensée que cette femme pourrait lui rendre le bonheur. Comment lui rendre le bonheur ? Elle n'en savait rien. Elle ne songeait même pas à ce qu'elle connaissait déjà du caractère de Marie Maurecourt, elle lui confiait son bonheur aveuglément parce qu'il ne restait plus personne à qui elle pût demander de l'aider. Tout le reste s'anéantissait. Il n'y avait plus au monde que le pas de cette petite femme qu'elle entendrait sur le gravier, puis les quelques minutes qu'elle allait passer en sa présence.

Par un geste machinal, elle mit la main à la ceinture comme pour en tirer sa montre ; et dans le trouble où elle était, elle ne songea pas même à s'étonner qu'elle n'eût pas sa montre sur elle ; seulement, ses doigts continuaient à palper sa ceinture, à frôler son corsage, cherchant la longue chaîne d'or qu'ils y rencontraient d'ordinaire.

Au bout d'un quart d'heure, elle se leva, presque hors d'elle-même d'impatience. En passant devant la glace elle ne put s'empêcher de se regarder. Les paupières gonflées lui donnaient l'air d'une personne qui a mal dormi. Son visage était blême.

— Mon Dieu, gémit-elle, il faut pourtant qu'elle vienne.

Elle alla jusqu'à la porte et colla son oreille au vantail. Depuis le moment où Désirée était venue lui parler, elle n'avait pas quitté cette chambre; elle n'avait pas déjeuné. Il pouvait être trois heures. Elle écouta, la tête penchée; puis, par un geste machinal, elle donna un tour à la clef. Pour rien au monde elle ne fût descendue. L'idée qu'elle devait revoir la cuisinière la glaçait et elle mettait tout ce qui lui restait de force à l'écarter de son esprit. Si seulement elle pouvait revoir Marie Maurecourt... Cela devenait une obsession. Elle avait tant de choses à lui expliquer, tout ce qu'elle n'avait pu expliquer à son frère, tout ce qui aurait certainement convaincu son frère. Avec Marie Maurecourt, elle n'aurait pas de fausse honte. Et puis c'était sa dernière chance, elle le savait, elle en avait un pressentiment très sûr. Elle parlerait à cette femme comme jamais elle n'avait parlé à personne, en toute franchise, sans crainte. Elle lui dirait : « Oui, je veux épouser votre frère, je suis jeune, je suis riche, assez riche. Où trouvera-t-il un parti comme moi ? Est-ce que je suis laide ? »

Elle se retourna vers la glace et répéta ces mots à mi-voix. La pénombre de la chambre ne lui seyait pas; elle alla vers la fenêtre et d'un seul coup écarta les rideaux. Maintenant, devant son armoire, elle se regarda de nouveau. La lumière la frappait presque de face. Sans doute, elle était pâle, affreusement pâle, mais son regard se reporta sur ses épaules si grasses qu'elles moulaient son corsage, sur ses bras arrondis qu'elle étendit un peu, puis laissa retomber le long de ses cuisses.

— Peut-être que je ne suis pas aussi belle que je le pense, dit-elle.

Et elle essaya de se rappeler combien de personnes lui avaient dit qu'elle était belle. Mme Legras, tant et plus, mais Mme Legras en voulait à son argent. Son père, une fois, oui, son père. Et cet ouvrier qui l'avait suivie à Dreux. Mais lui, Denis Maurecourt, s'il l'avait trouvée belle, est-ce qu'il ne se serait pas épris d'elle sur-le-champ ?

— Je suis sûre qu'il cache son jeu, murmura-t-elle. Elle se souvint, en effet, d'une parole que Mme Legras avait dite en ce sens. Et puis, je l'aime trop, continua-t-elle plus haut, je l'aime trop pour qu'il ne m'aime pas.

Elle commença d'interminables raisonnements et, tout d'un coup, énervée par une attente qui n'en finissait pas, elle alla jusqu'à la fenêtre et se laissa tomber à genoux devant la barre d'appui.

— Qu'elle vienne donc, murmura-t-elle en tapant de son poing sur le rebord de la fenêtre.

Brusquement, elle eut l'impression que tout recommençait comme si rien n'était arrivé hier, ni ce matin même. Voilà que de nouveau elle se proposait de faire comprendre au docteur qu'elle l'aimait, mais c'était en elle que tout recommençait, parce qu'en elle il n'y avait pas autre chose que cet amour, alors qu'autour d'elle tout continuait. Les choses allaient vite, plus vite. Les gens parlaient, agissaient, toutes sortes d'événements se préparaient pendant qu'elle demeurait immobile. Elle ferma les yeux et porta ses mains à ses oreilles. Ce bourdonnement qu'elle haïssait, elle l'entendait encore une fois, quelque part au fond de sa tête. Elle était toujours la même, avec la même souffrance. On lui disait : « Je ne vous aime pas », et cela ne changeait rien.

A ce moment, elle vit Marie Maurecourt qui traversait la rue et se dirigeait vers la villa des Charmes. Adrienne se leva d'un seul coup et se dissimula derrière le mur. Son cœur battit. Elle eut l'intuition soudaine qu'il n'y avait rien à espérer de cette visite et descendit.

Marie Maurecourt entra vivement au salon où Adrienne était assise. Elle avait toujours ces vêtements qui paraissaient avoir appartenu à une personne plus forte, tant ils s'ajustaient mal sur son maigre corps. Son chapeau de paille noire, rond et étroit de bords, s'alourdissait d'une grappe de raisins de la même couleur et, quoiqu'il fît une chaleur extrême, elle avait mis une longue jaquette de serge bleue par-dessus sa blouse; elle portait à la main le petit sac usé d'où elle avait tiré les lettres d'Adrienne, lors de sa visite précédente. Peut-être ne s'attendait-elle pas à trouver la jeune fille au salon, car elle fit un mouvement en la voyant et rougit un peu.

— J'ai essayé de vous voir ce matin, dit-elle sans la saluer. Je ne l'ai pas pu. Sans doute aviez-vous donné des ordres à cet effet. En tout cas, ce que j'ai à vous dire n'est pas long et vous allez l'entendre.

Sa voix était dure et angoissée. Une espèce de tremblement continu agitait sa tête et faisait palpiter les feuilles de vigne de taffetas noir sur son chapeau.

Elle regarda la jeune fille qui s'appuyait au dossier d'un fauteuil.

— Savez-vous ce que vous faites en ce moment ? continua-t-elle.

Elle attendit la réponse qui ne vint pas. Dans le silence, sa respiration était bruyante et rauque, elle sifflait presque.

— Vous tuez mon frère, dit-elle enfin avec force.

Adrienne tressauta et ouvrit la bouche.

— Moi ? demanda-t-elle.

— Mais oui, vous ! insista Marie Maurecourt en se rapprochant d'elle. Vous ne comprenez donc pas tout le mal que vous faites ? Mon frère est un homme extrêmement délicat.

Des larmes de colère et d'émotion commençaient à couvrir sa voix, mais elle se domina et reprit avec précipitation, comme si elle eût craint d'éclater en sanglots avant d'arriver au bout de ce qu'elle voulait dire :

— Extrêmement délicat. Sa vie n'a été qu'une longue suite de maladies. Il est faible, son cœur est faible, il suffit de rien pour déterminer une crise, un arrêt. C'est moi qui ai toujours pris soin de lui. J'ai dix ans de plus que lui et pourtant c'est lui qui a l'air le plus âgé. S'il lui arrive quelque chose...

Elle eut une sorte d'élan qu'elle ne put réprimer.

— ... autant vaut que je m'en aille avec lui. Je n'ai que lui au monde. Je ne peux pas l'empêcher de se fatiguer, de soigner des gens qui ne le paient même pas, mais, ce que je ne permettrai pas, c'est que des femmes comme vous viennent le tourmenter avec leurs histoires.

Elle regarda Adrienne, qui demeurait immobile, et s'arrêta une seconde.

— Des femmes comme vous, répéta-t-elle avec rage, car la fureur l'emportait sur l'attendrissement de tout à l'heure. Savez-vous ce que j'ai fait de vos lettres ? Je les ai jetées dans la rue, et ce sera ainsi chaque fois que vous essaierez de lui écrire. Et puis n'espérez jamais plus le revoir. Il est venu ce matin parce que vous l'aviez attiré chez vous sous le prétexte d'une maladie. Mais maintenant nous sommes prévenus. Vous pouvez offrir votre clientèle à un autre. Demandez donc des adresses à votre amie Léontine Legras. Elle doit en avoir.

Elle souffla et reprit :

— Non, quand j'y pense... Il est revenu ce matin, j'ai cru qu'il allait passer. Il a été cinq minutes sans pouvoir dire un mot. Je n'ai jamais eu peur comme à ce moment, vous pouvez m'en croire. Il s'est étendu sur le sofa dans son cabinet de travail...

Elle parut excédée par le souvenir qu'elle évoquait et reprit plus durement :

— Je peux vous dire maintenant que, si jamais il lui était arrivé quelque chose, je vous en aurais rendue responsable. Il y a sûrement des lois pour des criminelles de votre genre. Et puis, tenez, si j'ai un conseil à vous donner, de toute façon vous ferez mieux de partir d'ici.

Elle s'arrêta en voyant l'expression d'Adrienne.

— Allons, continua-t-elle d'une voix moins dure, c'est la raison qui vous parle. Puisque vous n'êtes pas heureuse ici, allez vivre ailleurs. Vous en avez les moyens, vous n'avez plus aucun lien de famille à La Tour-l'Évêque.

Adrienne s'assit ; Marie Maurecourt prit place à côté d'elle et poursuivit :

— Et puis, vous le savez comme moi, vous ne jouissez pas ici d'une réputation sans tache. Quand ce ne serait que votre intimité avec Léontine Legras, n'est-ce pas ? Je suis certaine que ce qu'il vous faut, au fond, c'est le mariage. Eh bien, n'espérez pas trouver un parti à La Tour-l'Évêque. On y est trop monté contre vous. Je veux bien ne pas croire ce qu'on dit, je sais ce que valent les commérages de Mlle Grand, mais que voulez-vous, dans un endroit comme celui-ci, le mensonge a autant de force que la vérité. Alors, partez, partez. Allez n'importe où. Vous avez passé quelque temps à Dreux, retournez-y. C'est une ville plus importante que La Tour-l'Évêque.

Dans son désir de convaincre, elle baissa le ton jusqu'à celui qu'affectait Mme Legras. Cette idée d'en finir avec Adrienne en lui faisant quitter la ville était venue tout d'un coup et lui paraissait si juste et si heureuse qu'elle en oublia presque sa colère.

— Soyez certaine que vous y serez mieux qu'ici. Je me suis laissé dire que la société de Dreux est assez nombreuse, choisie. Tandis qu'ici ! Dans ce trou ! Ah ! si nos moyens nous permettaient d'aller ailleurs ! Mais vous, songez donc ! Vous vendez votre villa, vous allez vous installer à...

Elle parut frappée d'une pensée soudaine ; son front se rembrunit un peu. Dreux n'était-il pas bien près de La Tour-l'Évêque ?

— Pourquoi n'iriez-vous pas à Paris, tout bonnement ? demanda-t-elle. En tout cas, ne perdez pas de temps. Vous pourriez recevoir un de ces jours une visite désagréable. Vous m'entendez ? Vous m'entendez, mademoiselle Mesurat ?

Elle posa sa main sur le bras de la jeune fille et lui donna une légère secousse. Mais il y avait dans les traits d'Adrienne la même stupeur qu'au moment ou Mme Legras l'avait quittée. Aucune émotion ne se lisait plus dans ses yeux. Marie Maurecourt la regarda un instant, puis elle dit d'une voix impatiente :

— Allons bon ! Du drame, encore du drame comme tout à l'heure, sans doute. Ah ! vous savez, j'aime mieux vous dire que j'ai les nerfs solides. Avec moi, cela ne prend pas, cette... cette... ce genre d'hystérie. Je suis venue ici pour vous rendre service.

Elle fut reprise par la colère.

— En somme, oui ! Pour vous rendre service. Et quand je pense au mal que vous m'avez fait ! Ah ! vous avez de la chance d'avoir affaire à une chrétienne, mademoiselle. Vous êtes en danger, comprenez-vous ? Demain on peut venir ici de la part des autorités. Et alors ? Que ferez-vous ? Inutile de jouer la comédie, n'est-ce pas ?

Elle se leva et se mit à parler du ton d'une personne qui s'affole et qui perd la tête à l'annonce d'une catastrophe :

— Partez donc ! Qu'attendez-vous ? Faites vos malles, ce soir. Votre notaire se chargera bien du reste.

Elle se pencha vers Adrienne et, lui prenant la main, la regarda dans les yeux.

— Dites donc ! fit-elle comme si elle parlait à une sourde.

Tout à coup, elle lui lâcha la main et se redressa.

— Qu'est-ce qui lui prend ? murmura-t-elle.

Elle attendit encore une seconde, indécise. D'abord, elle crut qu'Adrienne se moquait d'elle, mais cette impression s'effaça presque aussitôt. Il y avait quelque chose dans le regard de la jeune fille qui ne pouvait tromper, c'était un regard vide, comme celui d'une personne endormie à qui l'on relèverait les paupières ; les prunelles bleues ne fixaient rien, ne voyaient peut-être plus rien.

Brusquement, Marie Maurecourt se tourna vers la porte et sortit.

IX

La nuit tombait. C'était une de ces belles nuits d'été dont on ne saurait dire à quel instant elles commencent, tant le ciel reste clair, même après le coucher du soleil. Il était huit heures et demie. Les arbres étaient plus noirs, les oiseaux s'étaient tus, mais le ciel était bleu.

Comme d'habitude, les jours de fête, Désirée avait préparé un dîner froid pour sa maîtresse et, libre de son temps, avait quitté la maison jusqu'au lendemain. Elle n'avait pas cherché à revoir Adrienne depuis la conversation qu'elle avait eue avec elle, et sans doute était-elle allée, comme presque tout le monde ce soir-là, au bal public de La Tour-l'Évêque.

La jeune fille était seule au salon. Elle était assise sur le canapé, mais de temps en temps se levait et faisait quelques pas d'un bout à l'autre de la pièce. Aucune impatience ne se trahissait dans ses gestes ; elle marchait lentement avec quelque chose d'absorbé dans son attitude, sinon dans ses yeux, car ses yeux étaient les mêmes, immobiles comme des yeux de poupée. La chaleur l'incommodait sans doute, et elle avait défait les agrafes qui fermaient sa blouse à la hauteur du cou. Parfois elle poussait un soupir de lassitude et, s'arrêtant devant la glace, elle tapotait le haut de son chignon et plissait le front d'un air réfléchi.

Elle n'avait pas dîné. Au fait, elle n'avait pas quitté le salon depuis la visite de Marie Maurecourt. A présent, elle s'était assise de nouveau et regardait autour d'elle avec tous les gestes de l'attention mais toujours avec cet étrange regard qui se portait d'un objet à l'autre sans paraître les voir. Il faisait de plus en plus sombre ; cependant elle ne songeait pas à allumer la lampe. Elle croisait ses genoux, joignait les mains et souvent, d'un mouvement subit, agitait la tête et se levait pour reprendre sa promenade.

Lorsqu'il fit tout à fait noir dans le salon, elle s'assit sur une chaise près de la fenêtre et leva les yeux vers le ciel qui semblait plus profond à mesure qu'il s'obscurcissait. Un cri d'oiseau déchira le silence et se prolongea quelques secondes, très haut, et très loin comme un cri de peur devant la nuit. Toutes sortes de parfums montaient des jardins d'alentour, de ces odeurs lourdes que les fleurs exhalent dans la fraîcheur du crépuscule. L'air était immobile. Pas un bruit n'arrivait de la rue, ni des maisons voisines dont une ou deux arboraient le drapeau national. Cette partie de la ville était déserte. Près d'un quart d'heure s'écoula.

Cependant il arrivait une rumeur du côté de la ville, puis Adrienne put voir un trait lumineux qui s'élevait juste derrière le toit de la villa Louise et se termina soudain en un épanouissement d'étincelles, semblable à une fleur monstrueuse. Une vive clarté emplit le ciel pendant l'espace d'une seconde, et jeta un reflet jaune sur le visage de la jeune fille. Adrienne cligna des yeux et tendit l'oreille pour écouter la clameur admirative qui accompagnait le feu d'artifice.

D'autres fusées partirent, les unes en gerbes d'argent, celles-ci en spirales aux courbes de plus en plus larges comme un ressort détendu, celles-là, toutes droites et qui, tout d'un coup, éparpillaient dans les étoiles une infinité de petits points d'or. La dernière affectait la forme d'un gigantesque bouquet tricolore et arracha un grand : « Ah ! » de surprise et de plaisir dont l'écho parvint jusqu'à la villa des Charmes.

Adrienne ne bougeait pas. Elle avait croisé les mains sur ses genoux et semblait toute au spectacle qui se déroulait devant elle, car ces grands traits de lumière avaient fini par retenir son attention et fixer ses regards au-dessus du toit de la villa Louise. Par un léger mouvement de tête, elle suivait la trajectoire des fusées et restait les yeux levés sur le point où elles avaient éclaté, jusqu'à ce qu'une autre traçât un nouveau dessin dans le ciel. Longtemps après que le bouquet tricolore se fut épanoui, elle attendait encore et demeurait immobile.

Soudain, elle entendit le bruit d'un orchestre militaire. C'était une musique tour à tour joyeuse et mélancolique, mais dont seules les parties allègres et rapides arrivaient aux oreilles d'Adrienne. Elle écouta. Le morceau ne fut pas long et ne comptait évidemment que comme hors-d'œuvre. Il fut suivi presque aussitôt d'une valse dont les premières mesures furent accueillies par une espèce de murmure de gourmandise. L'air en était, en effet, très connu. Toute la saison dernière, il avait été joué, sifflé, chanté jusqu'à ce que pas une personne du pays n'en ignorât le rythme hésitant et langoureux.

Adrienne se leva. Plusieurs fois elle avait entendu Mme Legras fredonner les paroles de cette valse. Peut-être s'en souvenait-elle ? Mais non. Aucune pensée, aucune émotion ne se lisait sur ses traits. Elle se retourna vers l'intérieur de la pièce et aspira une ou deux fois avec force. Puis elle fit quelques pas dans le salon, malgré l'obscurité; tout à coup, elle buta dans un meuble et poussa un cri aigu. Elle demeura immobile un instant et, reprenant son chemin, elle sortit du salon.

Son pas hésita un peu en descendant les marches du perron, et elle s'arrêta dans l'allée, les sourcils froncés, comme si quelque chose la surprenait, quelque chose dans le ciel ou les arbres qu'elle ne comprenait pas bien. Elle eut un regard presque intrigué et se dirigea vers la grille. A ce moment elle se mit à parler toute seule. Ce qu'elle disait était difficilement intelligible, mais le ton détaché, indifférent de ses propos contrastait avec une certaine volubilité.

Elle ouvrit et referma la grille, puis traversa la rue sans cesser de marmonner. Maintenant la terre était toute noire et l'on n'y voyait presque plus, mais Adrienne marchait d'un pas rapide et gagna bientôt la rue qui menait au village. Dans la lumière indécise qui tombait du ciel, son beau visage était livide avec de grandes ombres qui arrondissaient les orbites et creusaient les joues. Un air impassible durcissait ses traits comme ceux d'un marbre. Toute humanité s'était effacée de ce front pâle, de cette bouche exsangue qui parlait sans arrêt.

— Cinq cents francs du notaire à la fin du mois, plus cinq mille deux cents d'économies, disait-elle, cela peut servir à constituer ma dot. Et puis, je peux toujours emprunter ici et là, à Mme Legras, aux Maurecourt. Le notaire m'avancera bien un mois, deux mois. Il faut de l'argent. On ne se marie pas sans argent. Papa m'aidera sûrement. Et s'il refuse, je prendrai ma part, comme Germaine lorsqu'elle est partie. Je prendrai ce qui reste des bijoux de maman. Il n'y a pas de loi qui s'y oppose. Ces bijoux m'appartiennent de toute façon, puisque papa est mort, et c'est ma part d'héritage. Ensuite, comment diable pourraient-ils servir à un homme ? Des bagues de femme et des colliers. Papa ne peut pourtant pas les mettre !

Elle rit silencieusement et continua :

— Et puis, que Germaine se dise bien que je ne vais pas me laisser espionner. J'entrerai, je sortirai comme il me plaira. Si jamais ils s'avisent encore de fermer cette grille pour m'empêcher de me promener, c'est bien simple, je me fais faire une clef à moi, oui, à moi !

Elle regarda autour d'elle et répéta avec force :

— A moi. Et j'irai dans la chambre de Germaine aussi souvent que cela me chantera. D'abord elle me doit cinq cents francs, et tant qu'elle ne me paiera pas, je m'installerai chez elle. Vous m'entendez ?

Ces dernières paroles s'adressaient à une vieille femme qui sortait d'une maison, de l'autre côté de la rue, et hâta le pas en voyant Adrienne qui gesticulait dans sa direction.

— Allez ! cria la folle. Vous avez peur, vous aussi ! Vous faites bien de courir ! Elle fait bien de courir, ajouta-t-elle à mi-voix, lorsque la vieille se fut éloignée. Mais qu'on ne m'échauffe pas la tête, aujourd'hui. J'en ai assez, de toutes ces salopes !

Et, tout à coup, un torrent d'injures les plus grossières s'échappa de sa bouche. Elle cria des mots ignobles qu'elle répétait à plaisir, avec une véhémence affreuse, des mots dont elle n'avait peut-être jamais compris le sens et qui maintenant revenaient dans son malheureux cerveau où tout se brouillait dans une confusion hideuse. Elle agitait les bras dans tous les sens et marchait de plus en plus vite. Sa fureur avait fait place à une gaieté subite, et elle riait à présent d'un rire profond et sinistre.

Soudain elle s'arrêta. Elle était arrivée si près de l'endroit où se tenait le bal que le bruit de la musique couvrait le son de sa voix. Tout au bout de la rue, elle pouvait voir un angle de la place et des festons de petites lumières qui pendaient d'un arbre à l'autre. Des couples dansaient. Elle regarda, puis fit quelques pas encore. Ces gens dansaient gravement, avec des gestes lourds. Dans toutes leurs attitudes paraissait le souci de ne pas se tromper, de suivre la mesure ; et les pieds sur le pavé de la place faisaient une espèce de murmure cadencé qui dominait l'orchestre lorsque la musique devenait plus douce. Et cette musique, Adrienne la connaissait. C'était toujours cette valse dont on ne se lassait pas, avec cette hésitation qui revenait presque à chaque instant. Des voix de femmes en chantaient les paroles, des voix aiguës :

> *Je ne vous aime pas,*
> *Ou plutôt ce n'est que dans un rêve...*

Adrienne écouta. Elle se tenait debout, au milieu de la rue obscure et les bras ballants ; la tête un peu en avant, elle semblait attentive à tout ce qu'elle pouvait entendre. La lumière du bal l'intimidait un peu, autrement elle se fût approchée. Cependant, la valse s'achevait. Des applaudissements s'élevèrent et les couples se séparèrent avec des rires et des exclamations de plaisir dont le bruit fit reculer Adrienne. Une voix d'homme cria : « Vive Fallières ! » au milieu de la gaieté générale.

Adrienne recula encore. Elle crut qu'on venait vers elle et tout d'un coup elle se mit à rebrousser chemin et à courir, prise d'une peur qui n'avait pas plus de raison que sa colère de tout à l'heure, pas plus de raison que son rire. Elle s'engagea dans une petite rue qui remontait vers la campagne. Son cœur battait. Elle marmotta quelque chose d'une voix étranglée et courut plus fort.

Bientôt elle fut sur la route nationale. Le bruit de la fête lui parvenait encore. Elle mit les mains à ses oreilles et continua à courir. Ses pas résonnaient sur la pierre. Les arbres à droite et à gauche se distinguaient à peine du ciel où les étoiles scintillaient par myriades. La nuit était noire ; seule la route se voyait dans l'ombre.

Au bout de quelques minutes, elle ralentit sa course et souffla. Un profond silence régnait et la petite ville était loin, mais Adrienne ne s'arrêta pas. Elle marchait maintenant, d'un pas inégal, tantôt si lent, tantôt si rapide et si accablé qu'il semblait que la fatigue dût enfin avoir raison de la jeune fille et de sa frayeur. Comme tout à l'heure, elle parlait à mi-voix, mais sa langue s'épaississait et elle n'articulait pas un mot que l'on eût pu saisir.

Parfois, son inquiétude grandissait subitement. Alors, elle ramassait ses forces et courait sur la route pendant quelques secondes, comme stimulée par un aiguillon. Puis son esprit s'égarait de nouveau dans d'autres voies, et elle traînait des pieds.

Des promeneurs l'arrêtèrent un peu plus tard, comme elle dépassait les premières maisons du village voisin. Elle ne put donner ni son nom ni son adresse. Elle ne se rappelait plus rien.

Table

XII. La Lumière du monde, 1978-1981
XIII. L'Arc-en-ciel, 1981-1984
XIV. L'Expatrié, 1984-1990
XV. L'avenir n'est à personne, 1990-1992

Dans la gueule du Temps
journal illustré, 1926-1976, épuisé

Journal du voyageur
*avec 100 photos
par l'auteur, 1990*

ŒUVRES COMPLÈTES

Tomes I, II, III, IV, V, VI
Tome VII en préparation
Bibliothèque de la Pléiade

ŒUVRES EN ANGLAIS

The Apprentice Psychiatrist
The Virginia Quarterly Review

Memories of Happy Days
New York, Harper; Londres, Dent

The Green Paradise, *Londres, Marion Boyars*
South, *Londres, Marion Boyars*
The Apprentice Writer, *Londres, Marion Boyars*

TRADUCTIONS EN ANGLAIS

Œuvres de Charles Péguy :
Basic Verities, Men and Saints, The Mystery
of the Charity of Joan of Arc, God Speaks
New York, Pantheon Books

TRADUCTION EN FRANÇAIS

Merveilles et Démons
nouvelles de Lord Dunsany

EN ALLEMAND

Les statues parlent
*texte de l'exposition des photos
de Julien Green sur la sculpture
à la Glyptothèque de Munich*

À PARAÎTRE

L'Étudiant roux, *pièce en trois actes*
Le Grand Soir, *pièce en trois actes*
Jeunesse immortelle
Dionysos ou la chasse aventureuse
Idolino
Dixie. III
Ralph disparaît, *conte*

ACHEVÉ D'IMPRIMER
EN MAI 1994
SUR LES PRESSES DE
L'IMPRIMERIE HÉRISSEY
À ÉVREUX (EURE)

35-33-9275-01/5
ISBN 2-213-59275-6
N° d'édition : 712
N° d'impression : 65216
Dépôt légal : mai 1994

Imprimé en France

35/9275/5